ペーパーバック・エディション

The Catcher in the Rye

J.D. Salinger

キャッチャー・イン・ザ・ライ

J.D.サリンジャー
村上春樹訳

白水社

装丁／坂川事務所

母へ

Ⅰ

こうして話を始めるとなると、君はまず最初に、僕がどこで生まれたかとか、どんなみっともない子ども時代を送ったかとか、僕が生まれる前に両親が何をしていたかとか、その手のデイヴィッド・カッパフィールド的なしょうもないあれこれを知りたがるかもしれない。でもはっきり言ってね、その手の話をする気になれないんだよ。そんなこと話したところであくびが出るばっかりだし、それにだいたい僕がもしそういう家庭の内情みたいなのをちらっとでも持ち出したら、うちの両親はきっとそろって二度ずつ脳溢血《のういっけつ》を起こしちゃうと思う。そういうことに関してはなにしろ感じやすい人たちなんだ。とくに父親の方がね。いや、うちの両親はいい人たちだよ。そういうことじゃなくさ、ただやたら感じやすいんだってこと。それに僕としちゃ何も、頭からそっくり自伝を話して聞かせようとか、そんなつもりはないんだ。今から君に話そうとしているのはただ、去年のクリスマス前後に僕の身に起こったとんでもないどたばたについてだよ。それは僕の具合がけっこうまずくなって、療養のためにここに送られてくる直前に起こったことなんだけど、実を言えばＤＢにだってその程度の話しかしてないんだ。ＤＢってのは僕の兄さんなんだけど、それでもね。

ＤＢは今ハリウッドに住んでいて、そこからこのうらぶれた場所まではそんなに距離はないから、だいたいいつも週末になると僕を訪ねに来てくれる。来月あたりうちに戻るときには、車に一緒に乗っけてってくれるってことだ。なにしろジャガーを手に入れたばかりなんだよ。時速二百マイルくらいでぶっとばせるような英国車さ。うん、四千ドル近くはしたんじゃないかな。兄はなにしろ羽振りがいいんだ。昔はそうでもなかったんだけどね。うちにいた頃のＤＢは、ごく当たり前の作家として暮らしていた。ひょっとして君は名前を耳にしたことがないかもしれないからいちおう説明しておくと、彼は『秘密の金魚』という短編集を出していて、こいつは掛け値なしに最高の本だったね。なかでいちばんいいのは「秘密の金魚」っていう短編で、誰にも自分の金魚を見せようとしない小さな子どもの話だ。どうして誰にも見せないかっていうとさ、その子が自分のお金で買った金魚だからなんだ。これにはもう参っちまったね。ところが今じゃハリウッドに移って、せっせと身売りみたいなことをしている。そうだよ、僕の兄のＤＢがだよ。僕にとことん我慢できないものがひとつあるとしたら、そいつは映画だね。お願いだから僕の前で映画の話なんかしないでくれよな。

僕がペンシー・プレップスクールをあとにした日のことから話を始めよう。ペンシー・プレップはペンシルヴェニア州のエイジャーズタウンにある学校で、君もたぶん名前を聞いたことがあるんじゃないかな。少なくとも広告くらいは目にしてるはずだ。なにしろ千はくだらない数の雑誌に広告を出してるからさ。広告にはいつもそれっぽい若者が馬に乗ってフェンスをひょいと飛び越えている写真が使われてる。まるでペンシーでは年がら年中ポロしかやっておりません、みたいな感じでね。でもさ、学校の中はおろかその近辺でも、馬なんてものを見かけたことはただの一度もなかったね。で、その馬に乗った若者の下にはいつもこんなコピーがついてるんだよ。「一八八八年以来、本校は少年たちを、明晰《めいせき》な思考をする優秀な若者へと育成して参りました」ってさ。まったくもう、冗談にもほどがあるじゃないか。やれやれ、ペンシーが誰かを育成したりするもんかい。そういうのってもちろん、ペンシーのみならずほかの学校だって似たり寄ったりなんだけど、それにしてもあの学校じゃ、明晰な思考をする優秀なやつなんてただの一人も見かけなかったね。そうだな、二人くらいはちょっとましなのがいたかもしれない。でもせいぜいその程度だよ。それにたぶんその二人にしたところで、ペンシーに入る前からもともと「ちょっとまし」だったんじゃないのかな。

とにかくサクソン・ホール校とのフットボールの試合があった土曜日のことだ。サクソン・ホール校との対抗試合は、ペンシーではまさに天下の一大事みたいなことになっている。シーズン最後の試合で、もし我がペンシーがその試合に敗れでもしたら、それこそみんな揃って首をくくろうかみたいな雰囲気なんだよ。その日の午後三時くらいに、僕ははるかトムセン・ヒルのてっぺんにある、独立戦争のときに使われたっていうクレイジーな大砲のわきに立っていた。そこからは競技場全体を見渡すことができた。いたるところで二つのチームがぶつかりあっていた。応援席の方はそんなによくは見えないんだけど、でもみんなが声をかぎりに叫びまくっているのは聞こえる。ペンシーの応援席はそりゃえらい騒ぎだった。なにしろおそらく僕一人を除いたペンシーの生徒全員がそこに勢揃いしていたはずだからね。それに比べるとサクソン・ホール側の応援はしょぼいものだった。ビジター・チームについてくる応援団の数なんてしれたもんだからさ。

　フットボールの試合には女の子はほとんどやってこない。女の子を連れてきてもいいのは最上級生だけって決められているからだ。だからさ、どう転んでもとことん救いのない学校なんだよ。僕としちゃ、せめて二、三人でもいいから、たまには女の子の姿が見えるような学校に行きたかったよね。女の子っていっても、何もとくべつなことはしなくていい。腕をぽりぽり掻《か》くとか、鼻をかむとか、あるいはただくすくす笑うとか、それくらいのことでいいんだよ。セルマ・サーマーはフットボールの試合にはしょっちゅう姿を見せる。セルマは校長の娘なんだけど、見ているだけで欲望にめらめらと火がつくとか、そういうタイプじゃまったくないんだ。まあ、なかなか感じのいい子ではあるんだけどね。一度エイジャーズタウンから出るバスで彼女と隣り合わせて、それでたまたま会話をすることになったんだけど、僕は好感を持ったね。鼻が大きくて、爪はひとつ残らず噛《か》みまくられて血だらけみたいな感じで、胸の詰め物がひょいひょいあさっての方向を向いちまってるわけなんだけど、それでもなんか同情しちゃうところはあるんだ。僕がセルマについて気に入ったのは、自分の父親がどれほど立派な人かとか、そういうしょうもない吹《ふい》聴《ちょう》をしない点だった。自分の親父がどれくらい見苦しいインチキ野郎か、彼女にだっておおよそわかっていたんじゃないかな。

どうして僕がそのとき応援席にではなく、トムセン・ヒルのてっぺんなんかにいたかっていうと、ほんの少し前にフェンシング・チームと一緒にニューヨークから戻ってきたばかりだったからだ。ことあろうに僕はフェンシング・チームのマネージャーをやっていたんだ。まったく笑っちまうじゃないか。僕らはその朝マクバーニー校との交流試合のためにニューヨークまで出かけたんだけど、結局試合はおこなわれなかった。というのはフルーレだとかそういう用具一式を、僕が地下鉄に置き忘れちまったからだ。でもさ、それは何から何まで僕の落ち度っていうんでもないんだよ。なにせ僕はどこで電車を降りればいいのかを確かめるために、しょっちゅう席を立って路線図を睨《にら》んでなくちゃならなかったんだもの。でもとにかくそんなこんなで、本来なら夕食どきにペンシーに戻ってくる予定が、二時半にはもう学校に戻りついているという羽目になっちまった。帰りの電車の中ではチーム全員がずっと僕のことを無視していた。まあ、けっこう笑えることではあったんだけどね。

試合の応援に行かなかったもうひとつの理由は、歴史担任のスペンサー先生のところにお別れの挨拶《あいさつ》に行かなくちゃならなかったからだ。先生は流感にかかっていて、クリスマス休暇に入る前に学校で顔を合わせる機会もなさそうだった。君が帰省する前に一度会って話したいという短い手紙を、僕は先生から受け取っていた。僕がもうペンシーに戻らないってことを、先生は知っていたんだ。

そうそう、すっかり言い忘れていた。僕は退学処分をくらってたんだよ。クリスマス休暇のあとはもう登校に及ばず、っていうこと。四科目に落第点をとりながら、それでもぜんぜんやる気を出さなかった。身を入れて勉学に励むようにという警告をさんざん僕は受けていた。とりわけ中間試験の期間に両親が呼び出されて、サーマー校長との面談に及んだときにはね。それでも「勉学」になんて、これっぽっちも身を入れなかった。そこで見事にばっさりと切り捨てられてしまったわけだ。ペンシーではこの「切り捨て」がけっこう頻繁《ひんぱん》におこなわれる。ペンシーは学業成績が優秀なことで知られているんだよ。冗談ぬきでさ。

何はともあれ十二月のことだから、あたりは魔女の乳首みたいに冷え込んでいた。とりわけその間の抜けた丘の上はばりばりに寒かった。僕はリバーシブルのコートを着ているだけで、手袋もなにもつけていなかった。その前の週に誰かが僕のキャメルのコートをかっぱらっていったんだ。ちゃんと部屋に置いてあったものをだぜ。コートのポケットには毛皮の裏地のついた手袋なんかも入れっぱなしだった。ペンシーってところはとにかくこそ泥の巣みたいなんだよ。すごい裕福な家の子どもがいっぱいいるところなんだけど、にもかかわらずこそ泥だらけなんだ。ていうか、金持ち学校であればあるほど中はだいたいこそ泥だらけなんだ——嘘じゃないよ、これは。とにかく僕はそのクレイジーな大砲のわきにつっ立って、試合を見おろしながら、骨の髄《ずい》までがちがちに凍《こご》えていた。試合そのものをとくに熱心に見ていたわけじゃない。僕としては、ああもうこともお別れなんだな、という感じがつかみたくて、そのへんでぐずぐずしていただけなんだ。つまりさ、僕はこれまで、どさくさみたいな感じで学校とかいろんな場所をあとにしてきたんだけど、そういうのは正直言ってもううんざりだった。それが悲しい別離であったとしても、いやな感じの別離であったとしても、僕としちゃべつにかまわないんだ。ただどこかをあとにするときには、自分がそこをあとにするんだということを、いちおう実感しておきたいんだよ。そうじゃなくっちゃ、救いってものがないじゃないか。

僕はラッキーだった。ふとあることを思い出して、そのおかげで「もうここともお別れなんだな」ということがうまくのみこめたからだ。そのとき僕の頭に出し抜けによみがえったのは、十月に僕とロバート・ティチナーとポール・キャンベルの三人が、校舎の前でフットボールの投げっこをしていたときの情景だった。二人とも、とくにティチナーの方は、いいやつなんだ。夕食時間のちょっと前で、あたりはもうかなり暗くなっていた。でもそんなことにはお構いなく、僕らはボールを投げ合っていた。日はどんどん暮れていって、ボールだってろくすっぽ見えないくらいだったんだけど、僕らはそのときにやっていることを中断させたくなかったんだ。でもやっぱり最後にはやめなくちゃならなかった。生物教師のミスタ・ザンベジが校舎の窓から顔を出して、おい君たち、そろそろ夕食の時間だから寮に戻りなさいと言ったからだ。そういうことさえすらっと思い出せれば、必要に応じて別れの実感が湧《わ》くものなんだよ。少なくともおおかたの場合にはね。それを心にとめると、僕は回れ右して、丘の裏手の坂をスペンサー先生の家に向けて駆け降りた。先生の家は学校の構内じゃなく、アンソニー・ウェイン・アベニューにあるんだ。

正門までの道をずっと走り、そこで立ち止まって息を整えた。念のために言っておくと、僕は息がすぐに切れちまうんだ。まずだいいちに僕はヘビー・スモーカーだ。というか、その当時はヘビー・スモーカーだったんだ。ここに来てから煙草《たばこ》をやめさせられた。もうひとつ、僕は去年一年だけで六インチ半も背が伸びた。そのせいもあって結核っていうか、そういう感じになっちまって、あれこれ検査するってことでここに送られてきたわけさ。まあとくにどっかが悪いってことじゃないんだけどね。

で、息を整えるとすぐに204号線を駆けて渡った。道路はしっかり氷結していて、それでやらく滑《すべ》っちまうところだった。なんでわざわざ走らなくちゃならないのか、自分でもそのへんはよくわからないけど、たぶんただ走りたかったんじゃないかな。道路を渡りきったとき、なんだか自分がすっと消え失せていくような気分になった。つまりそんな感じのでたらめな午後だったんだよ。やたら寒くって、太陽なんかもぜんぜん顔を見せてなくて、ひとつ通りを渡るごとに、自分がそのまま消え失せていくみたいな気がしちゃうわけだ。

やれやれ、やっとの思いでスペンサー先生の家にたどり着くと、僕はすごい勢いで玄関のベルを鳴らした。身体はもうとことん凍りついていた。耳はちぎれそうだし、指先だってろくすっぽ動かない。「早く早く」とほとんど声に出してしまいそうだった。「ほらほら、さっさとドアを開けてくれよ」。やっとこさミセス・スペンサーがドアを開けてくれた。先生の家にはメイドなんかいない。いつだって自分たちでドアを開けるんだ。そんなに裕福ってわけじゃないからね。

「ホールデン！」と奥さんは言った。「まあ、よく来たわね！　さあさあお入りなさい！　今にも凍え死にしそうな顔をしてるわよ」。たぶん奥さんは僕に会えて嬉しかったんだと思う。彼女は僕に好意を持っていてくれたから。というか、少なくとも僕にはそんな気がしてたということなんだけどさ。

僕はすべりこむようにさっと家の中に入った。「お元気ですか、ミセス・スペンサー？」と僕は言った。「コートを預かるわ」と奥さんは言った。僕が先生の容態を尋ねたのは聞こえなかったみたいだ。「先生の具合はいかがですか？」耳がけっこう遠いんだよ。

奥さんは玄関のクローゼットにコートをかけた。そして僕は手で髪をちょいちょいと整えた。こまめにクルーカットに刈り上げているから、櫛《くし》でとかす必要もないんだ。「お元気ですか、ミセス・スペンサー？」と今度は彼女にも聞こえるように大きな声で繰り返した。

「おかげさまでね、ホールデン」、奥さんはクローゼットのドアを閉めた。「あなたの方はいかが？」。その口調から、僕が退学処分になることはもう先生の口から伝わっているんだなとすぐにわかった。

「元気です」と僕は言った。「スペンサー先生の具合はいかがですか？　まだ流感はとれないんですか？」

「とれないも何も！　ねえホールデン、あの人ったらもうまるっきりの——なんて言えばいいのかしら……先生は自分の部屋にいるわ、ディア。行ってらっしゃい」

2

先生と奥さんはそれぞれの部屋を持っている。どちらももう七十歳くらい、あるいはもっと上かもしれないな。でも二人はいろんなことで盛り上がれるんだ――もちろんいくぶんとんちんかんにということだけど。こういう言い方は意地悪く聞こえるかもしれない。でも僕はべつに意地悪で言っているんじゃないんだ。なんていうかさ、僕はかつてはスペンサー先生のことをあれこれ深く考えていたんだよ。でも先生みたいな人のことを考えすぎるとね、いったいこの人は何のためにまだ生きているんだろうって、つい思い悩んじまうわけだ。たとえば先生は腰がしっかり曲がっていて、姿勢だってまあひどいもんだ。授業中に先生が黒板の前でチョークを落とすたびに、最前列に座っている生徒が立ち上がって拾い、手渡してあげなくちゃならないくらいだ。僕に言わせれば、それは痛ましいことだ。でも先生についてほどほどに考えていれば、というかあまり深く考えすぎなければ、あの歳にしちゃまあまともにやっているじゃないかということになるんだろうね。例をあげるなら、ある日曜日に他の生徒たちと一緒に先生の家にココアをご馳走《ちそう》になりに行った。先生は僕らにうらぶれたナバホの毛布を見せてくれた。先生が奥さんと一緒にイエローストーン公園に行ったときに、あるインディアンから買いとったものなんだけど、スペンサー先生がその毛布を買うことですごく盛り上がっているところが、かなり目に浮かんじゃうわけだ。僕が言いたいのはそういうことだよ。スペンサー先生みたいにすごく歳とった人って、なにしろ毛布一枚買うことで盛り上がっちゃったりできるわけだ。

先生の部屋のドアは開いていたんだけど、まあいちおうの礼儀として、僕はノックなんかをしてみた。先生が座っている姿が見えた。先生は大きな革の椅子に腰掛け、今話をした例の毛布で身体をすっぽりと包んでいた。僕がノックをすると、先生はこっちを見た。「誰かね?」と先生は怒鳴った。「ああ、コールフィールドか。入りなさい、あーむ」。先生は教室の外ではいつも大声で怒鳴るんだ。そういうのってときどき神経にさわるよね。

部屋の中に入った瞬間、僕はここに来たことを後悔した。先生は「アトランティック・マンスリー」を読んでいたんだけど、あたりには錠剤やら飲み薬やらが散乱していて、何もかもにヴィックス・ノーズ・ドロップスみたいな匂いがしみついていた。そういうのってけっこう気が滅入《めい》る。僕はだいたいにおいて病人が苦手《にがて》なんだよ。それにも増して僕をめげさせたのは、先生が身にまとっている切なくしょぼくれたバスローブだった。それに包まれたまま生まれてきたんじゃないかと思えるくらい、古っぽい代物だった。だいたい僕は、パジャマとかバスローブとかを着た年寄りを見るのがあんまり得意じゃないんだ。いつだってよぼよぼの貧相な胸がはだけて見えがるんだよ。それから脚なんかもね。海岸とかで見かける老人の脚って、決まって真っ白けで毛がないじゃないか。「こんにちは、先生」と僕は言った。「お手紙をいただきました。ありがとうございます」。先生からの短い手紙には、休暇に入る前に君にぜひさよならを言いたいので、うちに寄ってくれ、この先もう会えないかもしれないから、とあった。「わざわざ手紙をいただかなくても、ご挨拶にうかがおうとは思っていたんです」

「そこに座りなさい、あーむ」とスペンサー先生は言った。ベッドに座れということだった。

僕はそこに腰を下ろした。「流感の具合はいかがですか、先生？」

「あーむ、もっと良くなったら医者を呼ばんとな」とスペンサー先生は言った。そして自分の冗談に自分で大受けした。もう、気がふれたみたいなくすくす笑いを始めたんだ。それからやっとこさ真顔に戻って言った。「君はどうして試合の応援に行かんのだね。今日はビッグ・ゲームのある日じゃないのかね」

「はい、そうです。さっきまでは応援していたんです。ただその、フェンシング・チームと一緒にニューヨークから戻ってきたばかりでして」と僕は言った。やれやれ、そのベッドときたら、ほんと石みたいにがちがちなんだよな。

先生は急にひどくまじめな顔になった。そうなると思っていたんだ。「で、君は学校を去っていくんだな？」と先生は言った。

「はい、先生。そういうことになると思います」

先生はそこですっかりうなずき態勢に入ってしまった。世の中広しといえども、スペンサー先生くらいひっきりなしにうなずきまくる人にはまずお目にかかれないだろうな。だいたいこの人がこんなにしょっちゅううなずくのは、ものを考えているからなのか、それともただ単に自分のお尻と肘《ひじ》との見分けもつかないようなとぼけたじいさんだからなのか、その辺がもうひとつわからないんだ。

「サーマー校長はなんとおっしゃっていたかね？ 君と校長先生とはずいぶんみっちり話をしたはずだが」

「はい、話をしました。ずいぶん話しました。校長室に二時間くらいはいたと思います」

「なんておっしゃっていた？」

「あの……えーと、人生とはゲームだとか、そういう内容のことでした。君はルールに従ってプレイしなくてはならないんだとか。とても優しくしていただきました。つまり、頭から湯気《ゆげ》を立てたりとか、そういうことはありませんでした。つまり人生はゲームなんだみたいなことを、ずうっと話されていました。はい」

「人生とはゲームなんだよ、あーむ。人生とは実にルールに従ってプレイせにゃならんゲームなんだ」

「はい、先生。そのとおりです。よくわかっています」

ゲームときたね。まったくたいしたゲームだよ。もし君が強いやつばっかり揃ったチームに属していたとしたら、そりゃたしかにゲームでいいだろうさ。それはわかるよ。でももし君がそうじゃない方のチームに属していたとしたら、つまり強いやつなんて一人もおりませんっていうようなチームにいたとしたら、ゲームどころじゃないだろう。お話にもならないよね。ゲームもくそもあるもんか。「サーマー校長は君のご両親にもう手紙を書かれたのかな？」とスペンサー先生は尋ねた。

「月曜日に手紙を書くとおっしゃっていました」

「それで君はご両親と連絡をとったかね？」

「いいえ、まだ連絡してはいません。というのは、水曜日の晩に家に帰って、たぶんそこで顔を合わせることになると思いますので」

「ご両親はそれを聞いてどう思われるかな？」

「あの……かなりかりかりするだろうと思います」と僕は言った。「まじめな話。なにしろこの学校は四つめくらいですから」、僕は首を振った。僕はまたよく首を振るんだ。「やれやれ！」と僕は言った。ついでに言うと、この「やれやれ！」ってのも口癖なんだ。ひとつには僕のボキャブラリーがお粗末だからだけど、あと、僕はときどき実際の年齢よりずっと子どもっぽく振る舞っちまうんだよ。僕は当時十六歳で、今では十七歳なんだけど、よく十三歳の子どもがやるみたいなことをしちゃったりする。これは実に皮肉な話で、というのは僕は身長が六フィート二インチ半もあって、おまけに白髪《しらが》まで生えているからだ。嘘じゃないよ。僕の頭の片方には——右側だけど――何百万本っていう白髪がある。小さい頃からもう白髪が生えていたんだよ。それなのに今でもときどき十二歳の子どもみたいな真似をしでかしちゃうわけさ。みんなにそう言われる。とくに父親にはね。うん、たしかに一面としては真実なんだ。でもまるっきりそればっかりというんでもない。人って何かひとつを真実だと思い込むと、それしかなくなっちまうんだ。だから僕としちゃ適当に聞き流してはいるんだけど、それにしても「歳相応《そうおう》に振る舞え」なんてことばかり言われ続けていると、ときにはうんざりするよね。僕だって場合によっちゃ、年齢よりもずっと大人びた行動をとることもあるんだ。嘘じゃなくてさ。ところがみんなそういうのには目を留めてくれない。人って肝心なところはまるで見てないんだよな。

スペンサー先生は再びうなずきを開始した。先生はまた、鼻をほじくり始めた。鼻をつまむみたいなふりをしていたんだけど、実は親指を中にもろに突っ込んでいた。部屋には僕しかいないから、そんなことをしてもべつにかまわないだろうと、先生はたぶん考えたんだと思う。いや、僕はべつにかまわないんだよ。でもさ、目の前で鼻をほじくられたりすると、とりあえずはめげちゃうよね。

先生は言った、「数週間前に、君の母上と父上の御尊顔《そんがん》を拝《はい》することができた。こちらに見えて、サーマー校長先生と面談されたときにな。なかなか風格ある方々だ」

「はい、そのとおりです。良い人たちです」

僕はこの「風格ある」という言葉が何よりもきらいなんだ。嘘っぽい言葉だ。それを耳にするたびにどっと吐《は》きそうになる。

それから出し抜けにスペンサー先生は、何かものすごく有益なぴりっと冴《さ》えたことを僕に語ろうとするかのような顔つきになった。先生は椅子の上でいくぶん背筋をのばし、ちょっと身体の向きを変えた。でも僕のうがちすぎだった。先生がやろうとしたのはただ膝《ひざ》の上の「アトランティック・マンスリー」を手に取って、ベッドの上にひょいと放り投げることだった。僕の座っているとなりにさ。でもどっちみちその試みはうまくいかなかった。二インチくらいの距離しかなかったんだけど、それでもちゃんと外《はず》しちまうんだ。僕は立ち上がって雑誌を拾い上げ、ベッドの上に置いた。そのとき突然、この部屋からさっさと出ていきたくなった。ろくでもないお説教が始まりそうな雰囲気を感じとったからだ。いや、それはそれでかまわないんだけどさ、お説教されることと、ヴィックス・ノーズ・ドロップスの匂いを嗅《か》がされるのと、パジャマとバスローブ姿のスペンサー先生を目の前にしてるのと、その三つが一度にどっと押し寄せて来ると、さすがにやるせないじゃないか。いや、まじめな話。

案の定お説教がしっかり始まった。「君はいったいどうしたというんだね、あーむ?」とスペンサー先生は言った。おまけに、その口調は先生にしてはかなり厳しいものだった。「今学期君はいくつ科目をとったんだね?」

「五つです、先生」

「五つか。そしていくつ落としたかね?」

「四つです」。僕はベッドの上でお尻をもじもじと動かした。まったく、こんな固いベッドに腰を下ろしたのは生まれて初めてだ。「英語はうまくいきました」と僕は言った。「というのは、『ベオウルフ』とか『我が子ロード・ランダル』というようなあたりは、前にいたウートン・スクールでもう済ませていたからです。つまり、英語についていえばほとんどぜんぜん勉強しなくてもいいようなものでした。たまにちょろっと作文を書くくらいでよかったんです」

でも先生は聞いてもいなかった。君が何を言ったところで、先生はまずほとんど聞いてないんだよ。

「私が歴史のクラスで君を落第させたのはだな、君がまったく何ひとつ知らなかったからだ」

「わかっています、先生。やれやれ、よくわかっているんです。それは当然のことです」

「まったく、何ひとつ」と先生は繰り返した。そういうのって頭がぐらぐらしちゃうんだよね。最初のときにちゃんとこっちがそうだと認めているっていうのにさ、同じことをわざわざ二度繰り返すことないじゃないか。それどころか先生は、三度まで繰り返した。「しかしだな、まったく、何ひとつだ。君はこの学期のあいだ、ひょっとして教科書を一度たりとも開いたことがないんじゃないのか。どうかね？　ひとつ真実のところを教えてくれんか、あーむ」

「ええと、二、三回は軽く目を通しました」と僕は言った。僕としては先生の気持ちを傷つけたくはなかった。先生はなにしろ歴史にぞっこんだからさ。

「軽く目を通した、というのかね？」と彼は言った――すごく皮肉っぽい感じで。「君の、ああ、答案なるものは、そこの私の箪笥《たんす》の上の、積んであるやつのいちばん上に載《の》っておる。ちょっと取ってくれんかね」

　そういうのはとんでもなく汚いやりくちだ。でも僕はそこに行って答案を取り、先生に手渡した。だってさ、いやですね、そんなことやりたくありませんね、なんて言えないじゃないか。それからまたセメントなみにがちがちの先生のベッドに腰を下ろした。やれやれ、先生に別れの挨拶をするためにここまで出向いたことを僕がどれくらい悔やみ始めていたか、君にはたぶん見当もつかないだろうよ。

　先生は僕の答案を、まるで糞《くそ》か何かを触《さわ》るみたいな感じで手に取った。「我々は十一月四日から十二月二日にかけてエジプト人について勉強した」と先生は言った。「で、君は自由選択の記述問題で、自らエジプト人について書くことを選んだ。自分がそこに何を書いたか聞きたいかね？」

「いいえ、先生、とくに聞きたくありません」

　でも先生はかまわず読み上げた。教師ってのが一度何かをしようと心に決めたら、それを阻止する手だてはないんだ。何を言ったところで、連中はとにかくやりたいことをやるんだから。

　エジプト人はアフリカの北部地域のひとつに在住していた古来の白色人種《コーケジアン》であった。アフリカは一般に知られているように、東半球におけるもっとも大きな大陸だ。

僕はそこにじっと座って、そのカスみたいなものをいちいち聞いていなくてはならなかった。まったく汚いやりくちじゃないか。

エジプト人はいろんな理由で、今日の我々にとってもきわめて興味深い人々である。現代の科学者たちも、彼らが死者をぐるぐる巻きにしたとき、いったいどのような秘密の薬剤をもちいて、何世紀にもわたって顔の腐敗を防ぐことができたのか、知りたいと思っている。二十世紀の現代科学にとって、この興味深い謎はなおも大きな挑戦となりつづけている。

先生は読むのをやめて、答案を下に置いた。僕は先生のことがだんだん嫌いになり始めていた。「君の記述解答とでも呼ぶべきものは、そこで終わっておる」、先生はすごく嫌みな声でそう言った。これほど歳とっていながら、しかもこれほど嫌みになれるなんて、ほんと信じられないよね。「しかしながら、君は答案のいちばん下に、私あての短いメッセージを残しておる」と先生は言った。

「はい、そのとおりです」と僕は言った。なにしろものすごい早口で言った。先生がそれを声に出して読み上げるのをなんとしても阻止したかったからだ。でも止めることなんてできやしない。先生はもう爆竹《ばくちく》みたいに熱くなっていた。

スペンサー先生（と彼は声に出して読み上げた）、これは僕がエジプト人について知っていることのすべてです。先生の講義はとても興味深いものでありましたが、僕はどうしてもその人々に興味を持つことができなかったのです。僕を落第にしていただいてけっこうです。僕はどうせ、英語以外の科目をたぶん全部落とすことになると思いますので。

ホールデン・コールフィールド　拝

そこで先生はそのみっともない答案を置いて、こっちを見た。まるでピンポンの試合か何かで僕をこてんぱんにのしてしまったあとみたいな感じで。そんなクソみたいなものを僕の面前で声に出して読み上げたことで、僕は先生を永遠に許さないだろう。もし彼がそんなものを書いたとしたら、僕は本人の前で読み上げたりはしないと思うよ。まったくの話。だいたい僕がそんなあほらしい一文を書いたのは、僕を落第させることで先生にうしろめたい思いをしてもらいたくなかったっていう、それだけのためだったんだ。

「私が君を落第にしたことで、私を責めるかね、あーむ？」と彼は言った。

「いいえ、先生！　ぜんぜん責めたりはしません」と僕は言った。僕に向かってしょっちゅう「あーむ」と呼びかけるのはやめてくれないかなと真剣に思った。

先生はもう用済みになった答案をベッドの上に向かってひょいと放り投げた。そして言うまでもないことだけど、また外した。当然、僕はまた立ち上がって答案を拾い上げ、「アトランティック・マンスリー」の上に載っけなくてはならなかった。二分おきにそんなことをさせられたら、とりあえずめげるしかないじゃないか。

「もし君が私の立場であったとしたら、どうすると思うね？」と彼は言った。「ひとつ腹蔵《ふくぞう》のないところを言ってくれんかね、あーむ」

先生が僕を落第させたことをかなりうしろめたく思っていることははっきりしていた。だから僕はひとしきりまくしたてた。どれくらい自分の頭の出来が悪いかとか、その手のことを。もし僕が先生の立場であったら、寸分違《たが》わず同じことをすると思います。世の中のたいていの人は、教師というのがどれくらい過酷な仕事かということがわかってないんですよ、と僕は言った。ほんとに我ながら、しょうもないことがよくすらすらと言えるもんだよな。

でもなんていうか、変な話なんだけど、そういう実《み》のないことを調子よく並べたてているあいだ、僕は頭の中でぼんやりとぜんぜんべつのことを考えていた。僕のうちはニューヨークにあるんだけど、セントラルパークの池のことを考えていたんだ。セントラルパーク・サウス通りのそばにあるやつのことだよ。僕はこんなことを思った。僕がうちに帰るときにはあの池はもう凍りついてしまっているだろうか？　もしそうだとしたら、あそこにいたアヒルたちはみんなどこに行くんだろう。池全体ががちがちに氷結したとき、アヒルたちはいったいどこに行くんだろうか。そ誰かがトラックで乗りつけて、みんなを動物園とかそういうところに連れて行くんだろうか。それともアヒルたちは自分でどっかに飛んでいってしまうんだろうか？

でもそういうのってラッキーだったね。つまりさ、歯の浮くようなことをべらべらとしゃべりながら、同時に頭の中でアヒルのことを考えていられたわけだからね。おかしな話さ。だからさ、教師を相手に話をするときって、そんなにいちいち真剣になることないんだよ。でもそのとき突然、先生は僕の話を遮《さえぎ》った。スペンサー先生はいつだって話を遮る人なんだ。

「君はこのことについてどう感じているんだね、あーむ？　私としてはそれがとても知りたいんだ。とても知りたい」

「というのはつまり、あの、僕がペンシーを退学になることとかについてでしょうか？」と僕は言った。僕はなんというか、先生がその洗濯板みたいな胸を隠してくれないかなとつくづく思った。どう見たってとくに美しいとは言いがたい光景なんだよね。

「もし私の思い違いでなければだが、君はウートン・スクールにおいても、エルクトン・ヒルズにおいても、やはりその手の問題があったはずだ」。先生の口調は皮肉のみならず、ある種の陰険さも含んでいた。

「エルクトン・ヒルズでは、とくに問題があったわけじゃありません」と僕は言った。「退学させられたとか、そういうことでもなかったんです。僕はただ、なんというか、自分からあそこをやめたんです」

「その理由を聞かせてもらえるだろうか？」

「理由？　えーと、それは長い話なんです。はい。あの、けっこう込み入ってましてね」。僕は彼にそのいきさつをいちいち説明したくはなかった。何を言ったところで、わかってもらえるわけがないんだから。そもそも先生に理解できるようなことじゃないんだ。僕がエルクトン・ヒルズをやめた最大の理由のひとつは、そこがインチキ野郎の巣窟《そうくつ》だったからだ。それだけのこと。連中はとにかくいたるところにうようよしていた。たとえばミスタ・ハースという校長がそうだ。僕は今までの人生でこれくらいインチキな野郎に会った覚えがない。こいつはもう、ここのサーマー校長の十倍くらいはインチキなやつなんだ。たとえばこのハースは日曜日になると、学校を訪問する生徒の父母とべたべた握手してまわるんだ。ものすごく愛想よくふるまうわけだよ。ただしどっかの生徒の両親がぱっとしない、変てこりんな見かけをしていたりしたら、話はまったく違ってくる。やつが僕のルームメイトの両親に会ったときの光景を、君にも見せてやりたかったな。つまりさ、どっかの生徒の母親がでぶだったり、田舎じみた見かけだったりしたら、あるいは父親が肩のすごく大きな野暮ったい背広を着ていたり、鈍《どん》くさい白黒コンビの靴を履《は》いていたりしたら、このハースのやつはちょろちょろっとおざなりの握手をして、とってつけたようなにっこり笑いを浮かべるだけで、あっというまに次の誰かの両親に移ってしまう。そしてその相手と、かれこれ半時間も話し込んじゃったりするわけだ。僕はその手のことに我慢できなかったんだよ。そんなのを見ていたら、頭がどうにかなっちまう。とことん落ち込んで、神経がおかしくなるんだ。エルクトン・ヒルズってのはとにかくむかむかするところだったね。

スペンサー先生は僕に何か質問した。でも僕は聞いていなかった。ずっとハースのやつのことを考えていたんだ。「はい、先生？」と僕は言った。

「ペンシーを去るにあたって、君には何かとくに思い残すことがあるかね？」

「ええ、はい、いくつか思い残すことはあります。もちろん……でもそんなにたくさんじゃありません。今のところはそんなに、ということです。まだたぶん実感が湧いてこないんだと思います。ぴんとくるのに時間がかかるんです。頭にあるのは今のところ、これから家に帰るってことだけなんです。水曜日に。あの、僕はとろい方ですから」

「君は自分の将来をぜんぜん案じたりしないのかね、あーむ？」

「いいえ、もちろん自分の将来について案じたりします。ええ、その、もちろん」、僕はそれについてちょっとだけ考えてみた。「でもそんなに深くじゃないです。あまり深く案じることはないと思います」

「そのうちにいろいろと案ずるようになる」とスペンサー先生は言った。「いずれそのうちにな、あーむ。でもそのときにはもう手遅れになっておる」

僕としては先生がそんなことを口にするのを聞きたくなかった。まるで僕がすでに死んでしまったみたいな言い方じゃないか。ひたすら落ち込んじゃったね。「はい、そういうことになると思います」と僕は言った。

「私は君の頭に分別《ふんべつ》というものを入れてやりたいんだよ、あーむ。君を助けたいと思うんだ。

できうることとなれば、助けてやりたいと思う」

先生は本気でそう思っていたんだ。それはよくわかってた。でも僕らはポールのまったく逆の側にいたわけだし、そりゃどうしようもないよね。「それはよくわかっています」と僕は言った。「ありがとうございます。冗談抜きで。ありがたく思っているんです。はい、真剣にそう思っています僕はベッドから立ち上がった。と言われても、願い下げだ。「でも、あのですね、そろそろ行かなくちゃならないんです。ジムに、私物をけっこう置きっぱなしにしていて、それを引き上げなくちゃなりません。ほんとの話」。先生は僕を見上げ、それからまたうなずきを開始した。その顔にはひどく思いつめた表情が浮かんでいた。先生に対して悪いなという気持ちが突然すごくこみあげてきた。でもこれ以上そこにいることはできなかった。僕らはポールのまったく逆の側にいるわけだし、先生がベッドの上に向かって何かをひょいと投げるたびにそれは床に落っこちるわけだし、うらぶれた時代ものののバスローブの襟からは胸がはだけて見えるし、ヴィックス・ノーズ・ドロップスの流感っぽい匂いが部屋中にむんむん漂《ただよ》ってるし。「あのですね、先生。僕のことはどうか心配なさらないでください」と僕は言った。「ぜんぜん大丈夫です。今はひとつの段階を通過しているだけです。人は誰しも、段階をくぐり抜けるもんじゃないですか。そうですよね？」

「どうだろうな、あーむ。どうだろうな」

そういう答え方をされると、僕としては頭にきちゃうんだよ。「そうなんですよ。人は段階をくぐり抜けるものなんです」と僕は言った。「まったくの話です。だから僕のことはそんなに心配なさらないでください」、そして先生の肩に軽く手をかけた。「オーケー？」と僕は言った。

「出ていく前にココアでも飲んでいかないかね？　きっとミセス・スペンサーは喜んで……」

「はい、いただきたいのはやまやまなんですが、ほんとにいただきたいんですが、やっぱりその、急いでジムに行かなくちゃならないんです。でもそう言っていただいて、嬉しいです。感謝します、先生」

それから僕らは握手をした。そのほか、ろくでもない一連のあれこれ。おかげで僕はひたすら哀《かな》しい気分になった。

「手紙を書きます、先生。流感とか、早くなおしてくださいね」

「それじゃな、あーむ」

ドアを閉め、居間の方に戻りかけたところで、先生が僕に向かって大声で何か怒鳴った。はっきりとは聞き取れなかったけど、たぶん間違いなく「グッド・ラック！」と叫んだんだと思う。そうじゃなければいいんだけどと思う。真剣にそう願うよ。相手が誰であれ「グッド・ラック！」なんて僕は叫んだりはしない。だってさ、そんなこと言われたら気が滅入っちまうじゃないか。

3

僕はとてつもない嘘つきなんだ。まったく救いがたいくらい。たとえば僕がただ雑誌を買うためにどっかの店に向かって歩いていたとするね。そしてもし誰かに「やあ、どこに行くんだい？」と尋ねられたら、「ああ、今からオペラを見に行くんだよ」とかつい言っちゃったりするわけだ。とんでもない話だよね。だからスペンサー先生に、今からジムに行って私物を取ってきますと言ったとき、それはまるっきりの嘘だったわけだ。僕はだいたいジムに私物なんてまったく置いてないんだもの。

ペンシーで僕は新寮の、オッセンバーガー・メモリアル・ウィングという棟に住んでいた。それは三年生《ジュニア》と四年生《シニア》だけが入ることのできる棟なんだ。僕は三年生で、ルームメイトは四年生だった。棟の名前はペンシーの卒業生オッセンバーガーにちなんでいた。このおっさんはペンシーを出たあと、葬儀場ビジネスで一財産こしらえた。何をやったかというとだね、こいつは全国的な葬儀場チェーンを作って、君の親戚の誰かが死んだら、一体おおよそ五ドルで埋葬できるようにしたわけだ。君にもオッセンバーガーのやつを一目拝《おが》ませてあげたいところだ。このおっさんはたぶん遺体をただひょいと袋に詰めて、どっかの川に放り込んでいるんじゃないかな。いずれにせよこいつはべらぼうなお金をペンシーに寄付して、おかげで寮のひとつの棟に彼の名前が冠《かん》せられることになったわけだ。

このシーズン最初のフットボール・ゲームに、こいつは馬鹿くさいキャディラックに乗ってここにやってきた。生徒全員が応援席で立ち上がり、ロコモティブという歓迎の声援を送らされた。そしてその明くる日、この男はチャペルでスピーチをするんだけど、これがなにせ十時間くらい延々と続くんだ。まず最初に五十くらい気の抜けたジョークを並べ立てる。そうやって自分が気さくなやつだということを僕らに印象づけるわけだ。いや、たいしたもんだよ。それから自分がなんだかんだの苦境におちいったときに、しっかりとひざまずいて神様に祈ったけど、それはぜんぜん恥ずかしいことなんかじゃない、てなことを言い出すわけだ。僕らはみんなどこにいても、常に神に祈らなくてはならない、主に語りかけなくてはならない、それがこいつの言いたいことなんだ。イエス様のことを自分の相棒として考えなくちゃならないんだ、とかね。私は常にイエス様に向かって話しかけている、とこの男はのたまう。車を運転しているときだってそうしてるんだそうだ。いやはや参っちゃうじゃないか。この嘘っぽいおっさんはギアをファーストに入れるたびに、おおイエス様、あといくつか更なる死体を私にお与えくださいませなんて切々とお願いしているわけだ。このスピーチの中でただひとつ良かったのは真ん中あたりだ。こいつが僕らみんなに向かって、自分がどれくらい感じのいいやつで、ばりばりのやり手であるか、というようなことをさんざんっぱら吹聴《ふいちょう》している最中に、僕の一列前に座っているエドガー・マサーラというやつが、突然馬鹿でかいおならをかましたんだ。なにしろチャペルの中だし、これは許しがたく不作法なことなんだけど、同時にまたものすごく笑えることでもあった。ほんとにもう、マサーラのやつときたらね。そりゃもう天井が吹き飛んじゃうんじゃないかというくらいすさまじい一発だったな。でも声に出して笑うようなやつはひとりもいなかった。オッセンバーガーのやつは、何も聞こえなかったというふりをした。しかし説教壇のやつのとなりに座っていたサーマー校長は「しっかり聞き届けたぞ」という顔をしていた。やれやれ、心中煮えたぎっているわけさ。校長はその場ではとくに何も言わなかった。しかし翌日の夜、僕らは校舎の一室に集められ、校長が登場してスピーチをした。チャペルの中で不始末をしでかすような生徒には、ペンシーに学ぶ資格はないと校長は言った。サーマー校長がそのお説教をしているあいだに、マサーラのやつにもう一発おならをさせようと僕らはさんざん焚《た》きつけたんだけど、マサーラは今回はどうもそういう気分にはなれないみたいだった。話は長くなったけど、要するに僕はペンシーでそういうところに住んでいたんだ——新寮のオッセンバーガー・メモリアル・ウィング。

　スペンサー先生の家から自分の部屋に戻ると、けっこうほっとした。みんなはフットボールの試合に出かけていたし、部屋の中は暖房が入っていて外とは大違いだった。わりに居心地がよかったわけさ。僕はコートを脱ぎ、ネクタイをはずし、シャツの襟ボタンをはずした。それからその日の朝にニューヨークで買ってきた帽子をかぶった。ひさしがものすごく長い赤いハンティング・ハットだ。僕はその帽子を、地下鉄から降りたときに、つまりあのろくでもないフルーレやらをそっくり電車の中に置き忘れたことに気がついたすぐあとに、そのへんのスポーツ用品店のウィンドウで目にした。値段はたったの一ドルだった。どういうふうにかぶったかっていうと、長いひさしをくるっと後ろの方にまわした。けっこう田舎くさいかぶり方だ。それは自分でもわかっていた。でもそういうのって嫌いじゃないんだ。なかなか似合っているとも思う。それから読みかけていた本を手に取って、自分用の椅子に腰を下ろした。どの部屋にも二脚ずつ椅子がある。ひとつは僕の椅子で、もうひとつはルームメイトのウォード・ストラドレイターの椅子だった。肘掛けはすっかりよれよれになってしまっている。みんな決まってそこに腰掛けるからだ。でもわりあい座り心地のいい椅子だったね。

読んでいるのは図書館から間違えて借りてきた本だった。頼んだのとは違う本を渡されたわけだけど、部屋に戻ってくるまでその間違いに気づかなかった。僕が受け取ったのはイサク・ディネセンの『アフリカの日々』だった。どうせろくでもない本なんだろうと思ったけど、実はそんなことはなかった。ずいぶん優れた本だった。僕はほとんど文盲《もんもう》も同然なんだけど、本だけはとにかくたくさん読む。いちばん好きな作家は兄のDBで、次に好きなのはリング・ラードナーだ。ペンシーに入るちょっと前の誕生日に、兄がリング・ラードナーの本をプレゼントしてくれた。そこにはすごく滑稽《こっけい》でクレイジーな戯曲がいくつか入っていた。他に、いつも速度違反ばかりしているすごくキュートな娘と恋に落ちた交通巡査を主人公にした短編小説も入っていた。でもこの警官はもう結婚しているんで、娘と結婚するとかそういうことはできない。結局この娘は、いつもスピードを出しすぎているせいで死んでしまう。この小説にはかなり参っちまったね。僕が好きな本はなんといっても、少なくともときどきは笑うことのできる本だ。古典小説もよく読む。ハーディーの『帰郷』なんか。そういうのが好きなんだよ。それから戦争小説もよく読むよ。ミステリーもけっこう読んだ。でもその手の小説でノックアウトされるかというと、そんなことはあんまりないな。僕が本当にノックアウトされる本というのは、読み終わったときに、それを書いた作家が僕の大親友で、いつでも好きなときにちょっと電話をかけて話せるような感じだといいのにな、と思わせてくれるような本なんだ。でもそういうのって、そんなにしょっちゅうあることじゃない。たとえばイサク・ディネセンには電話をかけてもいいなと思う。リング・ラードナーも（ただし彼はもう死んでいるんだとDBが教えてくれたけど）そうだ。でもサマセット・モームの『人間の絆』みたいな本もある。僕はこの前の夏にその本を読んだ。なかなか悪くない本だった。だけどじゃあサマセット・モームさんに電話をかけたいかというと、そういう気持ちにはなれなかったな。どうしてだろう。たぶんモームは、僕が電話をかけたいという気持ちになれないタイプの人なんだってだけのことだろう。おそらくね。僕はむしろトマス・ハーディーに電話をかけてみたいと思う。なんせユーステイシア・ヴァイにぞっこんなんだよ。

だから要するに、僕はその買ったばかりの帽子をかぶって椅子に腰掛け、『アフリカの日々』を読みだしたわけだ。その本はもう最後まで読んでしまっていた。でもところどころもう一回読み直したいと思ったんだ。でも三ページと読まないうちに、誰かがシャワー・カーテンから出てくる音が聞こえた。わざわざ顔を上げなくてもそれが誰だかすぐにわかった。となりの部屋に住ている。僕らのウィングでは、二部屋にひとつシャワーがついている。部屋と部屋の真ん中についているわけだ。そして一日に八十五回くらいこのアックリーのやつが、こっちの部屋に押しかけてくるんだ。この日寮全体で、フットボール試合の応援に行かなかったのは、僕をべつにすれば、このアックリーくらいのものだろうね。こいつは部屋から出てどっかに行くってことがほとんどない。とにかくものすごく奇怪なやつなんだ。四年生で、まるまる四年間ペンシーにいるんだけど、彼を「アックリー」以外の名前で呼ぶ人間は一人もいない。ルームメイトのハーブ・ゲイルだって、ボブとは呼ばないし、アックとすら呼ばない。もし結婚したとしても、奥さんはこいつのことを「アックリー」って呼ぶんじゃないかな。世の中にはやたら長身で、猫背っていうタイプがいるけど、こいつがまさにそうだった。身長はなにしろ六フィート四インチもあり、歯は見るもおぞましいしろものだった。僕はとなりの部屋に住んでいるわけだけど、こいつが歯を磨いているところを一度として目にしたことがない。歯はいつ見ても、まるで苔《こけ》が生えているみたいで、ぞっとさせられた。この男が食堂でマッシュポテトやら豆やらなにやらを口いっぱい頬張っているところを目にしたら、君だってきっと気分が悪くなるはずだ。それにくわえて、なにしろ顔がにきびだらけなんだ。普通の人間ならにきびというのはおでことか顎《あご》とかにちょいちょいと出てくるわけだけど、アックリーときたら顔全体があたりかまわずにきびだらけなんだ。おまけに性格がよくない。わりと陰険なところがあるんだ。僕が彼にぞっこんだったとはとても言えないね。正直なところ。

このアックリーがシャワー・ルームの敷居《しきい》の上に立っているのが気配でわかった。僕の椅子のすぐ背後に。こいつはストラドレイターがいるかどうか、ちらちらと様子をうかがっているんだ。アックリーはストラドレイターのことが大嫌いで、彼がいるときには何があろうとこっちの部屋には入ってこない。というか、世間のたいていの人間はこの男の気に入らないんだけどさ。アックリーはシャワーの敷居から降りて、部屋に入ってきて、「よう」と言った。この男はいつもとことん退屈しているとか、とことん疲れているみたいな感じでそう言うんだ。つまり自分が誰かにわざわざ会いにきたという感じを相手に与えたくないんだ。いや、俺はね、何かの手違いでたまたまここにいるんだけどさ、みたいな感じにもっていきたいわけだ。まったくね。

「よう」と僕は言った。本から顔も上げなかった。アックリーみたいなやつを相手にするときには、読んでいる本から顔を上げたりしちゃだめだ。そんなことをしたらこっちの負けだ。まあどうせ勝ち目はないんだけど、それでもすぐに顔を上げたりしなければ多少は時間を稼げる。

彼は部屋の中をうろうろと歩きまわり始めた。すごくゆっくりと歩きながら、例によって、机の上やら簞笥の上にあるひとの持ちものを片端《かたはし》から手に取っていった。こいつはいつだってひとの持ちものを手に取って、それをじろじろと眺めるんだ。やれやれ、年中そういうことをされたらやっぱりときには気に障《さわ》るよね。「フェンシングはどうだったんだ?」とやつは言った。この男はただ、僕がのんびり気持ちよく本を読んでいるのを邪魔したいだけなんだ。フェンシングのことなんか気にかけているわけじゃぜんぜんないんだ。「うちが勝ったのか？　それとも向こう？」

「どっちも勝たなかった」と僕は言った。でも顔は上げなかった。

「なんだって？」と彼は言った。こいつはいつだって、相手に同じことを二度言わせるんだよ。

「どっちも勝たなかった」と僕は言った。やつが僕の簞笥の上の何をいじりまわしているのか気になって、視線をちょっとそちらにやった。アックリーは僕がニューヨークにいたときによくデートをしていた女の子の写真を眺めていた。サリー・ヘイズだ。アックリーはそのろくでもない写真を、僕がそれをもらって以来、少なくとも五千回くらいは手に取って眺めているはずだ。おまけにこの男ときたら、何かを見終わると必ずそれを違う場所に戻すんだ。わざとそうしているわけだよ。冗談抜きで。

「どっちも勝たなかったってのは、どういう意味なんだ？」と彼は言った。

「地下鉄の中にフルーレとか、そういう装具を置いてきちまったんだ」、僕はまだしつこく顔を上げなかった。

「地下鉄の中にだって！　勘弁しろよな！　すっかりなくしちまったってことかよ？」

「電車を乗り間違えてね、それで僕は何度も立ち上がって、けったくそ悪い壁の路線図を睨んでいなくちゃならなかったんだ」

彼はやってきて、僕と明かりのあいだに立った。「なあ」と僕は言った、「君がここに入ってきて以来、同じ文章をもう二十回くらい読んでるんだけどね」

そんなことを言われてぴんとこないのは、アックリーくらいのものだろう。まったくの話、こいつには道理というものが通じないんだよ。「お前が弁償させられることになるのかな?」とアックリーは言った。

「知らないね。それにそんなことどうだっていいんだよ。ちょっと座ったらどうだい、アックリーちゃん。そこに立たれると暗がりになるんだ」。彼は自分が「アックリーちゃん」と呼ばれるのが好きじゃない。こいつはいつも僕に、お前なんかまだ子どもなんだからなと言う。どうしてかっていうと、僕が十六歳で自分が十八歳だからだ。だから僕に「アックリーちゃん」と呼ばれたりすると頭にきちゃうわけだ。

彼はずっとそこに立ち続けていた。実にそういうやつなんだ。影になるからそこをどいてくれと頼んだりすると、ますますどかない。結局いつかはどくわけだけど、でもこっちがお願いしたりしたら、必要以上にぐずぐず時間をかけるんだ。「お前、いったい何を読んでるんだ?」と彼は言った。

「べつに」

アックリーは本の表紙を手で押し上げるようにして題名を見た。「それって、面白いのか?」と彼は言った。

「今読んでる一節はとにかく最高だよ」と僕は言った。僕はその気にさえなれば、いっぱしの皮肉屋にもなれるんだ。でもアックリーにはそのニュアンスは伝わらなかった。アックリーはまた部屋の中をうろうろと歩きまわりはじめた。そして僕の私物や、ストラドレイターの私物を片端から手に取っていった。とうとうあきらめて僕は本を床に置いた。そばにアックリーみたいなやつがいたら、本なんて絶対に読めるわけがないんだ。どう転んでも不可能だ。

　僕は自分の椅子に身を深く沈め、アックリーのやつが我が物顔に僕の部屋に居座っている様を眺めた。ニューヨーク行きやらなにやらでけっこう疲れていたので、あくびが出てきた。それから僕はちょっとした冗談を始めた。ときどき僕は退屈しのぎに、冗談っぽいことをやりだすんだ。何をやったかっていうと、ハンティング帽の例のひさしを前にまわして、両目にかぶさるところまで引っ張りおろしたんだ。そうするとまったく何も見えなくなる。「目が見えなくなっちまったよお」と僕はすごくしゃがれた声で言った、「ああ母さん、あたりがどんどん真っ暗になっていきますよ」

「お前、頭がおかしいぜ。まったくの話」とアックリーは言った。

「ああ、お母さん、手を貸してください。どうしてあなたは手を貸してくれないんですか?」

「まったくもう、ちっとは大人になれよ」

　僕は盲人のように、身体の前を手さぐりした。でも椅子から立ち上がったりはしない。「ああ、お母さん、どうしてあなたは手を貸してくれないんですか?」と言い続けた。もちろんふざけているだけだ。その手のおちゃらかをやっているとときどき気分が盛り上がったりするんだ。僕がそんなことをしたらアックリーの神経をすごく逆なでするということもわかっていたしね。アックリーはいつも、僕の中にあるサディスティックな部分を引き出しちゃうんだよ。こいつといると僕はしょっちゅう、わりにサディスティックになっちまう。でもやがてふざけるのもやめにした。帽子のひさしをまたぐるっと後ろにまわし、リラックスした。

「これは誰んだ？」とアックリーは言って、僕のルームメイトの膝サポーターをぶらさげて僕に見せた。アックリーのやつはとにかく何だって手に取るんだ。君の股《また》のサポーターみたいなものだって、しっかり手に取っちゃうはずだ。ストラドレイターのだと僕は言った。するとアックリーはそれをストラドレイターのベッドの上に放り投げた。いいかい、こいつはその膝サポーターをストラドレイターの箪笥の上から手に取った。だからベッドの上に放り投げたわけだ。

アックリーはこっちにやってきて、ストラドレイターの椅子の肘掛けに腰を下ろした。こいつはなにしろ、椅子にまともに腰掛けるってことがないんだ。いつだって肘掛けに腰を下ろす。

「いったいどこでそんな帽子を手に入れたんだ？」と彼は言った。

「ニューヨーク」

「いくらだった？」

「一ドル」

「ふん、金を捨てたようなもんだな」。アックリーはマッチの軸《じく》で爪を掃除し始めた。この男はいつだって爪を掃除してるんだ。まったくお笑いだよね。だってさ、こいつの歯ときたらまるで苔でも生えてるみたいだし、耳の中はいつもどろどろだ。それなのに爪だけは暇さえあればせっせと掃除しているんだからね。こいつはたぶん自分のことをすごくこざっぱりした人間だと思っていたんじゃないかな。アックリーは爪を掃除しながら、僕の帽子をもう一度眺めた。「うちのあたりじゃな、鹿を撃つときにそういう帽子をかぶるんだ、まったくもう」と彼は言った。「それは鹿撃ち帽なんだぞ」

「違いますね」、僕は帽子を脱いで、眺めた。それに狙いを合わせるみたいに片目を軽くつぶった。「こいつは人間撃ち帽なんだ」と僕は言った。「僕はこの帽子をかぶって人間を撃つのさ」

「お前が退学になったことを家族はもう知ってるのか?」

「まだだよ」

「ところでストラドレイターはどこ行ったんだ?」

「試合に行ったよ。デートの相手がいるから」、僕はあくびをした。僕はとにかくそのときあくびをしまくっていた。ひとつには部屋の中がやたら暑かったからだ。だからすぐに眠くなっちまう。まったく、ペンシーってところは凍りつくほど寒いか、死にかけるくらい暑いか、そのどっちかなんだよ。

「かっこいいストラドレイターさま」とアックリーは言った。「——よう、鋏《はさみ》をちょっとだけ貸してほしいんだ。すぐ出せるかい?」

「無理だな。もう荷物の中に入れちまったんだよ。クローゼットのいちばん上に乗っけてある」

「ちょっとでいいから出してくれよ」とアックリーは言った。「さかむけができちまってさ、切りたいんだよ」

こっちがしっかりパッキングしちゃって、それをクローゼットのてっぺんに乗っけたかどうかなんて、この男の知ったこっちゃないんだな。でも僕は彼のためにわざわざ鋏を取り出してやった。おかげであやうく死にかけるところだった。クローゼットの戸を開けた瞬間に、ストラドレイターのテニス・ラケットが、木の締め具やらなにやらがしっかりついたまま、頭の上に落っこちてきたからだ。ごつんという音がして、目から火が出るくらい痛かった。でもおかげで、ノックリーのやつは死ぬほど面白がった。あろうことか、こいつはとてつもなく甲高《かんだか》い声でけっけっと笑い出したんだよ。僕がスーツケースを下ろし、そこからこいつのために鋏を取り出しているあいだずっと、アックリーご本人は腹を抱えて笑い続けていた。この程度のことで――誰かの頭に石とか何かがごつんとぶつかったくらいのことで――腰が抜けるくらい笑い転げられるわけだ。「君のユーモアのセンスはたいしたもんだよ、アックリーちゃん」と僕は言った。「そのことは知ってた?」、僕は鋏を彼に渡した。「マネージャーにしてくれたら、君をラジオに出してやるんだけどな」。僕はまた自分の椅子に腰を下ろし、アックリーは角《つの》みたいなかたちをした爪を切り始めた。「なあ、テーブルとか、そういうのを使ってくれないかな?」と僕は言った。「爪を切るのはテーブルの上とかにしてくれよ。今晩裸足《はだし》で歩いているときに、おたくの薄汚い爪を踏んづけるのはぞっとしないからね」。でもアックリーは素知らぬ顔で、床の上で爪を切り続けた。そういう態度ってないだろうよ。ほんとに冗談抜きで。

「ストラドレイターのデートの相手は誰だ？」とアックリーは尋ねた。彼はストラドレイターが誰とつきあっているか、いちいちチェックしているんだ。ストラドレイターを憎んでいるにもかかわらず。

「知らないね。どうして？」

「理由なんてあるもんか。まったくもう、俺はあのクソ野郎《サノバビッチ》には我慢ができないんだ。あのクソ野郎にはとことんうんざりだ」

「ストラドレイターくんの方は君にぞっこんなんだけどね。君はまるで素敵なプリンスみたいだって言ってたぜ」と僕は言った。ふざけたい気分になったときには、誰彼となく「プリンス」って呼びまくるんだよ。だってさ、そうでもしないことには退屈でしょうがないじゃないか。

「あいつはいつだって親分風を吹かしやがって」とアックリーは言った。「俺はあのクソ野郎に我慢ができないんだ。あいつときたら――」

「なあ、もしよかったらテーブルの上で爪を切ってくれないものかね」と僕は言った。「もうこれで五十回くらい同じことを――」

「あいつはいつだって親分風を吹かしやがって」とアックリーは言った。「あんな野郎に知性なんてあるもんか。自分じゃ頭がいいと思ってるみたいだけどな。自分じゃこの世でいちばん――」

「アックリー！　お願いだ。そのろくでもない爪を切るのはテーブルの上でやってくれ。もう五十回も頼んでるだろう」

アックリーはそれでやっとこさテーブルの上で爪を切り始めた。この男に何かをやらせるには、とにかく大きな声で怒鳴りつけるしかないんだ。

僕はしばらく彼を眺めていた。それから言った、「ストラドレイターに対してそんなに頭にくるのは、たまには歯を磨けって注意されたからだろう。でもさ、はっきり言ってね、べつにあいつは侮辱するつもりで言ってるんじゃないんだよ。あの男の言い方にもまあたしかに問題があるとは思うよ。でもね、だからといって君のことを侮辱しようとか、そういうんでもないんだな。あいつが言いたいのはただささ、ときどきは歯を磨いたりした方が見栄《みば》えもよくなるし、それに君の気持ちだってすかっとするじゃないか、ということなんだな」

「歯くらい磨いてる。余計な口出しはするなよ」

「いや、磨いてなんかいないね。昔から君のことを見ているけど、歯なんてぜんぜん磨いてないじゃないか」と僕は言った。でも意地悪い言い方じゃないよ。僕はある意味では彼のことを、まあ気の毒だと思っていたんだ。誰かに「お前は歯を磨いていない」なんて言われたら、そりゃいい気持ちはしないじゃないか。「ストラドレイターはそんな悪質なやつじゃない。いいところもあるんだ」と僕は言った。「ストラドレイターのことを君はよく知らないんだよ。それが問題なんだ」

「何があろうとあいつはクソ野郎《サノバビッチ》だ。思い上がったクソ野郎だ」

「うん、たしかに思い上がってはいるよ。でもさ、あれですごく気前のいいところもあるんだぜ。嘘じゃなくって」と僕は言った。「つまりさ、たとえばストラドレイターがなかなか素敵なネクタイを締めてたりとか、そういうことがあるじゃないか。だからさ、あいつが締めているネクタイを、君がものすごく気に入ったとしよう。これはもちろんひとつの例だよ。そういうときあいつはどうすると思う？　たぶんその場でネクタイをひょいとはずして、君にくれるはずだ。嘘じゃなくって。でなければ——そうだなあ、君のベッドの上とかそういうところにネクタイをさりげなく置いておくと思う。でもいずれにせよ彼は、そのネクタイを君にくれるはずだ。普通のやつならたぶんそんなことは——」

「くだらねえ」とアックリーは言った。「俺だってやつくらいたんまり金を持っていたら、それくらいのことはやるさ」

「いや、やらないね」と僕は首を振った。「君にはできっこないよ、アックリーちゃん。もし君がストラドレイターくらいたんまり金を持っていたとしたら、おそらくきっと君は世界でいちばんの——」

「俺のことをアックリーちゃんと呼ぶのはやめろ。冗談じゃねえ。俺はお前の親父《おやじ》と言ってもいいくらい年上なんだぞ」

「いや、そんなことはありえないね」。やれやれ、こいつはほんとに癇《かん》にさわるものの言い方をするんだ。自分が十八で僕が十六だということを、機会あるごとに思い出させようとするわけだ。

「まずだいいちに、僕は君を自分の家族に加えたりはしない」と僕は言った。

「なんでもいいけど、俺をそんなふうに呼ぶのは――」

そのとき突然ドアがばたんと開いて、ストラドレイターがえらい勢いで飛び込んできた。この男はいつだって大急ぎなんだ。何をやっても、まるで天下の一大事みたいな感じなんだよ。彼はやって来て、僕の両方の頬をいかにも親しげにぴしゃぴしゃと一度ずつはたいた。そういうのって、ときどきものすごく神経にさわるんだけどね。「なあ、おい」と彼は言った、「お前、今夜どこかに出かける予定あるのか？」

「どうかな。出かけるかもしれない。外はどんな具合だい？　雪は降っている？」、彼のコートは雪だらけだった。

「ああ。なあ、もしお前にとくにどこかに行く予定がないとしたらだな、俺にお前のあの千鳥格子《ハウンドトゥース》の上着を貸してくれないか？」

「どっちが勝ったんだい？」と僕は訊《き》いた。

「前半が終わったところだ。俺たちは場所を変える」とストラドレイターは言った。「だからマジな話さ、お前は今夜あのハウンドトゥースの上着を着るのか、着ないのか、どっちなんだ？俺のグレイのフランネルの上着に、なんかべたべたこぼしちまってさ」

「着る予定はないけどさ、そのうすらでかい肩幅で上着を伸ばされたくないんだよ」と僕は言った。身長はだいたい同じだけど、体重は彼の方が僕の二倍くらいはあった。なにしろ肩幅が広いんだ。

「伸ばしたりしないったら」、彼は足早にクローゼットに向かった。「よう、調子どうだ、アックリー?」と彼はアックリーに言った。このストラドレイターは少なくともけっこうフレンドリーなやつではある。そりゃ部分的にはインチキくさいフレンドリーさではあるんだけど、でも相手がアックリーであろうが、とにかく人並みの挨拶くらいはするわけだ。

「調子どうだ」と言われて、アックリーは何かもそっとうめき声を出した。返事をする気はさらさらないんだけど、頭から無視するほどのガッツもないわけだ。アックリーは僕に言った、

「俺は行くぜ。またな」

「オーケー」と僕は言った。アックリーが自分の部屋に引きあげたからといって、君の胸が痛んだりするようなことはあり得ない。

ストラドレイターのやつは上着を脱ぎ、ネクタイをはずし始めた。「ざっと髭《ひげ》を剃《そ》った方がいいみたいだな」と彼は言った。この男は顎の髭がけっこう濃いんだ。まじめな話。

「デートの相手はどこにいるんだい?」と僕は尋ねた。

「別館で待っている」、彼は洗面用具入れとタオルを小脇に抱えて部屋から出ていった。シャツなんかぜんぜん着ていない。こいつはいつだって上半身裸で部屋の中をうろうろ歩きまわる。自分の体つきが見事だと思っているからだ。まあ、実際になかなか見事なものではあるんだけどね。

それは僕も認めざるを得ないわけだ。

4

とくにやることもなかったから、僕も一緒に洗面所に行って、髭を剃っているストラドレイターとおしゃべりをした。洗面所には僕らしかいなかった。あとのみんなはまだ試合の応援に出かけていたわけだ。中はむんむんと暑く、窓はひとつ残らず白く曇《くも》っていた。壁に向かって洗面台が十個くらいずらりと並んでいる。ストラドレイターは真ん中の洗面台を使った。僕はそのとなりの洗面台に腰掛けて、蛇口から冷たい水を出したり止めたりし始めた。僕はついこういう神経質なことをやるクセがあるんだ。ストラドレイターは髭を剃りながらずっと『インドの唄』を口笛で吹いていた。彼の口笛はすごくよく通るんだけど、音程ときたらまったくお粗末だ。それなのにいつだって、まともに口笛を吹ける人が挑戦しても簡単にはこなせないような曲をとりあげるんだ。『インドの唄』とか『十番街の殺人』とかさ。とにかく唄ってものをこれくらい派手に破壊できるやつはまずいないね。

僕はさっき、アックリーはだらしない、というようなことを言ったよね。でまあ、このストラドレイターも似たり寄ったり、同じくらいなんだ。もっとも同じくらいと言っても、だらしなさの方向性は違う。ストラドレイターのだらしなさは、人目につきにくいだらしなさなんだ。ストラドレイターは見かけはいつもぱりっとしている。でもこいつが髭剃りに使っている剃刀《かみそり》を君に見せてやりたいもんだ。いつだって錆《さび》だらけで、石鹸やら毛やら何やらがべとべとこびりついている。洗ったりなんてぜんぜんしないんだな。たしかに身だしなみを整えると、ぱりっとした見かけになるんだけど、僕みたいに身近で見ていると、内実はだらしない男なんだってことがわかっちまうわけだ。ストラドレイターがどうして身だしなみを整えてぱりっとして見せるかというと、それはもう自分自身にぞっこん惚れ込んでいるからなんだね。こいつは自分のことを西半球でいちばんハンサムな男だと考えているんだよ。実際になかなかハンサムではあるんだ。うん、それは僕も認めるよ。でもね、そのハンサムさはだいたいにおいて、たとえば学校のアルバムのページを君の両親がぱらぱらと繰《く》っていて、ちょっと目を留めて、「この子、なんて名前？」とか尋ねるような種類のハンサムさなんだ。つまり言うなれば、学校のアルバム向きのハンサムなんだよ。ペンシーには僕の目から見たらストラドレイターなんかよりはるかにハンサムな生徒がたくさんいる。でもアルバムの写真で見ると、それほどハンサムには見えないんだよ、これが。たとえば鼻が大きすぎたり、耳が飛び出しすぎたりしているわけだ。そういうことってけっこうあるんだよ。

とにかく僕は髭を剃っているストラドレイターのとなりの洗面台に腰掛けて、水を出したり止めたりを続けていた。頭にはまだ例の赤いハンティング帽をかぶっていた。ひさしをぐるっと後ろにまわしてね。その帽子ひとつでわりあい盛り上がっていたわけだよ。

「よう」とストラドレイターが言った。「ちっと頼みごとがあるんだけどさ」

「なんだい？」と僕はあまり気乗りのしない声で言った。この男にはいつだってなにかちっと頼みごとがあるんだ。ここにきりっとハンサムな男がいる。あるいは、自分のことをばりばりにすごいと思っているやつがいる。そういうやつって、必ず何か頼みごとがあるんだよな。なぜかっていうと、この手の連中は自分にぞっこん惚れ込んでいるから、ほかのみんなも同じように自分にぞっこん惚れ込んでいるって考えちゃうんだね。この俺に何かを頼まれたら、みんなほいほいと喜んでやってくれるだろうってさ。そういうのってまあ、笑っちまえることではあるんだけどさ。

「お前、今晩どっかに出かける？」と彼は尋ねた。

「出かけるかもしれないし、出かけないかもしれない。わからない。なんで？」

「月曜の歴史の授業のために、百ページばかり本を読まなくちゃならないんだ」と彼は言った。「で、英語の宿題の作文を、俺のかわりに書いといてくれないかな。月曜日までにそいつを提出しないと、まさに絶体絶命なんだよ。だからこうして頼んでいるんだけどさ、どうだい？」

それはどう考えても変てこな話だった。ほんとに。

「ねえ、ここを退学になるのは僕の方なんだぜ。それなのに君が、あほらしい作文をかわりに書いてくれって僕に頼んでいるわけだ」と僕は言った。

「ああ、そいつはよくわかっているさ。ただそれはそれとして、月曜日までに作文を提出しないと、にっちもさっちもいかなくなっちまうんだ。なあ、俺とお前の仲じゃないか。冷たいこと言うなって。頼むよ」

僕はすぐには返事をしなかった。ストラドレイターみたいな調子のいいやつは、やきもきさせてやるに限る。

「で、何について書くわけ?」と僕は尋ねた。

「何でもいいんだ。描写的なものならなんでもいい。部屋でもいいし、家でもいいし、お前がこれまでに暮らしたことのある場所とか、とにかくそういうことについて書くわけだよ。ほら、わかるだろう。要するにきっちり描写的な文章であれば、なんでもいいってこと」、そう言いながら彼は大きなあくびをした。そういうのってけっこう頭にくるよね。だいたい人に頼みごとをしていながら、その途中であくびをするなんてとんでもない話だ。「ただしあまりうまく書きすぎないでくれよな」と彼は言った。「あのハーツェルのおっさんはお前のことを、文才があると思っているんだ。で、お前が俺のルームメイトだっていうことも知っている。だからさ、コンマとかそういうのをあんまりちゃんとした場所に、かちかちと置きすぎないようにしてもらいたいわけさ」

そのへんの言い方もまたちょっと頭にくるんだよな。もし君が作文が得意だったとする。すると誰かが必ずコンマについて何だかんだ言い出すわけだ。そしてストラドレイターというのが実にそういうやつなんだ。こいつは自分の作文が良い点をとれないのは、ただ単にコンマというコンマをでたらめな場所に置くせいだと、君に思わせたいんだよ。そのへんはいくぶんアックリーに似ていなくもない。僕はあるバスケットボールの試合でアックリーのとなりに座っていた。チームにはハウイー・コイルっていう優れた選手がいた。こいつはやたらすごいやつで、コートの真ん中からバックボードに触りもしないでシュートをばしっと決めることができた。で、その試合のあいだじゅうアックリーはこう言い続けていた。まったくもう、コイルのやつはバスケットボールにぴったりの身体つきをしているよなって。やれやれ、僕はこういうのにはほんとにうんざりしちゃうんだよ。

僕は少しすると洗面台に腰掛けているのにも飽《あ》きちゃって、数フィート後ろに下がって、気晴らしにタップダンスを踊り始めた。ふとその手の気分になったんだよ。ちゃんとしたタップダンスができるわけじゃないんだけど、洗面所の床は石でできていたし、タップダンスをやるにはもってこいだったんだ。映画でよくやっているようなやつの真似をした。いわゆるミュージカル映画。僕は映画ってものを毒のように憎《にく》んでいるけど、その真似をするのはけっこう盛り上がるんだよ。ストラドレイターのやつは髭を剃りながら、鏡でこっちを見ていた。僕にはなんといっても観客が必要なんだ。なにしろ目立ちたがり屋だからさ。「僕の父さん、知事なんだ」と僕は言った。すっかり調子に乗ってきて、あたりかまわずタップダンスしてまわった。「タップダンサーなんかになるなって、父さんは言った。オックスフォードに行きなさい。でもタップダンスこそが僕の生き甲斐《がい》がわかる。「今夜は『ジーグフェルド・フォリーズ』の初日」、僕ははあはあ息を切らせながらそう言った。ほんとにすぐ息があがってしまうんだよ。「でも主役の男が舞台にあがれない。ぐでんぐでんに酔っぱらってるんだ。で、誰が代役をやるのかって？　ほいきた、それはこの僕さ。知事の息子のこの僕さ」

「お前、どこでそれを手に入れたんだ？」とストラドレイターは訊いた。僕のハンティング帽のことを言っているんだ。それを見たのは初めてだったから。

どうせもう息が続かなかったから、ふざけまわるのをやめた。そして帽子を脱いで、じっと眺めてみた。そうするのはもう九十回めくらいだ。「ニューヨークで買った。値段は一ドル。気に入った？」

ストラドレイターはうなずいた。「シャープだ」と彼は言った。でもそれは僕の機嫌をとるために言っただけだ。その証拠にすぐにこう続けた。「なあ、お前、俺のかわりに作文を書いてくれるのか、書いてくれないのか。はっきりしてくれないか」

「時間があれば書いてもいいけどさ。なかったら書かないね」と僕は言った。そしてまた彼のとなりの洗面台のところに行って、そこに腰掛けた。「今日のデートの相手は誰なんだ？」と僕は訊いた。「フィッツジェラルド？」

「よしてくれよ！　あんなブス女とは手を切ったって言っただろうが」

「へえ、そうなんだ？　じゃあ僕にまわしてくれよ。冗談抜きでさ。あの子は僕の好みなんだよ」

「お好きに……。あいつはお前より年上だけどな」

突然これという理由もなく（たぶんふざけたい気分になったというだけのことなんだろうけど）、洗面台から飛び降りて、ストラドレイターのやつにハーフネルソンをかけてやりたくなった。知らないと困るから念のために言っておくと、こいつはレスリングの技《わざ》なんだ。相手の首にぐっと腕をまわしてホールドして、その気になれば窒息《ちっそく》死させることもできる。で、僕はそれを実行したわけだ。まるで豹のようにひらりと彼に襲いかかった。

「やめろよ、ホールデン、よせったら！」とストラドレイターは言った。彼の方はとくにふざけまわりたい気分じゃなかったんだ。なにしろ髭を剃っている最中だったわけだものね。「くだらねえことをするなよな。首を切っちまうじゃないか」

でも僕は離さなかった。かなりがっしりとハーフネルソンをかけていた。「この万力《まんりき》のようなグリップをはずしてみろ」と僕は言った。

「しょうがねえなあ」、彼は剃刀を置いて、両腕をさっと上にあげ、僕のホールドを簡単にはずしてしまった。こいつはなにしろ馬鹿力があるんだ。それに比べて僕ときたらまったく力がない。

「さあ、もうお遊びはなしだ」と彼は言った。そしてまた最初から髭剃りを始めた。いつも二度剃りをするんだよ。ゴージャスに見せるためだ。その薄汚い剃刀を使って。

「フィッツジェラルドじゃないとしたら、相手は誰なんだよ？」と僕は尋ねた。僕はまたとなりの洗面台に腰掛けた。「あのフィリス・スミスかい？」

「いや違うね。俺はそのつもりでいたんだけどさ、ちっと手違いがあったんだ。で、バド・ソーの彼女のルームメイトが今夜のお相手というわけだ。……ああ、そうそう、言い忘れるところだった。彼女はお前のこと、知ってるってさ」

「誰が？」

「俺の相手の女がだよ」

「へえ」と僕は言った。「名前はなんていうの？」、僕は興味津々《しんしん》だった。

「ええと、なんだっけな……そう、ジーン・ギャラガーだ」

彼がそう言ったとき、僕はもうちょっとでほんとに死んでしまうところだった。

「ジェーン・ギャラガー」と僕は言った。その名前を耳にしたとき、僕は思わず洗面台から立ち上がってしまった。ほんとにあやうく死んでしまうところだった。「うん、たしかにその子のことなら知ってるよ。おととしの夏、彼女は僕のほとんどとなりに住んでいたんだ。でかいドーベルマンを飼っててさ、そのせいで知り合いになったんだ。なにしろその犬がしょっちゅううちに入ってきて……」

「ホールデン、よう、そこに立たれると暗いんだよ」とストラドレイターは言った。「ちょっとわきにどけよ」

でも僕はほんとに興奮しまくっていたんだ。

「彼女どこにいるんだい?」と僕は尋ねた。「ちょっと行って、挨拶かなんかしたいところだけど。どこにいるの? 別館?」

「ああ」

「どうやって僕の名前が出てきたんだ? 今はブリンマー大学に行ってるの? あそこに行くかもしれないって言ってたんだけどね。あるいはシプリーに行くことになるかもしれないともね。シプリーに行ったと思ってたんだけどさ。どんなふうにして僕の名前が出てきたんだ?」、僕はかなり興奮していた。ほんとの話。

「よくわからねえよ、そんなこと。とにかくそこをどいてくれよ。お前な、俺のタオルの上に座ってるんだぜ」とストラドレイターは言った。僕はたしかに彼のくだらないタオルの上に座っていた。

「ジェーン・ギャラガー」と僕は言った。僕の興奮はまだ冷めやらなかった。「なんてこった、まったく」

ストラドレイターのやつは髪にバイタリスをつけていた。僕のバイタリスだ。

「彼女はダンスが得意なんだ」と僕は言った。「バレエとかそういうの。くそ暑いさなかに、一日に二時間はダンスの練習をしていたよ。その練習のせいで脚がみっともないことになるんじゃないかって、いつも心配していたな。太くなったりとかね。僕らは暇《ひま》さえあればチェッカーをして遊んでいたね」

「暇さえあれば彼女と何をして遊んでいたって？」

「チェッカーだよ」

「チェッカーだって。勘弁してくれよな！」

「でさ、彼女はぜったいにキングを動かさないんだ。もし自分の駒がキングになったら、何があろうとそれを動かさないんだ。いちばん奥の列に大事にそのままにしておく。いくつできても、みんなそっくり並べておく。キングが奥に勢揃いしてるのを見るのが好きなんだよ」

ストラドレイターは無言だった。その手の話ってさ、世の中のたいていの人はとくに面白いとは思わないんだよ。

「彼女のお母さんはうちと同じクラブに入っていた」と僕は言った。「僕はアルバイトで、よくそこでキャディーをしていたから、何度かキャディーとしてついたことがある。この人ときたらね、9ホールをまわるのに、なにしろ170くらい叩いちゃうんだぜ」

ストラドレイターはろくすっぽ話を聞いていなかった。彼はそのゴージャスな巻き毛に櫛を入れているところだった。

「ちょっと下に行って、挨拶くらいはしてこなくっちゃ」と僕は言った。

「どうぞお好きに」

「うん、すぐにそうするよ」

彼はまた髪に分け目を入れはじめた。髪に櫛を入れるとなると、一時間くらいはかかるんだよ、こいつの場合。

「彼女の両親は離婚したんだ。お母さんはどっかの酔っぱらいと再婚した」と僕は言った。「毛深い脚をした痩《や》せた男だ。こいつのことはよく覚えているよ。いつもパンツ一枚なんだ。自分じゃ脚本家だと称しているんだけど、僕が見るかぎり、こいつがやっていることといえばいつも飲んだくれて、ラジオのミステリー番組をひとつ残らず聴きまくっているだけなのさ。で、裸同然の姿で家の中をほっつきまわるんだ。ジェーンがそこにいたってまったくおかまいなしにね」

「ほう」とストラドレイターは言った。その話は彼の興味をしっかり引いたようだった。ジェーンがいる前で、この酔っぱらいが裸同然の姿でほっつきまわることが。ストラドレイターの頭にはセックスのことしかないんだよ。

「で、子どもの頃はいろいろと大変だったわけさ。本当の話」

でもそういう話にはストラドレイターはぜんぜん興味がない。セックスがらみのものごとにしか、こいつの頭は向かないんだよ。

「ジェーン・ギャラガーか。やれやれ」と僕は言った。彼女のことを考えだすと、それ以外のことが考えられなくなった。ほんとの話。「下に行って挨拶くらいはしなくっちゃなあ」

「ぶつぶつ同じことを言ってないで、さっさと行って挨拶してくりゃいいだろう」とストラドレイターは言った。

僕は窓のところに行った。でも洗面所の窓は暖房のせいですっかり曇っていたから、外を見ることはできなかった。「今はちょっとその手の気分になれない」と僕は言った。実際にそうだったんだ。そういうことをするためには、やっぱりその手の気分になる必要がある。「てっきりシプリーに行ったと思っていたのに。間違いなくシプリーに行ったと思ったのにな」、僕はしばらくのあいだ洗面所の中を歩きまわった。ほかにすることも思いつかなかったから。「彼女、試合を楽しんでた?」と僕は言った。

「ああ、たぶんな。よく知らないけどさ」

「昔、僕と一緒にチェッカーばっかりやってたとかさ、そういうことを言ってなかった?」

「知らねえよ、そんなこと。だってさっき会ったばかりなんだぜ」とストラドレイターは言った。やっとそのゴージャスな髪に櫛を入れ終えたところだ。それから薄汚い洗面用具を片づけた。

「なあ、僕からよろしくって言っておいてな」

「いいよ」とストラドレイターは言った。でもそんなの、たぶん口だけなんだよな。ストラドレイターみたいなやつに何かをことづけたって、最初から労力の無駄ってもんだ。

彼は部屋に戻っていったが、僕はまだしばらく洗面所の中をうろうろしていた。そしてジェーンのことをあれこれ考えていた。それから部屋に戻った。

部屋に戻ったとき、ストラドレイターは鏡の前でネクタイを締めているところだった。こいつはなにしろ、そのろくでもない人生の半分くらいを鏡の前に立って過ごしているんだ。僕は自分の椅子に座って、しばらくのあいだなんとなくその姿を眺めていた。

「あのさ」と僕は言った。「僕が退学になるってこと、彼女に言わないでな」

「オーケー」

そういうのがまあ、ストラドレイターのいいところではある。この男にはいちいち細かいところまで説明する必要がないんだ。アックリー相手じゃこうはいかない。というか、ストラドレイターの場合、ひとのことなんかほとんど気にかけてもいないってだけのことなんだよ。要するに。ところがアックリーはそうじゃない。アックリーのやつはとにかく他人のことに鼻を突っ込みたがるんだ。

彼は僕のハウンドトゥースの上着を着た。

「なあ、あまり肩んところを伸ばさないでくれよ」と僕は言った。なにしろその上着にはまだ二度くらいしか袖を通してないんだから。

「大丈夫だって。ところで俺の煙草はどこにいったかな」

「机の上だよ」と僕は言った。何をどこに置いたか、どうしても覚えられないやつなんだ、こいつは。「マフラーの下」。彼はそれを自分の——正確に言えば僕の——上着のポケットに入れた。

僕は突然、ふと思いついてハンティング帽のひさしを前にまわした。だしぬけになんとなくナーバスになってきたわけだ。というか、もともとかなりナーバスな性格なんだよ。「それでさ、彼女をこれからどこに連れて行くんだよ？」と僕は尋ねた。「場所はもう決めてあるわけ？」

「さて、どうしようかな。時間があればニューヨークまで行くところなんだけどな、彼女、九時半に帰るっていう届けを出してるんだってさ。ほんとにもう」

僕としてはそのものの言い方がなんか気に入らなかった。だから言った、「彼女がそうしたのはね、君がどれくらいハンサムでチャーミングなやつかわかってなかったからだよ。もしそれがまえもってわかってたら、朝の九時半に帰寮ってことにしてたんじゃないかな」

「ああ、それは言えてるよな」とストラドレイターは言った。ここまでうぬぼれが強いと、皮肉もうまく通じてくれないもんだね。「でもそれはそれとしてだな、マジな話、俺のかわりに作文を書いといてくれるよな」とストラドレイターは言った。コートを着こんで、今まさに部屋を出ていこうとしているところだった。「そんなにすげえものじゃなくてもかまわないんだ。とにかくただ、何かをばちっと描写するものを書いてくれ。オーケー？」

返事はしなかった。そういう気分じゃなかったんだ。僕が口にしたのは、「彼女に今でもまだキングを全部、奥の列に並べているのかどうか訊いといてくれよな」ということだけ。

「いいとも」とストラドレイターは言った。でもこいつがそんなことわざわざ訊くはずがないことはよくわかっていた。「じゃあな」。そして勢いよく部屋を飛び出していった。

一人になったあと、半時間くらいそこに座っていた。つまり何もしないでぼんやり自分の椅子に座っていたわけだ。僕はそのあいだずっとジェーンのことを考えていた。そしてストラドレイターが彼女とデートをしているところなんかを、あれこれ想像していた。それで僕はずいぶんナーバスになって、そのまま気がふれてしまいそうだった。ストラドレイターの頭の中にはとにかくセックスのことしかないんだってのは、前にも言ったよね。

そのとき出し抜けにアックリーのやつが、例によって例のごとく、シャワー・カーテンを開けて部屋の中にまたぬっと入ってきた。こいつの顔を目にして嬉しかったのは、僕の間の抜けた人生の中で、あとにも先にもこのときだけだったね。とにかくこいつのおかげで気がまぎれたわけだから。

アックリーは夕食の時間になるまでずっとそこに居座って、自分が嫌っているペンシーの生徒を片端からこきおろしながら、顎のでかいにきびを指でつぶしていた。ハンカチさえ使わなかった。ひょっとしてこいつは生まれてこのかた、ハンカチなんてものを手にしたことすらないんじゃないかな。こいつがハンカチを使っているところを、僕は目にしたことがないんだよ。

5

ペンシーでは土曜日の夕食はいつも同じ献立《こんだて》で、いちおう「ご馳走」ということになっている。

ステーキが出てくるからだよ。千ドル賭けてもいいけどさ、それは日曜日に生徒の親がたくさん学校を訪ねてくるからなんだ。サーマー校長はこう考えたに違いない。母親たるもの、きっと最愛の息子に「ねえ、昨夜はご飯に何が出たの？」って尋ねるはずだってね。すると子どもは答えるわけだ、「ステーキだよ」ってさ。そういうのってまったく詐欺《さぎ》みたいなもんだ。君はそのステーキを一目見るべきだ。なにしろこれがちっぽけで、固くて、ひからびていて、切るのも一苦労という代物なんだ。そのステーキ夕食にはいつも、ところどころだまになったマッシュポテトが添えられている。それからデザートにはブラウン・ベティーってのが出るんだけどさ、こいつに手をつけるようなやつはいない。何もわかってない低学年のちびか、あるいはアックリーみたいな、とにかく出てくるものはなんだって腹に詰め込んでやろうっていうやつらは別だけどさ。

でも一歩食堂を出ると、あたりの眺めは素晴らしかった。地面には三インチくらい雪が積もっていたからだ。そして雪はまだ気がふれたみたいにどさどさ降り続けていた。そりゃ美しい風景だったし、僕らはすぐに雪合戦とか、とにかくそういう他愛のない遊びを始めた。子どもっぽいっていわれればそのとおりなんだけど、でもすごく愉《たの》しかったね。

僕にはデートの相手みたいなのはいなかったから、マル・ブロッサードっていうレスリング部に入ってる友だちと一緒に、バスに乗ってエイジャーズタウンに行って、ハンバーガーを食べて、それからまあしょうもない映画でも見ようか、ということになった。一晩寮でくすぶっているのもつまらないじゃないか。アックリーのやつを一緒に連れて行ってもいいかな、と僕はマルに尋ねてみた。というのはアックリーのやつは土曜日の夜にはまったくなんにもやることがないからだ。部屋に閉じこもって、ぶちぶちにきびをつぶしているくらいだ。あいつが来るのはべつにかまわないけどさ、嬉しくって涙が出るというほどでもないね、とマルは言った。マルはアックリーのことがそんなに好きじゃない。まあそれはともかく、僕らは銘々《めいめい》の部屋に戻って、外出の支度をした。そしてオーバーシューズ（靴の上から履く防寒・防水用の靴）なんかを履きながら、僕はアックリーのやつに大声で、「よう、映画に一緒に行かないか」と声をかけてみた。シャワー・カーテン越しに僕の声はしっかり聞こえたはずなのに、すぐには返事は戻ってこなかった。こいつはね、すぐに返事をしたら損でもするみたいに思っているわけだよ。でもそのうちにのっそりとカーテンから出てきて、シャワー・ルームの敷居の上に立って、「で、ほかに誰が行くんだ？」と尋ねた。この男はいつだって、ほかに誰が一緒に行くのか知りたがるんだ。もしこの男が難破かなんかして、君が救命ボートで救助に行ったとするね。そしたらこいつは、ボートに乗り込む前にぜったいにこう尋ねると思うな。「で、誰がオールを漕《こ》いでる？」とかさ。マル・ブロッサードが一緒だと僕が言うと、彼は言った。「ああ、あいつか……まあいいか。ちょっと待ってろ」。そういうのを聞いたらさ、君はきっとアックリーの方がこっちに恩恵《おんけい》を施《ほどこ》していると思うだろうよ。

アックリーが出かける支度をするのに、だいたい五時間かかった。そのあいだ僕は窓を開けて素手《すで》で雪玉を作った。雪玉にするにはもってこいの雪だった。でもそれを投げたりしたわけじゃない。いちおう投げようとは思ったんだ。通りの向こう側に駐車していた車に向かって。でも気が変わった。車はすごく真っ白できれいに見えたからだ。次には消火栓に向かって投げようとした。でもそれもすごく真っ白できれいに見えた。そんなわけで、結局は投げずじまいだった。僕は窓を閉め、雪玉をもっと固くしながら、部屋の中を歩きまわっただけだ。しばらくしてブロッサードとアックリーと一緒にバスに乗ったときにも、僕はまだその雪玉を手に持っていた。バスの運転手はドアを開けて、捨てろと言った。誰かに投げつけるつもりなんてないって、僕はちゃんと言ったんだけど、信用してはもらえなかった。人に信用してもらうのは、簡単じゃない。

ブロッサードとアックリーはそのときかかっていた映画をもう前に見ていた。だから僕らはハンバーガーをふたつばかり食べ、ピンボール・マシーンでちょいと遊んで、それからまたバスでペンシーに戻ってきた。映画が見られなくて残念ということもなかった。どうせケーリー・グラント主演のコメディーとかいう、ろくでもないものだった。それに以前にもブロッサードとアックリーと一緒に映画を見たことがあるんだけど、こいつらは面白くもなんともない場面で、ハイエナみたいな声をあげて高笑いするんだ。だからこの二人のとなりに座って映画を見るっていうのは、僕としてはとくべつ心躍《おど》ることじゃない。

寮に戻ったとき、まだ九時十五分前だった。ブロッサードはブリッジに目がなくて、どこかの部屋でゲームをやっていないか探しに行った。アックリーのやつはなんとなくという感じで、僕の部屋に居座った。ただし今回はストラドレイターの椅子の肘掛けに腰を下ろさず、僕のベッドに横になり、枕に顔を押しつけたりした。そして抑揚というもののない声で話を始め、話しながらにきびを片端からぶちぶちつぶした。僕はあらゆる手をつくして匂わせたんだけど、アックリーを部屋から追い出すことはできなかった。彼はただ、どっかの女の子と去年の夏にセックスをしたとかいう話を、やたら単調な声でえんえんと話し続けるだけだ。もう百回くらい聞かされた話なんだ。そして聞くたびに話の内容が違っているんだよ。ついこのあいだは従兄弟のビュイックの座席でやったことになっていたのに、今度はどっかのボードウォークの下でやったことになっていた。当然そんなのは作り話なんだ。アックリーはまったく童貞の見本みたいなやつだった。女の子にまともに触ったことすらないはずだ。何はともあれ、僕も最後にはしびれを切らせ、これからストラドレイターの作文の宿題をやらなくちゃならないから、そろそろ帰ってくれよとはっきり口に出して言った。集中しなくちゃならないんだから、と。それでやっと出ていってくれた。でも例によって、そうするまでにずるずる時間をかけた。アックリーがいなくなると、僕はパジャマにバスローブという格好に着替え、例のハンティング帽をかぶり、作文にとりかかった。

でもストラドレイターの要望には応《こた》えられそうもなかった。文章で描写したくなるようなどこかの部屋なり家なり場所なりを、僕はひとつとして思いつけなかった。そもそも部屋やら家やらについてとくに何かを書きたいわけじゃないんだからさ。だから僕は弟のアリーの野球ミットについて書くことにした。そのミットは描写的な文章にはまさにうってつけなんだ。冗談抜きでさ。弟のアリーは左利《き》き野手用のミットを持っていた。つまり弟は左利きだったんだよ。でもそれが描写に向いているというのは、彼がその指の部分や、腹の部分やら、とにかくいたるところに詩を書き込んでいたからなんだ。緑のインクでね。弟がどうしてそんなことをしたかっていうと、守備についていてバッターがボックスに立ってないときに、何かを読めるといいのにと思ったからだ。弟はもうこの世にはいない。うちの一家がメインの別荘にいるときに、白血病で死んじゃったんだ。一九四六年の七月十八日のことだ。君も弟に会ったら、きっと気に入ったと思うな。アリーは二つ年下だったんだけど、僕よりだいたい五十倍くらいは頭がよかった。ほんとにとびっきりかしこい子どもだったんだ。受け持ちの先生たちはうちの母親にしょっちゅう手紙を書いてきたもんだった。アリーみたいな生徒がクラスにいるのは実に嬉しいことですってね。べつにお世辞とかお愛想とかじゃないんだよ。本気でそう思っていたんだ。

でもね、アリーは家族の中でいちばん頭のいい人間だったっていうだけじゃない。弟は数多くの点で、ほかの誰よりも性格のいいやつだった。誰かに腹を立てたことなんて一度もなかった。赤毛はすぐに頭に血がのぼるって言われるけど、アリーだけはべつだね。でもそれでいて、弟は正真正銘の赤毛なんだ。どれくらい見事な赤毛だったか、ちょっと説明しよう。僕はまだ十歳のときにゴルフを始めた。ある夏のことなんだけど、僕は十二歳くらいで、ちょうどティー・ショットを打とうとしていた。で、そのときに後ろを振り向いたら、そこにアリーの姿が見えるんじゃないかっていう気がふとしたわけだよ。実際にそうしたら、やっぱりというか、そこにはアリーがいた。金網の外で（このゴルフコースはまわりが全部金網で囲ってあるんだ）、自転車にまたがって、百五十ヤードくらい後ろから、僕がティー・ショットするところを見物していた。弟はそれくらい遠くからでもぱっと目につく赤毛だったんだよ。いや、まったくの話。でも弟はとんでもなく性格のいいやつだった。夕食の席でふと思いついたことがおかしくておかしくて、大笑いして、椅子からあやうく転げ落ちそうになることもしょっちゅうだった。僕はまだ十三歳だったんだけど、精神分析みたいなのにかけられそうになった。というのは、僕がガレージの窓ガラスを一枚残らず割っちゃったからだ。だからそうされても文句は言えないんだよ。ほんとのところ。弟が死んだ夜、僕はガレージで寝て、そこの窓ガラスをこともあろうに全部こぶしで割っちまったんだ。その夏にうちが持っていたステーションワゴンの窓ガラスまで素手《すで》で割ろうとした。でもその頃には僕の手はもう無茶苦茶なことになってしまっていたから、目的は果たせなかった。まあ今にして思えばずいぶん愚かしいことをしたわけだ。でも実際にやっているときには、自分が何をしているのかもわからなかったんだ。それに君はアリーのことを知らないんだものな。雨なんかが降ると、今でも手がぐずぐずと痛んだりする。そして僕にはもうこぶしを強く握ることができない。真剣に強くは握れないんだ。でもそれをべつにすれば、とくに気にするほどのこともない。つまり、いずれにせよ僕は外科医とかバイオリニストとか、そういうようなものになるつもりはないからさ。

とにかく僕はそのアリーの野球ミットのことを、ストラドレイターの作文として書いたわけだ。僕はたまたまそのミットを手もとに持っていた。スーツケースの中に入れてあったんだ。だからミットを出してきて、そこに書かれた詩をそのまま書き写した。僕がやったことといえば、アリーの名前を変えて、それが僕の弟であってストラドレイターの弟じゃないってことがばれないようにしただけだ。あんまり気は進まなかったんだけど、でも僕としては描写的に書けそうなものってほかにひとつも思いつけなかった。それにアリーのミットについて書くことはけっこう楽しかった。書き上げるのに一時間ばかりかかったけど、それはストラドレイターのやくざなタイプライターを使わなくちゃならなかったからだ。とにかくキーがしょっちゅうひっかかるんだ。どうして自分のを使わなかったかっていうと、僕のタイプライターは同じ階にいるやつに貸しちまっていたからだよ。

作文を書き終えたのは十時半頃だったと思う。でもそんなに疲れちゃいなかったから、僕は窓の外をしばらく眺めていた。もう雪は降り止んでいたけど、ときどきどこかから、車をスタートさせようとしてうまくエンジンがかからない音が聞こえてきた。アックリーのいびきの音も聞こえてきた。ろくでもないシャワー・カーテン越しにそれが聞こえてくるんだ。この男は鼻に問題があって、寝ているときにうまく呼吸ができないんだ。実にありとあらゆる問題を抱えているやつなんだよ。鼻のトラブル、にきび、汚い歯、口臭、みっともない爪。ここまでひどいと、君だってちょっとくらいはこいつに同情しちゃうんじゃないかな。

6

うまく思い出せないものごとがある。ストラドレイターがジェーンとのデートを終えていつごろ部屋に戻ってきたのか、今ちょうどそれについて考えているところなんだけど、廊下を歩いてくるストラドレイターのやくざな足音が聞こえてきたときに僕が何をしていたのか、よく覚えてないんだ。たぶんそのときもまだずっと窓の外を眺め続けていたと思うんだけど、どうにも思い出せないんだ。すごくやきもきしていて、そのせいでそういうふうになったんだと思う。本当に何かが気になっていると、僕は半端じゃなくなっちゃうんだ。すごく気をもんでいるときには、便所に行きたくなってしまうくらいだ。実際には行かないけどね。あまりにも気をもみすぎていて、便所に行く余裕もないんだよ。どこかに行くことで、やきもきを中断したくないんだ。もし君がストラドレイターというやつを知っていたら、君だってやっぱり僕と同じようにやきもきしたと思うね。僕は二度ばかりこの男と組んでダブルデートをしたことがあるから、そのへんのことはよくわかっているんだ。とにかく恥知らずなやつなんだ。嘘いつわりのない話。

いずれにせよ寮の廊下はリノリウムでできていて、こっちに歩いてくる足音がはっきり聞こえたわけだ。彼が部屋に入ってきたとき、僕がどこに座っていたのか思い出せない。窓辺に座っていたのか、あるいは自分の椅子に座っていたのか、彼の椅子に座っていたのか。ぜんぜん記憶がない。

ストラドレイターは外がどんなに寒いか、ぶうぶう文句を言いながら部屋に入ってきた。それから言った、「よう、みんなはどこに行っちまったんだ？　まるで死体置き場みたいじゃないか」。僕は返事もしなかった。だいたい土曜日の夜なんだ。みんな出かけているか、もう寝ちまっているか、それとも週末のあいだ家に帰っているか、そのどれかに決まってるんだ。そんなこともわからない脳たりんに、何を言ってもしょうがない。彼は服を脱ぎ始めた。ジェーンについてはひとことも話さなかった。ただのひとことも。僕も黙りこくっていた。ただじっとやつのことを見ていた。彼が口にしたのは、ハウンドトゥースの上着を借りたことについての礼だけだった。彼は上着をハンガーにかけ、クローゼットに吊した。

それからネクタイをはずしながら、例の作文は書いといてくれたかな、と尋ねた。君のベッドの上に置いてあるよ、と僕は言った。彼はそれを手に取り、シャツのボタンをはずしながら目を通した。そこに立って、作文を読みながら、裸の胸と腹を手で撫でるか何かしていた。その顔にはものすごく間の抜けた表情が浮かんでいた。こいつはいつだって腹だか胸だかを撫でているんだ。とにかく自分のことが可愛くってしょうがないんだよ。

突然彼は言った。「よう、ホールデン、これはいったいなんなんだ？　野球のグローブのことしか書いてないじゃないか」

「それがどうした」と僕は言った。とびっきり冷ややかに。

「それがどうした？　ちゃんと言っただろうが。部屋だか家だかについての作文を書かなくちゃならないんだって」

「描写的な作文を書けってことだったよな。だったらべつに、野球のグローブについて書いたってかまわないじゃないか」

「いい加減にしろよな」、彼はものすごく気を悪くしていた。かなり怒り狂っていた。「なんでお前はいつもこう、とんちんかんなことばっかりやるんだよ」、彼は僕をじっと見た。「学校を追い出されるのも当たり前だよ、それじゃ」と言った。「お前はなにひとつとして言われたとおりにできないんだ。どうしようもねえよ。ほんとにお前ってやつは」

「いいよ、じゃあ返してくれ」と僕は言った。彼のところに行って、その手から作文をひったくり、びりびりと引き裂いた。

「よう、なんてことするんだ？」とストラドレイターは言った。

僕は返事もしなかった。引き裂いた原稿を屑《くず》かごに捨てただけだった。それからベッドに横になった。僕らは長いあいだひとことも口をきかなかった。彼はパンツ一枚になり、僕はベッドに寝ころんで煙草に火をつけた。寮の中では煙草を吸うことは禁止されている。でも夜遅くなるとみんなは寝てしまっているか、あるいは外に出ているかして、煙草のにおいを嗅ぎつけられることもない。それに僕としては、ストラドレイターのやつをいらつかせてやろうと思って煙草を吸ったわけだ。誰かがちっとでもなにか規則を破ると、ストラドレイターはとにかくピリピリしちゃうんだよ。彼は寮の中ではぜったいに煙草を吸わない。吸うのは僕の方だけ。

それでもまだ彼はジェーンについてただの一言も口にしなかった。しょうがないから僕の方から口を開いた。「九時半に帰寮という予定のわりには、戻ってくるのが遅かったじゃないか。彼女に帰りの時間を遅くさせたのか？」

僕がそう尋ねたとき、ストラドレイターは自分のベッドの端っこに腰掛けて、ろくでもない足の爪を切っていた。「ちっとばかしな」と彼は言った。「だいたい土曜日の夜にだな、九時半に戻りますなんて法があるもんか」。ほんと、頭にくるやつだよな。

「で、ニューヨークまで行ったわけ？」

「お前、頭がどうかしたのか？　九時半に帰寮予定っていうのに、ニューヨークくんだりまで行けるわけないだろうが」

「お気の毒さま」

彼は顔を上げて僕を見た。「おい、寮の中で煙草を吸いたいんなら、洗面所に行って吸ってこいよ」と彼は言った。「お前はもうすぐ消えちまうかもしれないけど、俺の方は卒業までここにずっといなくちゃならないんだからな」

僕は無視した。ぜんぜん無視してやった。そのまま、気がふれたみたいに煙草を吸い続けた。そしてただごろんと横を向いて、彼がけったくそ悪い足の爪を切っているところを眺めていた。まったくなんていう学校だろう。いつも目の前で誰かが爪を切っているか、にきびをぶちぶちつぶしているかなんだから。

「ジェーンに僕からよろしくって言ってくれた?」と僕は尋ねた。

「ああ」

言うわけないだろう、まったく。

「彼女はどう言ってた?」と僕は尋ねた。「キングをまだ奥の列に集めているかどうか訊いてくれた?」

「いいや、そんなことは訊かなかったね。お前な、俺たちが一晩何をやっていたと思ってるんだ? チェッカー? 冗談きついぜ」

僕は返事もしなかった。本格的に頭にきてたんだ。

「ニューヨークに行かなかったんなら、彼女といったいどこに行ったんだよ?」と僕はちょっとしてから尋ねた。声がびりびり震えるのをうまく抑えることができなかった。だからさ、すごい神経質になってたんだ。なんか変な具合になったような感じはあったね。

ストラドレイターはやっとそのろくでもない足の爪を切り終えた。それでベッドから立ち上がり、パンツ一枚というかっこうで、突然ふざけ気分になったみたいだった。こっちのベッドにきて、身をかがめるようにして、僕の肩に冗談半分でパンチを入れた。「よせったら」と僕は言った。「ニューヨークじゃなきゃ、いったいどこに行ったんだよ?」

「どこにも行かなかったね。ただ車の中にいたんだ」。彼はまた僕の肩に、ふざけて軽くパンチを入れた。

「よせって言ってるだろう」と僕は言った。「誰の車だよ?」

「エド・バンキーの車」

エド・バンキーはペンシーのバスケットボール部のコーチで、ストラドレイターはこいつのお気に入りのひとりなんだ。いつだってエド・バンキーはストラドレイターが車を必要とすれば、いつだってエド・バンキーが貸してくれる。うちの学校では、生徒が教師の車を借りたりするのは禁止されているんだけど、運動部の連中ときたらなにしろ身内《みうち》の結束が固いんだよ。僕はいろんな学校に行ったけど、運動部の連中ってのはどこでもみんな同じだ。仲間うちじゃなんでもありって感じだ。

ストラドレイターは僕の肩にシャドウ・パンチを入れ続けていた。彼は手にしていた歯ブラシを口に突っ込んだ。「で、何をしたんだよ?」と僕はきいた。「エド・バンキーの車の中で彼女をやっちまったわけかい?」。僕の声はかなりぶるぶると震えていた。

「おいおい、なんてお下品なことを言うんだ。お前、口を石鹸で洗ってもらいたいのか?」

「やったのか?」

「プロの口は固いんだよ、君」

そのあとのことをよく覚えてないんだ。わかっているのは洗面所に行くようなふりをしてベッドを出て、そこでストラドレイターのやつを思い切りぶん殴ろうとしたことだけだ。歯ブラシを口の奥に叩きこんで、喉をぶち抜いてやろうと思ったんだ。でも狙いがはずれて、パンチはうまく決まらなかった。頭のわきに軽く一発くらわせるのがせいぜいだった。まあちょっとくらいは痛かったかもしれないな。でもこっちが望んだほど痛くはなかったはずだ。本来ならもっと痛かったはずなんだけど、でも僕は右手を使ったし、右手は固く握りしめることができないんだ。手に怪我《けが》をしたときのことはさっき話したよね。

いずれにせよ、気がつくと僕は床に倒れていて、ストラドレイターは顔を真っ赤にして僕の胸の上にのしかかっていた。つまりやつは僕の胸を両膝で押さえつけていたわけだ。そしてなにしろこいつは一トンくらいの重さがあるんだよ。おまけに僕の両手首はしっかり摑《つか》まれていた。だからそれ以上パンチをお見舞いすることはできなかった。もしそれができたら、僕はこいつを殺してたと思うな。

「お前、いったいどうしたっていうんだ？」とやつは言い続けていた。その間の抜けた顔はますます赤みを帯びていった。

「畜生、その汚ねえ膝を俺の胸からどかせろよ」と僕は言った。ほとんど泣き叫んでいた。ほんとの話。「いいからどきやがれ。この低能野郎」

でもどいてはくれなかった。彼はいつまでも僕の両手首を強く握り、僕は彼のことをさんざん罵《ののし》っていた。それが十時間くらいはつづいた。そのとき自分がどんなことを口にしたのか、ほとんど思い出せないな。お前は自分がやりたきゃ、どんな女の子とでもやれると思っているんだろう、みたいなことを言った。その女の子がキングを奥の列にとっておくかどうかなんて、お前はそんなこと気にもしないんだ。どうして気にもしないかっていうと、それはお前が底なしの低能だからだ。ストラドレイターは「低能」って言われると逆上する。脳味噌の足りないやつらって、面と向かって低能って言われると決まって頭にくるんだよな。

「黙れ、ホールデン」と彼は言った。その大きな顔は見事に真っ赤だった。「いいから黙ってろ」

「お前は彼女の名前がジェーンかジーンかもわからないんだろう、この低能野郎！」

「黙れ。いいか、ホールデン、この野郎、同じことを何度も言わせるな」とストラドレイターは言った。彼はほんとに腹を立てていた。「黙らんと、痛い目にあわせてやるぞ」

「いいからその薄汚ねえ、鈍くさい膝をどかしやがれ」

「放してやったらおとなしくするか？」

僕は返事もしなかった。

ストラドレイターは同じ文句を繰り返した。「ホールデン、放してやったら、おとなしくするか？」

「ああ」

ストラドレイターは僕を放して立ち上がった。僕も立ち上がった。僕の胸はやつの汚らしい膝のおかげでとてつもなく痛んだ。「お前はとことん鈍くさい、蓮根《れんこん》なみの間抜けだ」と僕はやつに言った。

　それでこいつは完全に頭にきた。その愚かしいまでにでかい指を僕の顔の前で振りまわした。「いいか、ホールデン、黙れ。これは最後の警告だ。いいか、俺の前でそんな大口を叩くんじゃねえ。そうしないと……」

「何が黙れだ」と僕は言った。というか、ほとんど絶叫していた。「それがお前ら低能連中の問題点だ。話し合うってことができないんだ。そういうところで脳たりんかそうじゃないかの見分けがつくんだよな。だいたいお前ら蓮根アタマときたら、脳味噌を使って話をするってことがぜんぜん――」

　そこでストラドレイターはがつんと一発僕にかましたわけだ。気がついたとき僕はまた床にのびていた。そのとき僕がノックアウトされたのかどうかはよくわからない。でもたぶんそうじゃないと思う。安っぽい映画をべつにすれば、そんなにきれいに人をノックアウトすることなんてできやしないからね。でもとにかく僕はかなり鼻血を出していた。顔を上げると、ストラドレイターのやつがのしかかるようなかっこうで、こっちを見下ろしていた。あのろくでもない洗面用具入れを小脇に抱えてさ。「黙れと言うのに黙らないから、そうなるんだ」とやつは言った。でもその声はずいぶん緊張していた。僕が床に倒れたときに頭蓋骨《ずがいこつ》にひびが入ったんじゃないかとか、そういうことを心配していたんだろう。実際にそうなっちまえばよかったんだけどね。「お前がいけねえんだぞ、この馬鹿野郎」と彼は言った。でもね、内心はすごいびくびくしてるんだよ。

僕は立ち上がりもしなかった。しばらくそのまま床に寝そべって、低能のゴミ野郎と罵りつづけていた。僕は頭にきて、ほとんど叫びまくっていた。

「いいからお前、顔を洗ってこい」とストラドレイターは言った。「よう、聞こえたのか？」

お前こそその間抜け面《づら》を洗ってきやがれ、と僕は言った。まったく子どもっぽい台詞《せりふ》だけど、それくらい頭にきていたんだな。洗面所に行くついでにミセス・シュミットをモノにしてくるってのはどうだい、と言ってやった。ミセス・シュミットってのは用務員の女房で、歳は六十五くらいだ。

僕は床に座り込んだまま、ストラドレイターがドアを閉めて、洗面所に向かって廊下を歩いていく音を聞いていた。それから起きあがった。ハンティング帽がなかなかみつからなかった。でもそのうちにベッドの下に落ちているのがみつかった。それを頭にかぶり、例によってひさしを後ろにまわした。それから鏡の前に立って、自分の間の抜けた顔をじっくり眺めた。そんなたくさんの血には、なかなかお目にかかれるものじゃないよ。口も顎も、それからパジャマやバスローブまでも、とにかく血だらけだった。それを見てぎくっとしたけど、同時にうっとりもしてしまった。血まみれになったせいで、なんとなくタフそうに見えたからだ。僕はこれまでの人生で二度しか殴り合いの喧嘩《けんか》をしたことがないんだけど、どっちのときも負けちまった。とてもタフとは言えないよね。というか、実のところを言えば、僕は平和主義者なんだ。

きっとアックリーのやつは騒ぎのあいだずっと目を覚ましていて、一部始終を聞いていたはずだと思った。それで僕はシャワー・カーテンを抜けて、彼の部屋に行ってみた。アックリーがいったい何をしているのかちょっと気になったわけだよ。僕の方から彼の部屋に行くことってまずないんだ。アックリーの部屋ときたら、いつだってわけのわからない匂いがするからさ。こいつのやることなすこと、お話にならないくらい不潔なんだ。

7

僕らの部屋の光が、シャワー・カーテン越しにわずかに差し込んでいた。アックリーがベッドに横になっているのが見えた。でも彼がばっちり目を覚ましていることはまるわかりだった。

「よう、アックリー」と僕は言った。「起きてるか?」

「ああ」

あたりはずいぶん暗くて、僕は床に置いてあった誰かの靴を踏みつけてしまい、あやうく倒れて頭を打ちつけるところだった。アックリーはベッドの上に身を起こし、腕で身体を支えた。顔にいっぱい白いものを塗りたくっていた。にきび薬か何かだ。暗闇の中でみるとまるでお化けみたいだった。「いったいぜんたい何をやっているんだ?」と僕は尋ねた。

「何をやってるって、いったいどういう意味だ? お前らがどたばた騒ぎを始めたとき、俺はちょうど寝かかっていたんだぞ。まったく、なんでそんなひどい喧嘩になったんだ?」

「明かりはどこにあるんだ?」。照明のスイッチが見あたらなくて、僕は壁中に手を這《は》わせていた。

「どうして明かりをつけなくちゃならないんだ……今さわってるところのすぐそばだよ」

僕はやっとスイッチを探し当て、明かりをつけた。アックリーのやつは手をかざして、光が目に入らないようにした。

「たまげたな!」と彼は言った。「いったいお前、何をやったんだ?」。彼はそこらじゅうについた僕の血のことを言ってるんだ。

「ストラドレイターと軽くもめちまってさ」と僕は言った。それから床に腰を下ろした。この部屋には椅子ってものがひとつもないんだ。こいつらが自分たちの椅子をいったいどこにやってしまったのか、見当もつかない。「よう」と僕は言った、「ちょっとカナスタ（トランプ・ゲームの一種）でもやらないか?」。この男はカナスタに目がないんだ。

「お前な、まだ血が止まってないんだぞ。なんかつけておいた方がいいんじゃないのか」

「そのうちに止まるさ。なあ、カナスタをやるのかやらないのか?」

「何がカナスタだ。お前、今何時かわかってんのか?」

「まだそんな遅くはないだろう。十一時か十一時半か、そんなものじゃないか」

「そんなものだと！」とアックリーは言った。「いいか、俺は明日の朝早く起きてミサに出なくちゃいけないんだ。それなのにお前らは、このクソ夜中に叫んだり暴れたりしやがって……、いったいなんでそんなことになったんだよ？」

「これが長い話でね、僕としちゃそんなことで君を退屈させたくないんだよ、アックリー。君のためを思えばこそ」と僕は言った。この男を相手にあんまり込みいった話はしたくないんだよ。だいたいこいつはストラドレイターに輪をかけて血のめぐりが悪いんだから。アックリーに比べたら、ストラドレイターでさえ輝ける才人に思えるくらいだ。「なあ」と僕は言った。「今夜イーライのベッドで寝かせてもらうわけにはいかないかな。イーライは明日の夜までは戻ってこないんだろう？」、ほんとはそんなことをいちいち尋ねるまでもないんだよ。イーライは週末はだいたいいつも実家に帰っていたから。

「あいつがいつ戻ってくるかなんて、俺にはわからないな」とアックリーは言った。

そういうのって神経にさわるんだよな。「わからないってどういうことだよ。イーライが日曜日の夜より前に戻ってきたことなんてないじゃないか」

「そりゃもちろんそうだ。でもな、誰かがやってきてあいつのベッドで寝たいっていうたびに、どうぞどうぞって寝かせてやるわけにもいかないぜ」

これには参ったね。僕は床からやつの方に手をのばして、肩をぽんぽんと叩いた。「君はプリンスだよ、アックリーちゃん」と僕は言った。「それは知ってた？」

「おい、ふざけるんじゃない……誰かがやってきてあいつのベッドで寝たいっていうたびに――」

「ぴかぴかのプリンスだな。まさにジェントルマンにして学究《がっきゅう》の徒だよ、坊や」と僕は言った。本気でそう思ったんだよ。「ところで煙草なんて持ってるかい？　持ってないなんて言うなよな。そんなこと言われたらこのまま死んじまうからな」

「持ってねえよ。マジな話。でさ、喧嘩の原因はいったいなんだったんだよ？」

僕は返事をしなかった。そのかわりに立ち上がって窓のところに行き、外を眺めた。とつぜんものすごくこう、やるせない気持ちになってしまった。このまますっと死んでしまいたいと思ったくらいだ。

「それで、なんでそんな喧嘩になっちまったんだよ？」とアックリーはもう五十回くらい同じ質問を繰り返していた。そういうところが真剣に気の滅入るやつなんだよ。

「君が原因だ」と僕は言った。

「俺が原因だって？　嘘つくなよ」

「嘘じゃないね。僕は君の名誉をまもってやったんだぞ。ストラドレイターのやつは君のことを救いようのないクズだって言ったんだ。僕としちゃ、そんなことを黙って言わせておくわけにはいかないじゃないか」

僕の言ったことは彼を興奮させた。「ほんとにあいつ、そんなことを言ったのか？　マジでか？　ほんとに言ったんだな？」

ただの冗談だよ、と僕は言った。それからイーライのベッドに行って横になった。やれやれ、僕はかなりどん底っぽい気分になっていたんだ。なにしろうら淋しくってさ。

「この部屋はなんかクサいな」と僕は言った。「君の靴下のにおいがここまで漂ってきてるぜ。靴下はときどき洗濯するもんだってことを知ってる？」

「おい、もしここが気に入らないんだったら、どうすりゃいいかわかってるだろう」とアックリーは言った。まったく気のきいたことを言うやつじゃないか。「明かりを消してもらえませんかね」

でも僕はすぐには明かりを消さなかった。イーライのベッドに横になったまま、ジェーンのことをずっと考えていた。彼女とストラドレイターが、あの豚野郎エド・バンキーの車をどこかに駐《と》めて、並んで座っているところを想像すると、僕はとことん頭がおかしくなってしまいそうだった。そのことを考えるたびに、窓から身を投げたくなった。つまりさ、君はストラドレイターというやつのことを知らないだろうけど、僕はよく知っているんだ。ペンシーの生徒はみんな、この前どこそこの女の子とセックスしたというような話をしている。でもたいていの場合、そんなのは作り話だ。たとえばアックリーの話みたいにね。でもストラドレイターの場合はほんとにやってるんだ。僕は彼がやっちまった女の子を少なくとも二人、じかに知ってる。冗談抜きでさ。

「僕としてはむしろ、君のうっとりするような身の上話を聞かせてほしいよ、アックリーちゃん」と僕は言った。

「いいから、早く明かりを消せよ。明日の朝はミサがあるんだ」

起きあがって明かりを消してやった。それでアックリーが少しでも幸福になれるんならお安いご用だ。それからまたイーライのベッドに横になった。

「お前、何してるんだ？　イーライのベッドで寝るつもりじゃないだろうな？」とアックリーは言った。いやはや、たいしたもてなしぶりだよな。

「そうするかもしれないし、しないかもしれない。気にしなくていい」

「気になんかしてねえよ。俺が言いたいのはな、たとえば今とつぜんイーライのやつが戻ってきて、誰かが自分のベッドで寝ているのを見たらだな――」

「リラックスしなって。ここで寝るつもりなんかないからさ。君のお優しい気持ちにつけこむつもりはないって」

数分後にはアックリーは目もくらむようないびきをかいていた。僕の方は暗闇の中に横になって、エド・バンキーの車の中にいるジェーンとストラドレイターのことを考えまいと努力していた。でもつい考えちゃうんだよね。問題は僕がストラドレイターの得意技を知っていたことにある。だから話は余計にきつくなったわけだ。僕らは一度、エド・バンキーの車を使ってダブルデートをしたことがあるんだ。ストラドレイターは後部座席にデートの相手と一緒にいて、僕は自分の相手と一緒に前の座席にいた。ストラドレイターってやつは、ほんとすごいテクニックの持ち主なんだよ。やつが何をするかっていうとだね、ものすごく穏やかで心のこもった声で、デートの相手をすっぽり包み込んじまうんだな。まるで「僕はとびっきりハンサムっていうだけじゃなく、性格がよくて、しかも誠実な人間でもあるんですよ」みたいな感じでさ。そういうのを聞いていると、吐き気がしたね。彼の相手の女の子はずっと「ねえ、お願い、やめてよ。よして、お願い」って言い続けていた。ところがこのストラドレイターのやつときたらそんなものどこ吹く風っていうか、エイブラハム・リンカーン顔負けの誠実なる声をノンストップで浴びせ続けるわけだ。で、最後には後部座席に、深い沈黙がどかっと降りるんだ。そういうのってすごい困るんだよ。そのとき彼が相手の子と最後までやっちまったとは思わないけど、でも最後に近いところまではやっていたはずだ。ぎりぎりに近いところまでね。

そこに横になって何も考えないように努力しているときに、ストラドレイターが洗面所から戻って、僕らの部屋に入ってくる音が聞こえた。あの薄汚い洗面用具をどさっと放り出し、窓を開けるのも聞こえた。なにしろこいつは、新鮮な空気のことしか頭にないやつなんだ。その少しあとで明かりを消した。僕がどこにいるか、部屋の中を見まわすことさえしなかったね。

外の通りはなにしろ気が滅入った。通りかかる車の音だってもう聞こえない。とことんうら淋しくて落ちこんで、アックリーのやつを起こしてやりたくなったくらいだ。

「よう、アックリー」と僕は小声でささやいた。シャワー・カーテン越しに声が聞こえてストラドレイターが目を覚まさないように。

でも僕の声はアックリーの耳には届かなかった。

「よう、アックリー！」

まだ聞こえない。もう岩みたいにぐっすりと眠ってやがる。

「よう、アックリー！」

今度はやっと聞こえた。

「まったく、なんなんだよ、いったい？」と彼は言った。「俺は寝てたんだぞ、ほんとにもう」

「なあ、どんな手続きを踏んだら修道院に入れるんだ？」と僕は尋ねた。僕は修道院に入ることについてちらほらと思いをめぐらしていたんだ。「カソリックじゃないとだめなんだろう？」

「当然カソリックじゃなくちゃならない。お前ってやつは、そんなくだらないことを訊くためにわざわざこの夜中に――」

「うんうん、いいからもう寝ろよ。べつに本気で修道院に入ろうと思っているわけじゃないんだ。僕の運を考えれば、ろくでもない修道僧ばかり集まっている修道院に入っちまうのが関の山《せきやま》だものな。間抜けのできそこないばっかり入っているところか、あるいはただのできそこないばっかりのところとかさ」

僕がそう言うと、アックリーのやつはベッドの上にむっくりと起きあがった。「いいか、お前が俺のことをどうおちょくろうと、それはかまわん。でも俺の信仰について何かくだらない冗談を並べ立てるとなると話はべつだ。だから、いいか――」

「リラックスしろよ」と僕は言った。「なにも君の信仰をおちょくっているわけじゃないんだからさ」、僕はイーライのベッドから立ち上がって、ドアの方に向かった。こんな愚劣な雰囲気の中でいつまでもうろうろしていたくはなかった。でも途中で立ち止まって、アックリーの手を取り、すごくしっかりとインチキくさい握手をした。彼はさっと手を引いた。「いったい何の真似だよ?」と彼は言った。

「なんでもない。ただ、君という人間がかくも輝かしきプリンスであることに感謝したかったのさ。それだけ」と僕は言った。ものすごく誠実な声でそう言った。「君はなんたって最高だぜ、アックリーちゃん」と僕は言った。「そのこと知ってた?」

「まったく口の減らない野郎だ。いつか誰かがお前の――」

僕は最後まで台詞を聞かなかった。ドアを閉めて廊下に出た。

週末の夜で、みんなもう眠ってしまったか、外出しているか、それとも自宅に帰っているか、そのどれかだった。廊下は心底静まりかえっていて、気が滅入った。リイヒーとホフマンの部屋のドアの前にはコリノス歯磨きの空き箱が落ちていた。階段に向かって廊下を歩くあいだ、僕は履いていた、裏張りがシープスキンのスリッパでその空き箱を蹴《け》飛ばしていった。下に行って、マル・ブロッサードが何をしているのかのぞいてみようと思ったんだ。でもそのとき出し抜けに気持ちが変わった。とつぜん心が決まったんだよ。つまりさ、このままペンシーを出ていってやろうじゃないかってね。今夜のうちに、さっさとここにおさらばするんだ。わざわざ水曜日まで待っている必要がいったいどこにあるんだ。僕はこんなところでうろうろしていたくなかった。こんなところにいたって、心がやたら悲しくうらぶれていくだけだ。それで僕はこう思った。ニューヨークに行ってホテルの部屋をとってやろうってね。ものすごく安いホテルがいい。そこで水曜日までのんびりしよう。そしてじゅうぶん休養もとったし、身も心も軽くなったというところで、うちに帰ればいいんだ。水曜日にさ。退学処分を通知するサーマー校長の手紙が両親のもとに届くのは、火曜日か水曜日あたりだろう。僕としては、両親がその手紙を受け取る前に家に帰ることだけは避けたかった。二人がその手紙を読んで、事実をしっかりと咀嚼《そしゃく》し終わってから、うちに帰りたかった。二人が手紙の封を切る現場に居合わせたくなかったわけだ。うちの母親ときたら、そりゃもうとことんヒステリックになるんだもの。でもいったん事態を飲み込んでしまえば、そのあとはいくらか落ち着く。それに僕はちょっとした骨休めみたいなのを必要としていた。僕の神経はかなりいかれていたんだ。正直な話さ。

　とにかく僕はそうしようと心を決めたわけだ。それで自分の部屋に戻り、明かりをつけて荷物のパッキングを始めた。僕は既にあらかたパッキングをすませてしまっていた。ストラドレイターのやつは目を覚ましもしなかった。僕は煙草に火をつけ、服をしっかり着込み、それからふたつのグラッドストーン鞄《かばん》に荷物を詰めていった。詰め終わるのに二分くらいしかかからなかった。僕は荷物をまとめるのがなにせ速いんだな。

ただパッキングするときにちょっと落ち込むことがあった。ほんの二日くらい前に母親が送ってきてくれた真っさらのスケート靴を鞄に詰めなくちゃならなかったんだ。こいつは気が滅入った。母親がスポルディング運動具店に行って、店員に百万くらいとんちんかんな質問をしている光景が目に浮かんだからだ。その一方で僕はまた退学をくらっちまった。そう考えるとやりきれない気持ちになった。もっとも母が送ってくれたのは間違ったスケート靴だった。ほしかったのはレース用のシューズなのに、送ってきたのはホッケー用のやつだった。でもどっちにしても、けっこう哀しい気持ちになった。誰かに何かをプレゼントされると、ほぼ間違いなく最後には哀しい気持ちになっちゃうんだよね。

荷物をまとめたあとで、手持ちの金をざっと勘定してみた。そのとき正確にいくら持っていたのか、今はちょっと思い出せないんだけど、かなりたくさんあったと思う。その一週間くらい前に、祖母がたっぷりとお小遣いを送ってきてくれたところだった。このおばあちゃんときたら、並外れて気前のいい人なんだ。それにもうものすごい高齢で、ちょっと頭のネジがゆるんできてるんだろうな。なにしろ年に四回くらい誕生祝いのお金を送ってくれたりするんだよ。でもどれだけたっぷりお金があったって、ありすぎて困るってことはない。備えあれば憂いなしってやつだよ。それで僕は廊下を歩いてフレデリック・ウッドラフの部屋に行き、やつを起こした。僕がタイプライターを貸していたやつさ。それで、タイプライターをいくらで引き取ってくれるかって尋ねた。こいつはけっこう金を持っているんだ。さあ、どうかなあと彼は言った。とくにこのタイプライターがどうしてもほしいってわけでもないしさ。でも最後には買ってくれた。買ったときの値段は九十ドルくらいだったんだけど、彼に売った値段は二十ドルだった。寝ているところを叩き起こされたせいで、まあ機嫌は悪かったね。

さあいよいよここともお別れということになり、鞄やら何やらをそっくり持ったとき、僕はしばらく階段の降り口に立って、これが最後ということで廊下を見わたした。それで僕はなんだか泣いちまったんだよね。どうしてだろう。よくわからない。僕は赤いハンティング帽をかぶり、例によってひさしを後ろにまわした。それから声を限りに叫んだ。「ぐっすり眠れ、うすのろども!」。その階にいる全員がたぶん目を覚ましたはずだ。それから僕はさっさと出ていった。どっかの馬鹿が階段じゅうにピーナッツの殻《から》をばらまいていたせいで、あやうく首の骨を折っちまうところだったよ。

8

タクシーを呼んだりするにはもう時間が遅すぎたから、駅まで歩いた。そんなたいした距離でもないんだけど、なにしろやたら寒いし、雪が積もっているし、歩くのは楽じゃなかったよ。おまけに手に提《さ》げたグラッドストーン鞄が脚にばんばんぶつかった。でも外の空気を吸うと気持ちがすっとした。ただ参ったのは、寒さのせいで鼻が痛むことだった。それから上唇の裏、ストラドレイターに一発くらわされたところ。歯にあたって唇が切れちまっていて、こいつがけっこうひりひりした。でも耳だけはほかほかと温かかった。僕が買った帽子には耳あてがついていて、そいつをおろしたんだ。体裁《ていさい》にかまっている場合じゃない。だいいちまわりには人っ子一人いなかった。みんなもう布団にくるまって寝ちまっていたよ。

僕は絶好のタイミングで駅についた。列車の到着まで十分くらいしか待たなくてよかったんだ。待っているあいだに手で雪をすくって、それでごしごしと顔を洗った。顔にはまだずいぶん血がついていたからね。

いつもなら僕は列車に乗るのが好きなんだ。とくに夜行がいい。照明がともって、窓は真っ暗で、売り子がコーヒーやらサンドイッチやら雑誌やらを持って通路をやってくる。普段はハム・サンドイッチをひとつと、雑誌を四冊くらい買う。夜行列車に乗っているとさ、雑誌に載っている愚かしい小説でも、まあなんとか食べたものをもどしたりせずに読めるんだ。ほら、よくあるじゃないか、あごの尖《とが》った、デイヴィッドとかいうような名前のインチキくさい男がぞろぞろでてきて、それからリンダとかマーシャとかいうような名前のインチキくさい娘がぞろぞろでてきて、それがデイヴィッドのろくでもないパイプにしょっちゅう火をつけてやったりするやつ。そういうたぐいの鈍くさい小説でも、夜行列車に乗っているといちおう読めちゃったりするんだね。

でもその日は違っていた。ぜんぜん気が乗らなかった。僕は席に座ったきり、なんにもしなかった。やったことといえばせいぜい、ハンティング帽を脱いでポケットに突っ込むことくらいだ。

やがて突然、トレントンで一人の女性が乗り込んできて、僕のとなりの席に座った。列車はほとんどがらがらだった。なにしろもう夜も遅かったからね。でも空いた席には座らず、わざわざ僕のとなりに座ったんだ。というのはその人はすごい大きな鞄を持っていたし、僕はいちばん前の席に座っていたからだよ。そして彼女はそのでかい鞄を通路の真ん中にどかっと置いた。車掌とかほかの人とか、みんながつまずいてしまいそうなところにさ。蘭《らん》の花をつけていて、大きなパーティーの帰りみたいだった。歳は四十か四十五というところだけど、すごくきれいな人だったね。僕は女性に目がないんだ。といってもなにも僕がセックス過剰だとか、そういうことを言ってるわけじゃないよ。まあセックスで頭がかなりいっぱいになっていることは認めるけどさ。ただ僕としては女性が好きなんだっていうことだよ。そして女の人って、必ず通路の真ん中に鞄を置くものなんだ。

とにかく僕らはそこに座っていた。そして突然その人は言った。「失礼ですけど、ひょっとしてペンシー・プレップスクールのステッカーじゃありませんか」。彼女は網棚の上にある僕の鞄を見上げていた。

「はい、そうです」と僕は言った。たしかにそのとおりだ。僕はくだらないペンシーのステッカーをグラッドストーン鞄のひとつに貼っていた。田舎くさいことをしたもんだよ、まったくの話。

「じゃあ、あなたはペンシーの生徒さんなの？」と彼女は言った。いい声だった。というか、電話で聞くと映《は》えるタイプの声だね。こういう人は常に電話を持ち歩いてるべきなんだよ。

「はい、そうです」と僕は言った。

「まあ、それは素敵！　じゃあ、ひょっとしてうちの息子のこともご存じじゃないかしら。アーネスト・モロウっていうの。やはりペンシーの生徒よ」

「はい、知っています。同じクラスです」

ペンシーの薄汚い校史をひもといて、開校以来そこで学んだ生徒を全部並べても、彼女の息子は疑いの余地なくどん底のろくでなしだった。こいつはシャワーを浴びたあといつも廊下を歩きながら、ずぶずぶに濡れたタオルでみんなのお尻を片端からばしばし叩いていくんだ。実にそういうタイプのやつなんだ。

「まあなんて素敵なんでしょう！」とその女性は言った。でもそれは嘘くさい言い方じゃなかった。すごく感じがいいんだ。「あなたに会ったことをアーネストに言わなくちゃ」と彼女は言った。「名前はなんておっしゃるの？」

「ルドルフ・シュミット」と僕は言った。僕としては彼女に向かって、生い立ちの記をいちいち語ろうという気にはなれなかったからね。ルドルフ・シュミットというのはうちの寮の用務員の名前なんだ。

「あなたはペンシーが好き?」と彼女は尋ねた。

「ペンシーですか? そんなに悪くはありませんよ。地上の楽園とは言えないにしても、ほかの学校に比べてとくにひどいということもありません。中にはけっこう良心的な先生もいます」

「アーネストは最高の学校だって言ってるわ」

「きっとそうでしょうね」と僕は言った。それからまた口からでまかせを並べたて始めた。「彼は環境に適応することに長《た》けているんです。嘘じゃありません。どうすれば環境に適応できるかをよく知っているんです」

「そう思う?」と彼女は僕に尋ねた。その話にものすごく興味を持ったようだった。

「アーネストのこと? もちろんです」と僕は言った。それから彼女が手袋を取るのを見ていた。いやいや、なにしろやたら宝石だらけなんだよ、これが。

「さっきタクシーから降りるときに爪を駄目にしちゃって」と彼女は言った。そして僕の顔を見て、にっこりと笑った。とにかくめちゃくちゃ素敵な笑顔だったよ。冗談抜きでさ。この世の中、微笑みらしきものを浮かべられる人ってそんなにはいないし、浮かべられたってせいぜいがインチキくさい微笑みだ。「アーネストの父親と私は、ときどき彼のことが心配になるの」と彼女は言った。「あの子はまわりの人たちとあまりうまくやっていくことができないんじゃないだろうかって」

「どういうわけで?」

「つまり、あの子はすごく感じやすいの。これまでも、ほかの子どもたちと調子をあわせてうまくやっていくことが、どうしてもできなかったのね。あれくらいの歳の子どもにしては、きっとものごとを少し深刻に受け止めすぎるんだわ」

感じやすいだってさ。僕はぶっとんだね。モロウのやつの感受性なんて便座並みのものなんだからさ。

僕は彼女をじっくりと眺めた。彼女はぜんぜん間抜けには見えなかった。この人なら、自分の息子がどれくらい悪質なやつか、ある程度わかっててもいいはずなのになと思った。でもまあ、そういうものでもないんだろうね。相手はやっぱりなんといっても母親なわけだからね。そして母親ってのはさ、みんなちょっとずつ正気を失ってるものなんだよ。でもとにかく僕としては、モロウのお母さんがすっかり気に入っちゃったわけだ。感じがいいんだよね。「煙草をいかがですか？」と僕は尋ねた。

彼女はまわりを見た。「ここは禁煙車じゃなかったかしら、ルドルフ」と彼女は言った。ルドルフだってさ。参っちゃうよな。

「気にすることありません。誰かがうるさいことを言い出したら、そのときにやめればいいんです」と僕は言った。彼女は僕が差し出した煙草を受け取った。僕はそれに火をつけてあげた。

彼女が煙草を吸うかっこうは素敵だった。ちゃんと煙を吸いはするんだけど、勢いよくぷわっと吸い込んだりはしない。それくらいの歳の女の人って、だいたいにおいてそういうせっついた吸い方をするものなんだけどさ。ずいぶんチャーミングな人だったね。それに加えてセックス・アピールもなかなかだった。念のために言っておくとさ。

彼女はちょっと変な目つきで僕の顔を見ていた。「ひょっとしてあなた、鼻血を出しているんじゃなくって」と出し抜けに彼女は言った。

僕はうなずいて、ハンカチを出した。「雪合戦でぶっつけられたんです。氷みたいにすごい固いやつだったもので」。本当のことを話せばよかったのかもしれないけど、そんなこと言い出したら、すごい長い話になっちまう。でも僕は彼女に好感を持っていたし、ルドルフ・シュミットなんていう偽名を名乗ったことをいくぶん後悔し始めていた。「アーニーのやつはね」と僕は言った。「ペンシーではいちばん人気のある生徒なんです。それはご存じでしたか？」

「いいえ、ぜんぜん」

僕はうなずいた。「彼がどういう人間なのかみんなにわかるまでに、ずいぶん長い時間がかかりました。彼はおかしなやつなんです。風変わりなやつ、と言っていいかもしれない。いろんな面でね。言いたいことわかってもらえるかな？　たとえば最初に彼に会ったときからしてそうでした。ちょっとすかしたやつだなって僕は思ったわけです。そんなふうに感じたんです。でもそれは間違いだった。オリジナルなパーソナリティーみたいなのがあるっていうか、そのせいで、彼のことが理解できるまでにけっこう時間がかかっちゃうわけです」

ミセス・モロウは何も言わなかった。でもね、そのときの彼女を君にも見せたかったたな。彼女は座席にべたっと糊付けされちまったみたいに見えたね。おおよそ世界中の母親ってのはさ、自分の息子がどれくらいすごい大物かって話を聞きたくてしょうがないんだよ。

それから僕は本格的に作り話を始めた。「選挙の話はお聞きになりましたか？」と僕は彼女に尋ねた。「級長選挙のこと」

彼女は首を振った。僕は彼女をトランス状態みたいなのに送り込んじまったんだよ。嘘じゃなくて。

「つまりですね、僕ら仲間はみんなでアーニーのやつを級長にしちゃおうぜって決めたわけです。異議を唱えるものはいなかった。あいつのほかにその役にふさわしいやつは考えられなかったから」と僕は言った。我ながらよくもまあでたらめを並べたてられたもんだ。「でもじっさいに選ばれたのは、ハリー・フェンサーっていうやつでした。ハリーが級長に選ばれた理由はすごく簡単です。アーニーが僕らに、自分を候補にしてくれるなって言ったんですよ。というのは彼はほんとに内気で、謙虚だからです。それで候補になるのを自分から降りちまった……。なんでそこまで内気なんだろうな。そういうところを克服しなくちゃいけないんだって、お母さんからも言ってくれませんか」、僕は彼女の顔を見た。「アーニーはその話をうちでしませんでした？」

「いいえ、そんな話は聞かなかったわ」

僕はうなずいた。「アーニーってそういうやつなんです。いちいちそんなこと話さないんだ。そこがやつの欠点なんです。あまりにも内気で奥ゆかしいんだな。たまにはちょっとリラックスしろって、お母さんから言ってやってください」

　ちょうどそのときに車掌がやってきて、ミセス・モロウの切符を検札した。それは話を切り上げるいいチャンスだった。でもしばらくのあいだ作り話ができてよかったと思う。世の中にはモロウみたいな連中がいる。濡れたタオルでみんなのお尻を叩きまわり、痛がらせるのが、心底楽しいんだよ。そういうやつらって、子どものときだけ根性が悪いっていうんじゃないんだね。死ぬまでとことん根性が悪いんだ。でも僕がそんな嘘八百を並べたてたあとでは、ミセス・モロウは自分の息子を、すごいシャイで奥ゆかしい人間だと考えるようになるはずだ。級長選挙の候補に選ばれることを辞退するような人間だって。そうなるんじゃないかな。わかんないよね。母親ってのはその手のことになると、頭がうまく働かないみたいだからね。

「カクテルでもいかがですか?」と僕は彼女に尋ねた。僕自身ちょっと一杯やりたいなという気分になっていたわけだ。「どうです、ラウンジ・カーにでも行きませんか?」

「あら、あなたはまだお酒なんて注文できないでしょう」と彼女は言った。つんつんして言ったんじゃないよ。とてもチャーミングな人で、ぜんぜんつんつんなんてしないんだから。

「はい、まあ一応、そういうことになっています。でも僕は背が高いから、だいたいうまくいっちゃうんですね」と僕は言った。「白髪だってけっこうちゃんとはえてるし」。僕は横を向いて白髪を見せた。彼女はすっかりそれに見とれているみたいだった。「いいじゃありませんか。一緒に行きましょう」と僕は言った。彼女と一緒なら楽しい時が過ごせそうだった。

「でもやっぱりご遠慮するわ。誘っていただいたのは嬉しいけど」と彼女は言った。「それにラウンジ・カーの営業はもう終わっているんじゃないかしら。ずいぶん時刻も遅いし」。たしかに彼女の言うとおりだ。時間のことをすっかり忘れていた。

それから彼女は僕の顔を見て、そのうちに来るんじゃないかなって僕が予想していた質問をまさに口にした。「このあいだアーネストが手紙を書いてきて、水曜日には家に帰ってくるっていうことだったわ。学校のクリスマス休みは水曜日から始まるんですってね」と彼女は言った。「こんなふうにとつぜんおうちに帰るって、ご家族のどなたかのお具合でも悪いんじゃないでしょうね？」。彼女は本気でそのことを心配してるみたいに見えた。ただ詮索《せんさく》好きでそういう質問をしたわけじゃないんだよな。

「いいえ、家族はみんな元気にしています」と僕は言った。「具合が悪いのは僕なんです。僕が手術を受けることになっているもので」

「あら、なんてひどいことでしょう！」と彼女は言った。心から同情している声だった。僕はそんなでたらめを口にしたことをすぐに後悔した。でも言ってしまったことはなんともならない。

「そんなにたいしたことじゃないんです。脳にちょっとした腫瘍《しゅよう》みたいなのができているだけです」

「まあ、なんてこと！」、彼女は口に手をあてた。

「大丈夫ですよ！　すぐによくなります。ずっと外側のほうですし、それにとてもちびっこいんです。二分もあれば摘出《てきしゅつ》できます」

それから僕はポケットから時刻表を取り出して読み始めた。嘘をつくのにもいいかげん疲れちまったから。いったん嘘をつき始めると、そしてその気になればということだけど、それこそ何時間だってそれを続けることができるんだよ。冗談抜きで。ほんとに何時間だって続けられちゃうんだ。

そのあと僕らはあまり話をしなかった。彼女は持っていた「ヴォーグ」を読み始めた。僕はしばらく窓の外を見ていた。ニューアーク駅で降りるとき、手術がうまくいくといいわねと彼女は言った。そのあいだずっと僕のことをルドルフと呼んでいた。それから、夏にはマサチューセッツ州グロスターに滞在しているから、アーニーを訪ねて遊びにきてちょうだいね、と誘ってくれた。別荘は海の真ん前にあって、テニスコートもついているのよと。ありがとうございます、と僕は言った。でも夏には祖母と一緒に南米に旅行することになっているんです。こいつはきわめつけの大嘘だった。というのはうちのおばあちゃんときたら、マチネーとかそういうのをべつにしたら、家の外にだってろくに出やしないんだから。でもいずれにせよ僕は、どんなに切羽《せっぱ》詰まろうと、たとえ世界中のお金をくれると言われたって、モロウみたいなカス野郎のうちになんて行くわけないいんだよ。断じて。

9

ペン・ステーションで降りると、まっすぐ電話ボックスに行った。誰かに電話をかけようという気分になっていたんだ。鞄をとられないように、電話ボックスのすぐ外に置いたんだけど、中に入ったとたんに、電話をかける相手を一人も思いつけなくなってしまった。兄のDBはハリウッドにいたし、妹のフィービーは九時頃にはベッドに入ってしまうから、電話をかけることはできない。もし僕が電話をかけて起こしても、フィービーはべつに怒ったりしないだろう。問題は電話に出るのは彼女じゃないということだ。両親が受話器をとるはずだ。だからこいつは問題外だ。それから僕はジェーン・ギャラガーのお母さんに電話をかけて、彼女の休暇がいつから始まるのか尋ねてみようかと思った。でもそういう気分でもなかった。時間も遅すぎる。それから昔よくデートをしたサリー・ヘイズっていう女の子に電話をかけようかなとも思った。彼女はもうクリスマス休暇に入っていたし、僕はそのことを知っていたから。彼女は僕にインチキくさい長い手紙をくれて、クリスマス・イブには一緒にクリスマス・ツリーの飾り付けをしましょうね、なんてことを書いていたわけだ。でも電話にはお母さんが出るかもしれない。サリー・ヘイズのお母さんとうちの母は知り合いだから、ひょっとしたらいそいそと僕の母に電話なんかかけて、おたくの息子さんは今ニューヨークにいるのね、なんて御注進に及ぶかもしれない。それにミセス・ヘイズと電話で話をしたいという気持ちにはぜんぜんなれなかった。彼女は一度サリーに向かって、僕のことを無軌道だと言ったことがあるんだ。無軌道で、地に足がついていないって。それから僕はウートン・スクールのときに一緒だったカール・ルースっていうやつに電話をかけてみようかと思った。でも考えてみたら、そいつのことが格別好きってわけでもないんだ。とまあ、いろいろあって結局誰にも電話をかけなかった。二十分くらい電話ボックスの中でぐずぐずして、そのまま出てきたわけだ。それから僕は鞄を持って、タクシーが客待ちをしているトンネルのところまで歩き、タクシーに乗った。

けっこう放心状態だったもので、ほとんど習慣的に、運転手にいつもの住所を言ってしまった。これからホテルに部屋をとって、クリスマス休暇が始まるまで二日ばかりそこにいるんだっていうことを、すっかり忘れちゃっていたんだよ。公園を半分くらい抜けたところで、やっとそれを思い出した。「ねえ、悪いんだけどさ、どっか適当なところでUターンしてくれないかな。行き先を間違えていたんだ。ダウンタウンに戻りたいんだよ」

運転手はこすからいやつだった。「ここで方向転換はできねえよ、マック。この道は一方通行だからね。このまんまずっと九十番通りまで上がんねえとな」

僕は口論を始めたくはなかった。「わかった」と僕は言った。それからべつのことがふと頭に浮かんだ。「あのさ」と僕は言った。「セントラルパーク・サウス通りの近くに、アヒルのいる池があるじゃない。わりと大きな池だよ。あのアヒルたちって、池が凍っちまったらどこに行くんだろうね？　ひょっとして何か知らない？　もし知ってたらでいいんだけどさ」。まあ訊くだけ無駄だったなと、訊いてから思ったんだけどね。

運転手は後ろを向いて、狂人でも見るみたいな目で僕を見た。「いったい何が言いてえんだよ、あんた」と彼は言った。「俺のことをからかってんの？」

「いや、そうじゃなくて、ただ知りたかっただけだよ」

運転手はそれ以上何も言わなかったから、僕もそのまま黙っていた。九十番通りで公園を出るまでずっと沈黙が続いた。そこで運転手が言った。「オーケー、あんたそれでどこに行くの？」

「うん、そうだなあ、とにかくイーストサイドのホテルには泊まりたくないんだ。知り合いにばったり出くわすかもしれないからさ。つまりお忍びで旅行をしているわけだよ」と僕は言った。僕としては「お忍びで」なんていう陳腐《ちんぷ》な言葉を使いたくはなかった。でも嘘くさいやつを相手にするときには、嘘くさく振る舞わないわけにいかないじゃないか。「タフトとかニューヨーカーっていったホテルに今どんなバンドが出ているか、知ってる？」

「知らんね、マック」

「そうだなあ、じゃあエドモントに行ってよ」と僕は言った。「途中でちょっと車を停めてカクテルでも飲まない？　おごるよ。金ならあるんだ」

「できねえな、マック。すまんけど」。まったく座持ちのいいやつだよ。人柄も見事だしさ。

タクシーはエドモント・ホテルに着いて、僕はチェックインした。タクシーの中ではずっとあの赤いハンティング帽をかぶっていた。ただの面白半分で。でもチェックインをするときには脱いだ。どっかの脳たりんみたいに思われたくはなかったからね。でもそいつは皮肉な話だ。つまりさ、そのホテルに泊まっているやつの大半は変態か低能だってことを、僕はそのときまだ知らなかったんだよ。とにかくここは調子っぱずれな連中の巣窟みたいなところだった。

僕が案内されたのはどうしようもない部屋だった。窓の外には景色なんてない。見えるのはホテルの反対側の壁だけ。でもそんなことはべつにどうでもよかった。気持ちが落ち込んでいて、景色がどうこうなんて考える余裕もなかったんだ。僕を部屋まで案内してくれたベルボーイはよぼよぼで、歳は六十五くらい、部屋よりもさらにうらぶれた代物だった。禿《は》げている人で、わきの方から髪を目いっぱいあつめてきて薄いところを隠そうとする人がよくいるじゃない。この男がまさしくそれだった。僕だったらそんな切ないことしないで、白昼堂々と禿げてると思うな。しかしさ、六十五にもなってこんなゴージャスな仕事をしているなんて、参っちまうよね。他人の荷物を運んで、チップをくれるのを待ってるなんてさ。まあもともとそんなに頭の出来も良くなかったんだろうけど、それにしても切ないじゃないか。

彼が行ってしまったあと、僕はコートも脱がずに、しばらくあてもなく窓の外を見ていた。ほかにやることがなかったからね。ホテルの向かい側で何がおこなわれているか知ったら、君はきっとびっくりすると思うな。なにしろみんな窓のシェードすら下ろさないんだ。白髪の、すごい立派な顔立ちの男がパンツ一枚になって、まったく信じがたいことをしていた。まず最初に彼はスーツケースをベッドの上に置いた。それからその中から女性の服を取り出して、それを身につけていった。本物の女性用の服だよ――シルクのストッキング、ハイヒール、ブラジャー、それから紐《ひも》みたいなのの垂れたコルセットとか。そしてぴちっとした黒いイブニング・ドレスを着た。いや、嘘じゃなくて。そのあとで男は部屋の中を歩きまわり始めた。それも女性がよくやるすごいちょこちょことした歩き方なんだ。煙草に火をつけて、鏡に映った自分の姿に見とれていた。男は一人きりだった。バスルームに誰かいたんなら話はべつだけど、そこまでは見えなかった。それから、その部屋のほぼ真上だったと思うけど、一組の男女がいて、二人は口に含んだ水をお互いにかけあっていた。あるいは水じゃなくてハイボールだったかもしれない。でもグラスの中に何が入っているかまでは僕にはわからない。なんにしても男はそれを口に含んで、女の身体にびゅうっと浴びせかけた。女の方も次に同じことを男に対してやった。二人はかわりばんこにそれをやったわけだよ。まったくもう。君にもその光景を見せたかったね。二人はもうずっと笑い悶《もだ》えまくっていた。そんな滑稽《こっけい》なことは世の中にほかにない、みたいな感じでさ。嘘じゃないんだよ。このホテルときたら、なにしろ変態天国みたいなわけだ。たぶんその中では、僕がただ一人のノーマルな人間だったと思うね。この僕にしてだぜ。僕はもうちょっとでストラドレイターのやつに電報を打つところだった。次の列車に乗ってニューヨークに来いよってね。あいつならきっとこのホテルの王様になれるだろうと思ったんだ。

問題はね、こういう下劣な行為って、つい夢中になって見てしまうってことなんだ。たとえ君がそんなことしたくないと思ってもだよ。たとえば顔じゅうに水を吹きかけられている女の子なんだけど、これがけっこう美人なんだ。こういうのについつい見とれちまうところが僕の問題点っていうかさ、頭の中だけで言えば、僕はたぶん世界一のセックス狂なんだよ。ときどき僕はとびっきり下劣なことを考えつくし、もし機会さえあればそういうのをじっさいに実行しちゃうと思うんだ。で、もしじっさいにそうしちゃったら、それはそれでけっこう楽しいだろうと思うんだよ。下劣な意味でさ。つまり女の子と一緒に酔っぱらうかなにかしていて、二人きりになって、お互いの顔に思いきり水みたいなものを吹きかけあうとかさ。でも問題は、僕がそういうあり方に馴染めないってことなんだ。冷静に考えてみたら、そんなのやっぱり歪《ゆが》んでいるんだよ。もし君が相手の女の子をとくに好きじゃないとしたら、そんな子を相手にふざけまわる意味なんてないよね。で、もし君がその女の子のことを好きだとしたら、君はきっとその子の顔だって好きだろうし、もしそうだとしたら、その顔に下劣なことをするなんて、たとえば水を思いきり吹きかけたりするなんて、筋がとおらないじゃないか。そういう種類の下等な行為が時としてすごく楽しいなんて、それはまずいことだと僕は思う。でもさ、君があんまり下劣なことはするまいとつとめたとしても、君が本当に価値あるものをスポイルするまいって決心したとしても、そういうとき女の子たちってあまり助けにはならないんだ。二年ほど前だけど、僕はある女の子とつきあっていた。これがまた僕に輪をかけて下劣な子でね、いやらしいことが根っから好きだったんだよ！　でもしばらくのあいだ僕らはずいぶん楽しんだ。あっちの方面でね。セックスってのは、僕にはもうひとつよくわからないことなんだ。自分が今どこにいるのか、自分でもわからなくなってしまう。僕は自分の中でいつもセックスについてのルールを作るんだけど、作っていくそばからどんどん破っていくわけだ。去年のことだけど、好きでもないし、心の底ではうっとうしくも思っている女の子とふざけまわったりするのはもうやめようと決心した。でもまだ週もあらたまらないうちに、僕はその決意をさっさと翻《ひるがえ》してしまった。もっと正確にいえば、その夜のうちにってことだけどさ。僕はその日、アン・ルイーズ・シャーマンっていうすごい嘘っぽい女の子と、一晩中ネッキングをやっていた。セックスってのはわけのわからないことだよね。神かけてそう思うよ。

僕はそこに立ったまま、ジェーンに電話をかけようかなと考え始めた。実家に電話をかけてジェーンがいつ帰省するのか尋ねるかわりに、ブリンマー校に長距離電話をかけるんだ。こんな夜中に生徒に電話をかけることは許されない。でも僕にはうまい考えがあった。誰でもいいから電話に出た相手に、自分はジェーンの叔父だと名乗ればいい。それで、彼女の叔母さんが今しがた交通事故にあって死んでしまったと言う。だからすぐに彼女と話をしなくてはならないんだと。それでうまくいったはずだ。実行しなかったのは、ただ単にそういうことをする気分になれなかったからだ。気が乗らないと、その手のことってうまくやれないんだよ。

少しあとで椅子に座って、煙草を二本ばかり吸った。むらむらとした気分だった。それは認めなくちゃならない。そこで頭にとつぜんひとつの考えが浮かんだ。僕は財布を取り出し、あるアドレスを探し始めた。去年の夏に、パーティーで会ったプリンストンの学生からもらったアドレスだ。僕はようやくそれを探しあてた。財布に入れっぱなしになっていて、うらぶれた色に染まっていたけど、なんとか読みとることはできた。この女は商売女とかそういうんじゃないんだけど、わりにすんなりやらせてくれるんだよ、とプリンストンの学生は言った。彼は一度その子をプリンストンのダンス・パーティーに連れてきて、そんな女を連れてきたということで学校を追い出されかけたらしい。彼女は以前演芸ショーのストリッパーか何かをやっていたということだった。いずれにせよ僕は受話器をとってその番号をまわしてみた。名前はフェイス・キャヴェンディッシュ、六十五番通りとブロードウェイの角にあるスタンフォード・アームズ・ホテルに住んでいる。どうせしけたホテルだろう。

たぶん彼女は留守なんだろうと思った。ずいぶん長いあいだ誰も電話に出なかったからだ。それからやっと受話器がとられた。

「もしもし」と僕は言った。できるだけ太い声を出して、年齢がばれないようにした。なんにしても僕はわりに声が太いんだけどね。

「もしもし」と女の声が言った。ぜんぜんフレンドリーな声じゃなかった。

「フェイス・キャヴェンディッシュさんですか?」

「いっ、いったい誰なの?」と彼女は言った。「こんなとんでもない時間に電話をかけてくるなんて、まったく」

それで僕は少しびびってしまった。「こんなに遅く電話をして申し訳なく思っています」と僕はすごく大人びた声を維持して言った。「ご迷惑をおかけしたんじゃなければいいんですが、どうしても連絡をとりたかったもので」。僕は精いっぱい格好をつけてそう言った。ほんとの話。

「誰なの、いったい？」

「あなたは僕のことをご存じないと思います。僕はエディー・バードセルの友人なんです。もしいつかニューヨークに行ったら、あなたとカクテルでも軽くご一緒したらどうかって彼に言われてきたものですから」

「誰ですって？　誰のお友だちって言った？」。やれやれ、この女は電話ごしにすごい剣幕なんだよね。耳元でがんがん怒鳴るんだものな。

「エドマンド・バードセル、みんなはエディー・バードセルって呼んでいます」と僕は言った。名前がエドマンドだったかエドワードだったか、思い出せない。なにせその男にはたった一度しか会ったことがないんだ。それもどっかの無意味なパーティーでさ。

「そんな名前に覚えはないわね、ジャック。だいたいこんな真夜中に電話で叩き起こされて、それで私が喜んでると思ってるとしたら……」

「プリンストンのエディー・バードセルですが、ご存じない？」と僕は言った。

彼女は頭の中を漁《あさ》って、その名前を探しているみたいだった。

「バードセル、バードセル……プリンストン……プリンストン大学よね？」

「そうです」と僕は言った。

「あなたもプリンストンの学生なの？」

「ええ、おおむね」

「ああ……エディーは元気？」と彼女は言った。「でもさ、人に電話をかけるのに、これってちょっと遅すぎやしないかしら。もう、まったく」

「彼は元気です。よろしくってことでした」

「それはなにより。彼にもよろしく伝えておいてね」と彼女は言った。「彼、なかなかしっかりした人よね。どうしているのかしら」。彼女はとつぜんぐっとフレンドリーになった。

「まあいつものとおりです。あれやこれや」、やれやれ、彼が今どうしているかなんて僕にわかるわけがないじゃないか。その男のことなんかほとんど何も知らないんだから。そいつがまだプリンストンにいるかどうかさえわからない。「ところで、どこかでカクテルでもご一緒していただけませんでしょうか」

「今いったい何時か、わかってるの？」と彼女は言った。「そういえばあなたのお名前だってまだうかがってないわ」、彼女のしゃべり方にはとつぜん英国風のアクセントが出てきた。「声からするとなんだか若い方みたいだけど」

僕は笑った。「ほほう、そう言ってもらえると光栄ですね」と僕は言った。すごく小粋《こいき》な感じで。「ホールデン・コールフィールドと申します」。偽名を教えるべきだったんだろう。でもうまいのが思いつけなかったんだ。

「ねえ、ミスタ・コーフル。私はこんな真夜中にお目にかかる約束をするような習慣はないの。仕事を持っている女性ですから」

「明日は日曜日ですよ」と僕は言った。

「なんにしても。ちゃんと寝ないと美容によくないの。わかるでしょう」

「まだそんなに遅くはないし、カクテルの一杯くらい害はないと思いますけど」

「ふうん。そう言っていただけるのはあれだけど」と彼女は言った。「どこから電話をかけているの？　だいたい今どこなの？」

「僕ですか？　電話ボックスの中です」

「そうなんだ」と彼女は言った。それからものすごく長い間があった。「そうね、あなたとどこかでそのうちにお目にかかれたらいいと思うわ、ミスタ・コーフル。なかなか話し方が魅力的だもの。お話ししていると、なかなか素敵な方みたい。でもね、今はちょっと遅すぎる」

「おたくにうかがってもかまいませんよ」

「そうね、普通であれば、それも悪くないわねと言うところなの。うちにあがっていただいて、カクテルでも出してさしあげたいところなの。でもたまたま、ルームメイトの具合がよくないのよ。彼女、一晩じゅう眠れないままもんもんとしていて、さっきやっと目を閉じることができたみたいなの。そういうこと」

「ああ、それはお気の毒に」

「どこに泊まっているの？　明日ならご一緒できると思うんだけど」

「明日はだめなんです」と僕は言った。「あいにく今夜しかあいてなくって」、僕はまったくなんていう馬鹿なんだ。なんでそんなこと言っちまうんだよ。

「まあ、それはほんとに残念だわ」

「エディーにはあなたからのご挨拶を伝えます」

「そうしてちょうだい。ニューヨークを楽しんでくださいね。ここは華々《はなばな》しい場所だから」

「ええ、ほんとにそうですね。ありがとう。おやすみ」と僕は言った。そして電話を切った。

やれやれ、まったくどじだよな。少なくともカクテルを飲む約束くらいはとりつけるべきだったんだ。

10

時刻はまだ早かった。何時かはわからないけど、まだそんなに遅くはなってないはずだ。疲れてもいないのにベッドに直行するってのは、僕が承伏《しょうふく》できないことのひとつだ。それで僕はスーツケースを開けて清潔なシャツを取り出し、バスルームに行って身体を洗い、新しいシャツに袖をとおした。つまりだね、これから下に降りていって、ラベンダー・ルームの様子をちょっとチェックしてみようと思ったりしたわけだよ。ラベンダー・ルームっていうのはこのホテルの中にあるナイトクラブだ。

でもシャツを着替えながら、妹のフィービーにあやうく電話をかけてしまいそうになった。フィービーと電話で話がしたくなったんだよ、すごく。誰かまともな神経を持ちあわせた人間とね。しかし妹に電話をかけるのは無理な相談だった。まだ小さな子どもだし、こんな夜遅くに起きているわけはない。少なくとも電話のそばにいるわけはない。電話をかけて、両親が出たらがちゃんと切っちまうという手もあった。でも話はそう簡単じゃない。電話をかけてきたのは僕だってすぐにばれちまうはずだ。とくにうちの母親には僕だってことがなぜかいっぱつでわかるんだ。そういう超能力が備わっているんだよ。でもフィービーのやつとしばらく他愛のないおしゃべりができたらなあって、そのときつくづく思ったね。

君にフィービーを会わせたい。フィービーくらい可愛くって頭のいい小さな女の子って、君はこれまでの人生を通して目にしたことがないはずだ。ほんとに頭がいいんだよ。なにしろ学校に行きだしてからA以外の成績をとったことがないんだもの。実を言えば、僕は家族の中でただ一人出来が悪いんだ。兄のDBは作家をしているし、死んじゃった弟のアリーは前にも言ったように神童みたいなものだった。出来が悪いのは僕だけ。でも君はなんといってもフィービーに会わなくちゃいけない。この子は赤毛なんだ。アリーの赤毛に少し似ているんだけど、夏になるとぐっと短くカットする。夏には耳の後ろに髪を挟《はさ》み込んじゃうんだ。この耳がまた可愛くてきれいなんだな。でも冬が来ると髪はけっこう長くなる。母親はときどきお下げにする。しないときもある。でもとにかくそいつはご機嫌なんだよ。妹はまだ十歳だ。僕と同じですごいやせっぽちなんだけど、感じのいいやせ方なんだよね。ローラースケートが似合うやせ方だ。僕はあるとき彼女が、公園に行こうとフィフス・アベニューを横切るところを窓から見ていた。そのときにまさにそう思ったんだ。ローラースケートが似合うやせ方だってね。君もきっと妹のことが気に入ると思うよ。君が何かをしゃべるとするね。するとこの子には君が何を言いたいのか、ぴたっとわかっちまうんだ。そういうこと。

だから君は彼女をどこにでも連れて行ける。たとえばひどい映画に連れて行くとする。そうすると妹には、それがひどい映画だってことがちゃんとわかるんだ。そしてけっこうまともな映画に連れて行けば、それがけっこうまともな映画だってことがわかる。DBと僕は一度フィービーを『パン屋の女房』っていうフランス映画に連れて行った。レミュの出ているやつ。彼女はすごく興奮した。でもいちばんのお気に入りは『三十九夜』だ。ロバート・ドーナットの出ているやつ。妹はその映画をとにかく隅から隅まで覚えている。なにしろ僕はその映画に十回もつきあわされたんだよ。たとえばドーナット先生が警察やらなにやらに追われて、スコットランドの農家にたどり着いたとき、フィービーは映画にあわせて声に出してこう言うんだ。映画の中のスコットランド人の男が言うとおりに声を合わせてさ。「にしんは食うかね?」って。台詞をすっかり暗記しちゃっているんだよ。そして映画に出てくる大学教授(こいつは実はドイツのスパイなんだけどさ)が、ロバート・ドーナットに向かって、真ん中の関節から先が欠けた小指を立てるとき、フィービーはまさに彼の機先《きせん》を制する。彼女は暗闇の中で自分の小指を立てて見せるんだよ。僕の顔の真ん前にね。彼女はいいんだよ、とにかく。君もきっと気に入ると思うね。ただひとつの問題といえば、妹はときとしてちょっと情愛が深くなりすぎたりするってことだね。子どもにしてはすごく感情が強いんだ。ほんとの話。そのほかに何をするかっていうと、彼女は暇さえあれば本を書いている。まとまったものをきちんと書き上げるとか、そういうんじゃないんだけどね。どれもみんなヘイゼル・ウェザフィールドっていう女の子を主人公にした話だ。ただフィービーはいつも名前を Hazle っていう綴りにする。このヘイズルちゃんは少女探偵なわけだ。いちおう孤児っていうことになっているんだけど、お父さんがちょくちょく姿を見せる。このお父さんは「二十歳くらいの長身の魅力的なジェントルマン」なんだ。参っちゃうよね。それがフィービーくんだ。君も妹のことを間違いなく気に入ると思うよ。

フィービーはまだほんの小さい頃から、頭のいい子だった。僕とアリーはよく彼女を公園に連れて行った。とくに日曜日にはね。アリーはヨットを持っていて、日曜日にそれを水に浮かべて遊ぶのが好きだったんだけど、僕らはそのときフィービーを一緒に連れて行ったわけさ。彼女は白い手袋をはめて、僕ら二人のあいだを歩いた。まるでどっかのご婦人みたいにね。そして僕とアリーがあれやこれやいろんなものごとについて会話をかわすのを、じっと聞いていた。なにしろちっちゃな子どもだったから、僕らはフィービーがそこにいることをつい忘れちゃったりするんだけど、でもそのたびに彼女は自分がちゃんとそこにいることを思い出させた。ことあるごとに会話に口をはさむんだ。アリーだか僕だかをつつくとかそういうことをして、そして言う、「だあれ？　誰がそう言ったの？　ボビーなの、それともその女の人なの？」。で、僕らは誰がそれを言ったのかを教えてやるわけだ。すると妹は「ふうん」って言う。そしてそのまま僕らの話をじっと聞いている。アリーもフィービーには参っていたね。つまりあいつも彼女のことが好きだったってことだよ。フィービーはもう十歳で、昔のようなおちびじゃない。でもみんな彼女に参っちゃうってことは同じだ。まともな神経をもった人ならみんなっていうことだけどさ。

　とにかく君が電話で誰かと話をしたいと思ったとき、フィービーはまさに理想的な相手なんだよ。でももし電話に両親が出たら、電話をかけているのが僕だってことはすぐにわかっちゃうし、そしたら僕が今ニューヨークにいて、ペンシーを放り出されたってこともばれちまうわけだ。そんな危険はおかせない。だから僕はシャツを着替えた。身なりをしっかり整えて、エレベーターに乗ってロビーに降り、そこで何がおこなわれているかをチェックすることにした。

　二、三人のヒモっぽい男たちと、二、三人の娼婦っぽいブロンドたちをべつにすれば、ロビーはおおむねがらんとしていた。でもラベンダー・ルームからはバンドの音楽が聞こえてきたので、僕は中に入った。とくに混んでいたわけじゃなかったんだけど、ずっと後方のぱっとしないテーブルに案内された。たぶんヘッドウェイターに一ドル札をちらつかせるべきだったんだろう。ニューヨークではなにしろお金がものを言うんだよ。冗談抜きで。

バンドはお粗末だった。バディー・シンガー。すごく堂々としているんだけど、いい意味で堂々としているんじゃない。はりぼてみたいな感じで堂々としているんだ。それにそこには僕くらいの歳の人間はほとんどいなかった。手っ取り早く言えば、一人もいなかった。おおかたの客は派手な見なりをした年輩の男たちで、女性同伴だった。ただ僕のとなりのテーブルだけは違っていた。となりのテーブルには二十歳くらいの女たちが座っていた。三人とも相当醜《みにく》い顔をしていて、全員がお里の知れるような類の帽子をかぶっていた。田舎からはるばるニューヨークに出て来たおのぼりさんだなと、一目でわかるようなやつさ。でもそのうちの一人はいくぶんましだった。ブロンドの女。ちょっとキュートだったんだよ。そのブロンドの女がね。で、僕はちらちらっと彼女に色目を使い始めたんだけど、まさにそのときにウェイターが注文を取りに来た。僕はスコッチ・アンド・ソーダを注文し、ミックスしないでくれと言った。それをできるだけ早口で言った。どうしてかっていうと、もし君が口ごもったりしたら、ウェイターは君が二十一歳以下であることを即座に見抜いて、お酒と名のつくものは一切出してくれないんだよ。でもいずれにしてもすんなりとはことは運ばなかった。「申し訳ありませんが、年齢を証明するものをお持ちではありませんか?」とウェイターは言った。「運転免許証とかそういうものでいいんですが」

僕はとびっきり冷酷な視線で相手をぐっとにらみつけた。こんな侮辱は今まで受けたことがないっていうみたいにね。そして言った。「君の目には僕が二十一歳以下に見えるのかい？」

「申し訳ありません。しかしわたくしどもといたしましては——」

「わかった、わかった」と僕は言った。どうでもいいやと思ったんだ。「コークを持ってきて」。ウェイターは行きかけた。僕はその背中に声をかけた。「で、そこにラムなんかをちびっと入れといてくれない？」。すごく感じよく、そうお願いしたわけだ。「だからさ、こんなとろい場所にまじの素面《しらふ》でいるわけにいかないじゃないか。ラムなんかをちびっと入れてくれれば嬉しいんだけどね」

「本当に申し訳ないんですが……」とウェイターは言って、そのまま行ってしまった。でもそいつに対して腹を立てたとか、そういうんでもない。未成年者に酒を出しているところをみつかったら、彼らは職をうしなっちまうんだ。そして僕ときたら未成年者なんだもの。

僕はとなりのテーブルの三人の娘たちに向かって、含みのある視線を向け始めた。もちろん本命はブロンドの子だよ。ほかの二人はいくらなんでも願い下げだった。でも見え見えに失礼な感じでそうしたんじゃないよ。いちおう三人に向けてまんべんなく、とてもクールな一瞥《いちべつ》をくれたわけだ。でも僕がそうしたときに彼女たちが何をしたかっていうとだね、みんなで阿呆みたいにくっくっと笑い出したんだ。たぶん彼女たちは、そういう意味ありげな視線を誰かに送ったりするには僕がまだ若すぎると考えたんだろう。まったく興醒《ざ》めじゃないか。なにも結婚を申し込んだとか、そういう話じゃないんだ。そんな無礼な目にあわされたからには、しらっと冷たく無視してやるところなんだけど、問題はただ、僕がやたらダンスをしたい気分になっていたということだった。ときどきとんでもなくダンスがしたくなることがあるんだけど、そのときがまさにそれだった。だから僕は出し抜けにちょっと身を乗り出して、「ねえ君たち、ちょっとダンスとかしないか？」と言った。なにも図々しい誘い方をしたわけじゃないよ。ずいぶんさらりと品良く言ったんだ。ほんとの話。でも、あきれるじゃないか、こんなおかしいことはない、みたいな感じで、またみんなで笑いころげていた。まったく底なしに鈍くさい三人組なんだよな。「さあ、いいじゃないか」と僕は言った。「順番に一人ずつ踊ろう。いいだろう？　さあ踊ろうよ。おいでよ」。何はともあれすごく踊りたかったんだ。

やっとこさブロンドの娘が僕と踊るべく席を立った。というのは、僕がほとんど彼女ひとりに向かって話しかけているってことは見え見えだったからさ。それで僕らはダンスフロアに出ていった。あとのふたりのトンマたちは、もう悶絶《もんぜつ》寸前だった。わざわざこんな連中にちょっかいを出すなんて、僕はよほど飢えていたに違いないよ。

でもこらえただけの甲斐はあったね。というのはそのブロンドの娘はとびっきりダンスが上手だったからだ。僕がこれまで相手をした中でも一、二を争うくらい踊りがうまい女性だった。でまかせを言ってるんじゃないよ。箸にも棒にもかからないような女の子が、いったんダンスフロアに出たらなにしろ最高ってこともあるんだ。それとは逆に、すごく冴えた女の子が相手でも、いったんダンスフロアに出ると、向こうが一生懸命君をリードしようとしたり、あるいは目を覆《おお》いたくなるような踊りかたをしたりするってことがある。こういう場合にはテーブルから離れずに、ひしひしと二人で飲みまくっているしかない。

「君はすごく踊りがうまいんだな」と僕はブロンドの娘に言った。「プロになるといいよ。冗談抜きで。僕は一度プロのダンサーと踊ったことがあるけど、君の方が二倍もうまいね。マーコとミランダって名前を聞いたことはある?」

「え、なに?」と彼女は言った。こっちの話なんか聞いてもいない。ただひたすらまわりをきょろきょろ見まわしているんだ。

「マーコとミランダっていう名前を耳にしたことがあるかって訊いたんだよ」

「知らないわ。ノー。知らない」

「二人はダンサーなんだ。というか、彼女はダンサーなんだ。でもそんなにホットじゃない。いちおうのことはちゃんとできるんだけど、とくべつホットっていうのでもないんだ。女の子がきわめつきのすごいダンサーだと、どんなことになるか知ってる?」

「なんて言ったの?」と彼女は言った。それでもまだ僕の話なんかぜんぜん聞いてないんだよ。彼女の注意は部屋の中、四方八方に向けられていた。

「女の子がきわめつきのすごいダンサーだと、どんなことになるか知ってるかって、訊いたんだよ」

「ううん、知らない」

「つまりね、僕が君の背中に手を置いて、その手の下に何もないと思ったとき――お尻もなきゃ、足もなきゃ、腰もなきゃ、なんにもないと思ったとき――その女の子はきわめつきのすごいダンサーっていうわけさ」

でも彼女は僕の話なんてぜんぜん聞いていなかった。だからこっちもしばらく彼女のことを無視してやった。僕らはただダンスをした。でもこの娘ときたらうすのろのくせに、やれやれ、ダンスだけは文句なしにうまいんだな。バディー・シンガーと彼の最悪楽団は『ジャスト・ワン・オブ・ゾーズ・シングズ』を演奏していた。彼らをもってしても、曲の良さをとことん壊滅させることはできなかった。素晴らしい曲だ。僕は踊っているあいだ、とりたててトリッキーなことはしなかった。ダンスフロアでこれみよがしにいっぱいトリッキーな技を見せつけるような男たちってたまらないよね。でも僕はけっこういっぱい彼女をくるくる回し、彼女はそれにさらっとついてきた。おかしいっていうか、彼女もわりに楽しんでいたみたいだった。でもそれなのに、彼女は突然どっとしらけることを口にした。「私たち、ゆうべピーター・ローレを見かけたのよ」と彼女は言った。「映画俳優の。実物を。彼は新聞を買ってた。キュートだったな」

「それはラッキーだったね」と僕は言った。「君は運がいい。たいしたもんだ」。まったく羊羹《ようかん》なみの脳味噌じゃないか。なのに踊りだけはもう最高なんだよ。だから僕としては彼女のすかすかのおつむのてっぺんに、ちょっとキスしないわけにはいかなかった。ほら、つまり、ちょうど髪の分け目があるあたりに。彼女はそのことで気を悪くした。

「ちょっと！　何すんのよ」

「べつに。なんでもないさ。君はやたらダンスがうまいね」と僕は言った。「僕には妹がいて、まだ屁《へ》みたいな小学校四年生なんだけどさ、君は彼女と同じくらいうまく踊る。妹は誰よりも踊りがうまいんだ。生きている人、死んじまった人、誰よりも」

「変な言葉は使わないでもらえる？」

まったくたいしたレディーじゃないか。やれやれ、女王様のつもりなのかね。

「君たち、どこから来たんだい？」と僕は尋ねた。

でも彼女は返事をしなかった。ピーター・ローレがまた現れないかと、きょろきょろあたりを見まわすのに忙しかったんだろう。

「君たちはどこから来たんだい？」

「え、なに？」

「君たち、どこから来たの？　答えたくないんなら答えなくてもかまわないけどね。無理強《じ》いはしたくはないからさ」

「シアトル、ワシントン州」と彼女は言った。それがまたすごく恩着せがましい言い方なんだよな。

「君は会話がすごく得意みたいだね」と僕は言った。「そのこと知ってた？」

「え、なに？」

僕はその話を引っ込めた。どうせ何を言っても通じないんだものな。「速い曲になったら、ちょっとジルバなんてやってみないか？　ぴょんぴょんはねたりする鈍くさいジルバじゃなくてさ、さらっと軽く。速い曲が始まったら、年寄りとか太った連中とかをべつにすれば、みんな席に戻っちまうからさ。そうすればフロアもすいてくる。いいかい？」

「なんでもお好きに」と彼女は言った。「ねえ、ところであんた、歳はいくつなの？」

僕としちゃ、そんなことを訊かれて面白いわけはない。「ああ、クライスト。つまらないことは持ち出さないでくれよ」と僕は言った。「僕は十二歳だよ。歳のわりに大きいんだ」

「いいこと、さっきも言ったけどさ、そういう言葉づかい*よしてくれない」と彼女は言った。

「そういうしゃべり方をするつもりなら、踊るのやめてこのまま席に帰っちゃうからね」

　僕はすぐにへいこらと謝った。というのはちょうどそのときバンドが速い曲を始めたからだ。彼女は僕とジルバを踊った。鈍くさいやつじゃなくて、さらっと軽いやつだ。彼女、なにしろうまいんだ。君はただ彼女に手を添えていればいいわけだ。そして彼女がくるっと回転すると、小さなかわいいお尻がぴっぴっとかっこよく揺れたりするんだな。いやはや、ノックアウトされちまったよ。嘘いつわりなく。席に戻る頃には僕は半分くらい彼女に恋をしかけていた。女の子を相手にすると、ついついそんなふうになっちゃうんだ。彼女たちが何かかわいらしいことをすると、そんなに美人ってほどじゃなくても、どっちかっていうと血のめぐりが悪かったりしても、なんかもう半分くらい恋しちゃったりするわけだよ。そして今自分がどこにいるのか、わからなくなっちゃうんだね。女の子たち。ジーザス・クライスト。頭の脈絡がふっとんじまうんだ。嘘じゃないよ、これ。

　彼女たちは僕をテーブルに誘ったりしなかった。要するに田舎ものなんだよ。でもおかまいなく僕は自分からそっちに移った。一緒に踊ったブロンドの女の子はバーニスなんとかという名前だった——バーニス・クラブズとかクレブズとか。醜い方の二人はマーティーとラヴァーン。僕はジム・スティールと名乗った。口から出まかせだよ。それから僕は彼女たちをちょっとばかりインテリジェントな会話に引き込もうと試みた。でもそれは無理な相談だった。腕でもねじり上げないことには話が通じないんだもの。その三人のうちで誰がいちばんトンマか、それを見さだめるのは困難をきわめた。おまけに三人が三人とも、そのやるせないホールの中をきょろきょろと見まわしているんだよ。映画スターたちが今にも大挙して姿を見せるんじゃないかっていう感じでさ。ニューヨークを訪れた映画スターたちはみんな揃ってラベンダー・ルームに顔を見せるとでも思っていたんだろうね。ストーク・クラブとかエル・モロッコとかじゃなくってさ。そんなわけで、彼女たちがシアトルのどういうところで働いているかとか、その手のことを聞き出すのに半時間くらいはかかっちまった。彼女たちは同じ保険会社で働いていた。仕事は面白いかって訊いてみた。でもこんな山出しのうすのろ三人組から、気の利いた答えが返ってくるわけがないんだよね。僕はその醜い二人の娘、マーティーとラヴァーンは姉妹だと思っていたんだ。でも僕がそう言うと二人はものすごく侮辱されたみたいな顔をした。たぶん二人とも、相手に似ているって言われるのがすごくいやだったんだろうね。その気持ちはよくわかるんだけど、でも思わず笑っちまったよ。

僕は彼女たち全員とダンスをした。三人とも全部。もちろん一度に一人ずつさ。醜い二人のうちのラヴァーンは、まずまず踊ることができた。でもマーティーときたら最悪もいいところだった。マーティーはまるでダンスホールじゅう自由の女神像をひきずって歩いているみたいな具合なんだ。どたどたと彼女につきあっているのにも疲れたので、僕はちょっと冗談を言って盛り上げてみることにした。ほら、ホールの向こう側に映画スターのゲイリー・クーパーがいるよ、と僕は言った。

「どこよ？」と彼女は言った。ものすごく興奮していた。「どこよ？」

「え、見なかったの？　それは惜しかったね。今ちょうど出ていったところだよ。僕が言ったときにすぐに見ればよかったのに」

彼女はダンスそっちのけで、クーパーの姿が見えないものかと、みんなの頭越しにきょろきょろとあたりを見まわしていた。「くやしいなあ！」と彼女は言った。僕は彼女の胸を引き裂いてしまったわけだ。文字どおりびりびりと。からかったりして悪いことをしたなと思ったよ。世の中にはからかっちゃいけない相手もいるんだ。たとえからかわれて当然だとしてもさ。

でもかなり笑えることもあった。僕らがテーブルに戻ると、マーティーはほかの二人に向かってゲイリー・クーパーがついさっきまでここにいたんだよと言った。やれやれ、ラヴァーンとバーニスはそれを聞いて、あやうく自殺しちまうところだった。二人はやたら興奮して、それであんた彼の姿を見たのとマーティーに尋ねた。うん、ちらっとは見たけどさ、とマーティーは言った。これにはほんと参っちまったよ。

もうバーは店閉《みせじま》いするということだったので、僕は大急ぎで彼女たちのために二杯ずつお代わりを注文した。自分のためにコークをあと二杯注文した。おかげでテーブルの上はグラスの山みたいになっちまった。醜いラヴァーンは僕をずっとからかいつづけていた。僕がコークしか飲めないことについてさ。この女のユーモアのセンスときたらほんと敬服に値するんだよ。彼女とマーティーはトム・コリンズを飲み続けていた——十二月のさなかにだぜ、やれやれ。なんにもわかっちゃいないんだよな。ブロンドのバーニスはバーボンの水割りを飲んでいた。それもう、ぐいぐいという感じで飲んでいた。そして三人とも血眼《ちまなこ》で映画スターの姿を追い求めていた。ほとんど口をきかなかった。お互いどうしでもね。マーティーはほかの二人よりもいくぶん多くしゃべったけど、口にするのはかなりだるくて外したことばかりだった。たとえば便所のことを「リトル・ガールズ・ルーム」と呼ぶとかね。彼女は、バディー・シンガー楽団のうらぶれたよぼよぼのクラリネット奏者が立ち上がって冴えないアドリブを二コーラスばかり披露したとき、これ、すごいかっこいいじゃん、と言った。それから彼のクラリネットを「リコリス・スティック」（甘草あるいは甘草キャンディー、クラリネットを意味する俗語）と呼んだ。果てしなく田舎くさいんだよな。もう一人のラヴァーンの方は自分のことをとてもウィットに富んだ人間だと思っていた。僕の父親が今夜何をしているのか、電話をかけて訊いてみてくれと、彼女はずっと頼み続けていた。僕の父親にデートの相手がいるのかどうか、すごく知りたがった。四回も僕にそう尋ねたんだ。まったくウィットに富んでいるじゃないか。ブロンドのバーニスはろくすっぽ口をきかなかった。僕が何かを質問するたびに「え、なに?」と訊き返すだけだ。そういうのってさすがにイラついてくるんだよな。

　三人は飲み物を飲んでしまうととつぜん、僕を残して全員ですっと席を立った。そしてそろそろ眠らなくちゃならないと言った。明日はラジオ・シティー・ミュージック・ホールの初回公演を見るので朝が早いんだそうだ。もう少しゆっくりしていきなよと僕は言ったが、駄目だった。それで僕らは別れの挨拶をした。もしシアトルに行くことがあったら、そのときに会おうぜ、みたいなことを僕は言った。でもそんなことはたぶんないだろう。シアトルに行ったって、彼女たちに会いに行ったりはしないだろうってこと。

　煙草代やらなにやかやで勘定は十三ドルくらいになった。僕が同席する前に自分たちで飲んだ分くらいは払わせてくれ、と言ったってよかったんじゃないかと僕は思った。少なくとも言うくらいはね。もちろん僕は彼女たちに払わせたりはしなかっただろう。でもさ、少なくともそれくらい口にしたっていいじゃないか。でもまあ、べつにどっちでもいいんだ。結局は田舎ものだし、みんなちゃらちゃらしたうら淋しい帽子をかぶっていたんだ。何よりその「朝早く起きてラジオ・シティー・ミュージック・ホールの初回公演を見る」ってやつが僕の胸を痛めた。誰かが、たとえば見るに耐えない帽子をかぶったどこかの若い女が、ワシントン州シアトルから遠路はるばるニューヨークまでやってきて、そのあげくに、馬鹿くさいラジオ・シティー・ミュージック・ホールの初回公演を見るためにわざわざ早起きするなんて、考えただけで気が滅入ってしまった。頭のひだが消えちゃいそうなくらい滅入ったよ。そんな話を聞かせないでくれたら、その三人組に百杯くらい酒をご馳走してあげたのにとまで思ったね。

彼女たちが引き上げて間もなく、僕もラベンダー・ルームを出た。もうそろそろ閉店の時間だったし、バンドは演奏をとっくにやめていた。そもそもからしてしけた店なんだ。連れの女性がばりっとした踊り手だったり、あるいはウェイターがただのコークとかじゃなく、本物の酒をもってきてくれたりしない限りはね。だいたいさ、酒も頼まず、酔っぱらいもせず、長いあいだ素面で座っていられるナイトクラブなんて、世の中にひとつもないんだ。君を本格的にノックアウトしちまうような女の子と一緒なら話はまたべつだけどさ。

＊　彼女は goddam とか Christ といった神の名前をみだりに出すホールデンのしゃべり方を非難している。

ロビーに向かう途中で、脈絡もなく、ジェーン・ギャラガーの顔がまた頭に浮かんできた。そしていったん彼女のことを考え始めると、やめることができなくなった。僕はロビーの反吐《へど》みたいな色合いの椅子に座って、彼女とストラドレイターがエド・バンキーのろくでもない車の中に並んで座っているところを想像した。ストラドレイター相手にジェーンが最後まで行ったりするようなことはないと、僕はほぼ確信していたんだ。ジェーンのことなら隅から隅まで知っているからね。でもやはり、彼女の姿を頭から追い払えなかった。ジェーンのことなら僕は隅から隅まで知っていたんだ。真剣な話。つまりね、チェッカーだけじゃなくて、彼女はスポーツと名のつくものすべてが大好きだった。だからいったん気心が知れると、その夏じゅう僕らは毎日、朝にはテニスをし、午後にはゴルフをした。おかげでとても身近にジェーンを知るようになったわけだ。肉体的にとか、そういうことを言ってるんじゃないよ。肉体的なことはべつにして、とにかく僕らはいつも一緒にいた。ひとりの女の子を知るってのは、セックスとは無関係にだってできることなんだ。

ジェーンと仲良くなったきっかけは、彼女が飼っていたドーベルマンだった。その犬がよくうちの芝生の中に入ってうんこをしていたんだ。うちの母親はそのことでずいぶんかりかりしていた。彼女はジェーンのお母さんに電話をかけてぎゃあぎゃあ文句を言った。うちの母親ときたらその手のことでけっこうやたら騒ぎまくるんだよ。それからどうなったかっていうと、その二日ばかりあとに僕は、クラブのスイミング・プールのわきでジェーンが腹這いになっているのを見かけた。それで、やあって声をかけたんだ。彼女がうちのとなりに住んでいるってことは知っていたけど、それまで言葉を交わしたことはなかった。でもその日、やあって声をかけたとき、彼女は僕に対してとことん素気《そっけ》ない態度をとった。彼女の犬がどこででうんこをしようが、ぜんぜん僕の知ったことじゃないんだってジェーンにわからせるのに、ずいぶん長い時間をかけなくちゃならなかった。もし犬がそうしたいんなら、うちの居間でやったって、僕としちゃぜんぜんかまわないんだぜと僕は言った。あれやこれやあって、それ以来僕とジェーンは友だちみたいになった。その日の午後にはもう二人でゴルフをやっていたよ。彼女がそのときボールを八個なくしたことを覚えている。八個だぜ。ボールをひっぱたくときには何はともあれ目を開けてなくちゃいけないんだって教えこむのに、とんでもなく手間がかかった。でもおかげで彼女のプレイはばっちり向上したね。僕はすごくゴルフがうまいんだよ。僕がどれくらいのスコアでまわるかって言っても、君はおそらく信じちゃくれないだろうな。一度なんかもうちょっとで短編映画に出演するところだったんだけど、最後の最後になって気が変わったんだ。だって僕くらい映画を憎んでいる人間がのこのこと短編映画なんかに出たりしたら、それはやっぱりインチキってもんじゃないか。

ジェーンってのは変ちくりんな女の子だったね。正確な意味で美人って呼ぶことはできないと思う。でも彼女は僕をノックアウトした。どっちかっていうと口が大きな子だった。話し始めで、何かで興奮してくるとその口がとにかくあっちこっち、五十くらいべつべつの方向を向いちゃうんだ。唇やら何やら。これには参ったね。なにしろ唇をひとつにぴたりと合わせているってことがないんだもの。いつもかすかに口が開いているんだね。とくにゴルフのスタンスをとっているときとか、本を読んでいるときなんかはさ。それからいつも本を読んでいたし、それも実にしっかりとした本ばかりだった。詩もずいぶん読んでいたな。家族をべつにすれば、ジェーンは僕がアリーの野球ミットを見せたただ一人の相手だった。詩をいっぱい書きつけた例のミットをさ。彼女が実際にアリーに会ったことはない。というのはそれは彼女がメインで過ごした最初の夏だったからだ。それ以前は夏になるとケープコッドに行っていたんだ。でも僕はジェーンにアリーのことをあれこれ話したたし、彼女はそういう話を親身に聞いてくれた。

うちの母親はジェーンのことがそんなに気に入らなかった。つまりジェーンと彼女の母親は顔をあわせても挨拶ひとつしなかったもんだから、うちの母は自分がしっかり無視されていると考えたんだよ。おまけに村《ビレッジ》で彼女たちと顔をあわせるのは、しょっちゅうだった。というのはジェーンは自家用のラサール・コンバーチブルを運転して、母親と一緒によくマーケットに買い物に来ていたからね。うちの母親はジェーンのことを、ぜんぜんっていうか、美人だとは思っていなかった。でも僕はなかなかきれいだと思っていた。僕としちゃただ彼女の顔の感じが好きだったんだ。それだけ。

ある日の午後のことをよく覚えている。そのとき僕とジェーンは、あとにも先にも一度だけ、ネッキングに近いところまで行った。土曜日で、外では馬鹿みたいに雨がざあざあ降っていた。僕らはそこでチェッカーをしていた。まわりを網戸で囲った大きなポーチだ。僕らはそこでチェッカーをしていた。僕は彼女のことをときどきからかったものだ。なにしろキングを奥の列に置いたきり、ぜんぜん前に出してこなかったりするもんだからね。でもそんなにからかってたってわけじゃないよ。君だってジェーンのことを真剣にからかおうという気になれないはずだ。僕にしても機会をつかまえて、女の子をあれこれからかっちゃうのは大好きな方なんだよ。でもね、不思議なことに、僕がまともに好きになっちまうのはきまって、あんまりからかったりする気になれない女の子たちなんだよ。ただださ、そういう女の子たちの方だってときどきは、ちょっとくらいからかってもらいたがっているんじゃないかなと僕は思うんだ。というか、間違いなくそうなんだよ。でもさ、長くつきあっていながら、まだ一度もからかったことがないっていうような場合、からかうきっかけみたいなのがうまくつかめないんだね。

とにかくその日の午後のことを話すとさ、ジェーンと僕とはもう少しでネッキングするというところまで行ったんだよ。外はひたすら雨降りで、僕らはポーチにいた。すると出し抜けに、ジェーンのお母さんの再婚相手の酔っぱらい野郎が顔を出して、どっかに煙草ないかなとジェーンに尋ねた。僕はその男のことはよく知らなかったんだけど、人に何かをたかるとき以外はろくすっぽ話しかけてもこないようなタイプに見えたね。なにしろうさんくさい感じのやつなんだ。それはともかく、煙草がどこかにないかと訊かれても、ジェーンはひとことも返事をしなかった。男はもう一度同じことを訊いたんだけど、ジェーンはやっぱりだんまりを決めこんでいた。ボードから顔も上げなかった。それで男もあきらめてうちの中に引っ込んだ。男がいなくなったあとで、僕はジェーンに尋ねた。ねえ、何かあったのかい？　彼女はそのときはこの僕にさえ返事をしなかったね。チェッカー・ゲームの次の一手について真剣に考えこんでいるふりをしていた。それから突然、涙の粒がチェッカーボードの上にぽつんと落ちた。赤い升目《ますめ》の上にね。うん、今でもその光景がありありと蘇《よみがえ》るよ。彼女はそれを指でチェッカーボードの上にこすり込んだ。どうしてかはわからないんだけど、僕はそのことがすごく気にかかったんだ。だから僕はジェーンのところに行って、ぶらんこ椅子の上に座った彼女の身体を少し動かして、となりに座った。というか、実を言えば、ほとんど膝の上に座るようなかっこうになったわけだ。それから彼女は本格的に泣き出した。僕は自分でもよくわからないうちに彼女のそこかしこにキスをしていた。いたるところに。眼とか、鼻とか、おでことか、眉毛とか、あちこちだ。耳にも――彼女の顔の口以外の場所には残らずキスしたな。彼女は口だけはなんとなくキスをさせないようにしていた。とにかくそれが、僕らがやったいちばんネッキングに近いことだった。少しあとで彼女は立ち上がってうちの中に入り、赤と白のセーターに着替えて出てきた。ノックアウトさせられるようなかっこうだったな。それから一人で映画を見に行った。行く道で僕はジェーンに尋ねた。ミスタ・カダヒイ（というのがその酔っぱらい野郎の名前なんだけど）は君にちょっかいでも出したのかい、と。彼女は大人になるにはまだ間があったけど、スタイルは抜群だったし、カダヒイの野郎ならそれくらいのことはやりかねない。でも、そんなんじゃないのと彼女は言った。じゃあいったいどういうことだったのか、僕にはついにわからずじまいだった。ある種の女の子って、肝心なところが、おおむねなんにもわからずじまいのまま終わっちまうんだね。

　ほとんどネッキングをしなかったり、いちゃついたりしなかったからといって、彼女がお高くとまっていたとかそういうことじゃないんだよね。ジェーンはべつにつんつんしていたわけじゃないんだ。たとえば僕らはしょっちゅう手をつないでいた。そんなのたいしたことじゃないって君は思うかもしれない。でもさ、彼女と手をつなぐってのは、ずいぶんたいしたことだったね。女の子と手をつなぐと、たいていの場合相手の手は、君の手の中でくにゃっと死んじゃっているんだよ。あるいは君を退屈させたくないからかどうか知らないけど、君の手の中で休む暇もなくごそごそと動きまわったりするわけだ。でもジェーンは違っていた。ろくでもない映画が始まると、僕らはすぐに手を握りあった。そして映画が終わるまでずっとその手を離さなかった。位置を変えるでもなく、ぐしゃぐしゃとややこしいことをするでもなく。君の手が汗で湿っているかどうかすら、ジェーンの場合にはいちいち気にしなくていいんだ。君にわかっているのは、君は幸福だってことだ。ひたすら幸福なんだよ。

　もうひとつ、ちょっと思い出したんだけど、ある日やはり映画を見ていたとき、ジェーンがやったことで、僕はあやうくノックアウトされそうになった。そのときはニュース映画みたいなのをやっていたんだけど、僕はとつぜん首の後ろに手があてられるのを感じた。ジェーンの手だった。それはちょっとあれっという感じのことだった。ジェーンはまだ若いわけだし、誰かの首の後ろに手を置いたりするなんてのは、だいたい二十五歳か三十歳くらいの女性のやることで、相手はご主人か小さな子どもってのが相場だものね。たとえば僕は妹のフィービーに対してときどき同じことをする。でもすごく若い女の子にそんなことをされたら、その仕草の可憐《かれん》さに、君だってぐっときちゃうはずだよ。

とにかく僕はロビーに置かれたその反吐みたいな色合いの椅子に座って、そのへんのことをしばらく考えていた。ジェーンのこと。エド・バンキーの罰当たりな車にストラドレイターと一緒に座っているジェーンを思い浮かべるたびに、あやうく気が狂いそうになった。彼女がストラドレイターのやつになんて一塁ベースさえ踏ませないはずだってことはわかっていたんだけど、それでもなおかつ平静ではいられなかった。だからさ、正直なところ、そのことはもう口にもしたくないんだよ。

ロビーにはもうほとんど人影はなく、娼婦っぽいブロンドたちさえすでに姿を消していた。僕はとつぜんその場所にいることにうんざりしてしまった。そこはとにかく気が滅入ったし、僕はまだぜんぜん疲れてもいなかった。それで部屋に戻ってコートを着こんだ。ついでに窓のところに行って、変態たちはまだやっているかなと外をのぞいてみたんだけど、窓の明かりはすっかり消えていた。またエレベーターで下に降りて、タクシーを拾い、「アーニーズ」にやってくれと言った。「アーニーズ」っていうのはグリニッチ・ビレッジにあるナイトクラブで、ハリウッドに行って身売りを始める前の兄のDBが、熱心に通っていたところだ。兄はときどき僕を一緒に連れて行ってくれた。アーニーはでかい太った黒人で、ピアノを弾く。これがとんでもない気取り屋で、相手が大物か有名人かそういうんじゃないかぎり、ろくすっぽ口もきいちゃくれないんだ。でもピアノ演奏はすごいんだよ。あまりにも見事な演奏なんで、ほとんど陳腐に感じちゃうくらいなんだ。妙な言い方だとは思うけどさ、印象をありのままに言うとそうなっちまうんだ。彼の演奏を聴いているのはたしかに素敵なんだけど、それでもときどき君は、そのろくでもないピアノをひっくり返してやろうかと思ったりもするわけだ。それはときとして彼の演奏の中に、大物じゃないかぎり君とは口もきいてくれないような人間が聴きとれるからじゃないかと僕は思うんだよ。

12

僕の乗ったタクシーはとんでもなく古い車で、ついさっき誰かがその中で反吐をはいたみたいなにおいがした。夜遅くにタクシーをつかまえると、決まってそういうゲロっぽいやつにぶちあたるんだよね。更に具合の悪いことには、土曜日の夜だっていうのに、外はやたらしんとしてうら淋しかった。通りには人影というものがほとんどないんだよ。ときどき男女のカップルが、おたがいの腰のあたりに手をまわして通りを横切るくらいだ。あるいはいかにもやくざっぽい連中が女友だちと一緒に、ハイエナみたいな声をあげて笑い転げていた。きっと面白くもなんともないことだと思うんだけど、深夜に路上で誰かが大笑いしているときのニューヨークって、まっしぐらにすさまじいところだ。何マイルも先からそれが聞こえる。そういうのを耳にすると淋しくて、じっとり落ち込んじゃうんだ。うちに帰ってフィービーとおしゃべりみたいなことができたらなあと僕はつくづく思ったね。でもしばらく乗っているうちに、タクシーの運転手とのあいだにいちおう会話みたいなものが始まった。彼の名前はホーウィッツといった。さっき乗ったタクシーの運転手なんかよりは数段ましなやつだった。この男なら、ひょっとしてアヒルのことも知っているんじゃないかな、と僕は思ったりしたわけだ。

「ねえ、ホーウィッツ」と僕は言った。「セントラルパークのラグーンのそばを通ったことがあるだろう？　セントラルパーク・サウス通りのあたりの」

「何だって？」

「ラグーンだよ。ほら、小さな湖みたいなの。あそこにあるじゃないか。アヒルたちがいるやつ」

「ああ。それがどうしたの？」

「だからアヒルたちがさ、あの池でひらひら泳いでいるじゃない。春とか、そういう季節に。あのアヒルたちが冬になったらどこに行くのか、あんたひょっとして知らないかな？」

「何がどこに行くかって？」

「アヒルたち。ひょっとして知ってるんじゃないかと思ってさ。つまりさ、誰かがトラックみたいなのに乗ってやってきて、みんなを集めて連れて行っちゃうんだろうか。それともアヒルたちは自分たちで勝手にどこかに飛んでいくのかな。南に移動するとか、そういうことで」

ホーウィッツはくるっと後ろを向いて、僕をじっと見た。すごく激しやすいタイプなんだよ。まあ、悪いやつじゃないんだけどね。「なんでそんなことを俺が知ってなくちゃならないんだ？」と彼は言った。「なんでまた俺が、そんなしょうもないことをいちいち知ってなくちゃならないんだ？」

「まあまあ、そんなにかりかりしないで」と僕は言った。彼はそのことでわりにかりかりしていたんだよ。

「誰がかりかりしてるんだ？　誰もかりかりなんかしてないね」

僕は彼と話すのをやめた。そんなことでいちいち気を悪くされたりしちゃたまらないものね。でも向こうからまた会話を始めた。彼はもう一度くるっと後ろを向いて、言った。「魚はどこにも行かない。連中はずっと同じところにいる。魚はな。同じ池にずっといるよ」

「魚たちは――また話がべつだよ。それはべつの問題だ。僕が話をしているのはアヒルのことだよ」と僕は言った。

「どこに違いがあるんだよ？　何も違やしないぞ」とホーウィッツは言った。とにかく口を開くごとに、何かにかりかりしているみたいだった。「冬が来るとな、アヒルなんかより魚の方がよほど大変なんだぞ。まったくもう。頭を使えよ、頭を。まったくもう」

僕は少しのあいだ黙っていた。それから言った。「わかったよ。で、魚くんたちはいったい何をしているの？　その小さな池ぜんたいががちがちに凍りついちまって、その上でみんながスケートなんかしているときにさ？」

ホーウィッツはまたくるっと後ろを向いた。「それ、どういう意味だよ、魚が何をしているかってのは？」、彼は僕を怒鳴りつけた。「魚はただそこにいるんだよ。まったくもう」

「氷をただ無視するってわけにもいかないだろう。ただ知らん顔してるってわけにもいかないじゃない」

「誰が知らん顔するんだ？　誰も知らん顔なんかするもんか！」とホーウィッツは言った。とにかく興奮しまくっていた。車が街灯に衝突するんじゃないかと、ひやひやさせられた。「連中は氷の中でちゃんと生きてるんだよ。それが魚ってものなんだ。まったくもう。ぴっと氷づけになってな、そのままのかっこうでひと冬を過ごすんだ」

「へえ。食べ物はどうするんだい？　つまりさ、がちがちの氷づけになっているんなら、どっかに行って餌を探すこともできないじゃないか」

「身体がそうなっているんだよ。まったく何を考えてるんだ。身体がな、氷の中に閉じこめられている海草とかそういうのから、栄養分を吸収するんだよ。連中は身体の穴みたいなのをずうっと開きっぱなしにしているんだ。そういうふうにできてるんだ。まったくもう。これでわかったか?」。彼はまたくるっと後ろを向いて僕を見た。

「なるほど」と僕は言って、その話をやめにした。タクシーをどこかにぶっつけられたりしたらたまらないものね。それにこんなに感じやすいやつと何かについて議論しても、ちっとも楽しかないんだよ。「車を停めて、どっかで一緒に一杯やらない?」と僕は誘ってみた。

しかし彼は返事をしなかった。たぶんまだ考えていたんだろう。でももう一度誘ってみた。なかなかいいやつだったからさ。実に興味深いやつっていうべきかね。

「酒を飲んでいるような暇はないんだよ、バディー」と彼は言った。「ところであんた歳はいくつなんだ? どうしておうちでお寝んねしてないんだよ?」

「疲れてないからさ」

「アーニーズ」の前でタクシーを降りて料金を払うときに、ホーウィッツはまた魚の話を持ち出した。そのことについてずっと考え続けていたんだろう。「いいか」と彼は言った。「もしあんたが魚であれば、母なる自然があんたを助けてくれるんだ。そうだろう。違うか? あんたはまさか、冬が来たら魚なんてみんなころっと死んじまうとか考えていたんじゃないよな?」

「いや、そうじゃなくて、僕はただ――」

「死んだりするもんかい」とホーウィッツは言った。そして地獄を飛び立つコウモリみたいな猛スピードで走り去った。生まれてこのかた、これほど激しやすい人間に会ったことはなかったね。まったくもう、こっちが何か言うたびにかりかりしちゃうんだから。

ずいぶん夜も更《ふ》けていたんだけど、「アーニーズ」は満員盛況だった。客のほとんどはプレップスクールのとんちき連中か、カレッジのとんちき連中だった。世界中の学校という学校はいつだって、僕が通っている学校より一足早くクリスマス休暇に入るんだよ。すし詰め状態で、ほとんどコートも預けられないくらいだった。でも店内はやたら静まり返っていた。アーニーがピアノを弾いていたからだ。やつがピアノの前に座っているとさ、やれやれ、それはもうなんか神聖なことみたいな感じなんだよ。いくらなんでも、そこまでたいしたもんじゃないだろうにと、僕なんかは思っちゃうんだけどね。僕のほかにはカップルが三組くらいテーブルが空くのを待っていた。彼らは押し合いへしあい、つま先立ちをしたりして、ピアノを弾いているアーニーを一目見ようとつとめていた。ピアノの正面にはでかい鏡が据えられ、ご本人はスポットライトに煌々《こうこう》と照らされていた。それでみんなはピアノを弾いているアーニーの顔を見ることができた。演奏している指先は見えないんだけど、そのでかい顔を拝謁《はいえつ》することはできるわけさ。おそれいるじゃないか。

店に入ったときに演奏していたのがなんという題の曲だったか、よくわからない。でもなんであれ、彼はその曲をとてつもなく俗悪なものに変えていた。ハイノートに鈍くさい、これみよがしなぴらぴらをつけたり、あるいはすごくトリッキーなことをやって、それで僕はすっかり興醒めしちまった。でも演奏が終わったときのみんなの興奮ぶりを君にも見せたかったね。それを見たらきっとゲロなんか吐いちゃったんじゃないかな。みんなもう気がふれたみたいな騒ぎだった。映画館なんかでちっとも面白くないことにハイエナみたいに大笑いする田舎者がいるけど、あれにそっくりなんだよ、なにしろ。もし僕がピアノ・プレイヤーとか俳優だったりして、それでもしそんな阿呆どもが僕のことを最高だなんて考えたりしたら、とても耐えられないだろうな。拍手なんかぜんぜんしてもらいたくないね。人ってのはいつだって見当違いなものに拍手をするんだよ。もし僕がピアノ・プレイヤーだったら、きっとクローゼットの中にこもって演奏すると思うよ。とにかく演奏が終わって、みんなが気も狂わんばかりにわあわあ拍手をすると、アーニー先生はピアノ椅子に座ったまま くるりと振り向いて、すごくインチキくさい謙虚な一礼をした。まるでわたしは最高のピアノ・プレイヤーであると同時に、とびっきり謙虚な人間でもあるんですぜ、みたいな感じでさ。それはすごく嘘っぽい代物だった——つまりとんでもない俗物なんだよ、こいつは。でも変な話だけどね、演奏が終わったとき、僕はアーニーのことをいささか気の毒にさえ思ったんだ。この男には自分がまともな演奏をしているのかいないのか、それさえもうわからなくなっているんだろうって さ。でもそういうのって、本人のせいばかりとも言えないんだ。熱烈に拍手をする抜け作どもの方にも責任の一端《いったん》はあるはずだ。そういう連中は手当たり次第、誰だって駄目にしちまうんだよ。おかげで僕はまたけっこう落ち込んで、うんざりした気持ちになった。このままコートをとって、ホテルに引き返そうかと思ったくらいだ。でもまだそんな時間でもなかったし、一人ぼっちになるのもいやだった。

僕はようやくテーブルに案内された。まったくの壁際でおまけに柱の陰という、やたらしみったれた席だ。なんにも見えやしない。痛ましいくらいちっぽけなテーブルで、もしとなりの席の人が立ち上がって通してくれなければ――こいつら絶対にそんなことはしちゃくれないんだけどさ――文字どおりよじのぼって椅子にたどり着くしかないわけだよ。僕はスコッチ・アンド・ソーダを注文した。フローズン・ダイキリに次いで僕が好きな飲み物だ。もしかりに君が六歳の子どもだったとしても、「アーニーズ」で酒にありつくことはできる。店内はなにしろ暗いし、そもそも君が何歳かなんてそこじゃぜんぜん問題にならない。たとえ君が麻薬中毒だったとしても、誰も気にもとめないと思うね。

まわりはとんちき連中でいっぱいだった。嘘じゃないよ。僕のすぐ左どなりの、これもまたちっぽけなテーブルには、変ちくりんな顔をした男と変ちくりんな顔をした女が座っていた。となりというか、実際にはほとんど僕にかぶさるみたいな感じだったんだけどさ。二人は僕と同じくらいの歳だった。少し上かもしれないけど、これがまたおかしいんだよ。彼らがミニマムのドリンクを早く飲みすぎないように、細心の注意を払っているのは見え見えだった。僕はしばらく二人の会話を聞いていた。ほかにとくにやることもなかったからね。男はその日の午後に見たプロ・フットボールの試合の話をしていた。その試合のプレイをひとつひとつ彼女に話して聞かせてるんだ——いや、嘘じゃなくてさ。世の中広しといえど、こんな退屈なやつにはちょっとお目にかかれないぜ。相手の女の子がフットボールの試合になんて興味を持ってないことは一目瞭然《いちもくりょうぜん》なんだよ。でもその子は男に輪をかけて変ちくりんな顔をしているもんだから、相手の話を聞いているしかないわけだ。真剣に醜い女の子って、人生厳しいんだよ。そういう子のことを気の毒だってたまに僕は思うんだ。そういう女の子たちを直視できないことさえある。とくに彼女たちが、フットボールの試合の内容をひとつひとつ解説して聞かせるようなうすら馬鹿と一緒にいたりするとね。

しかし右手のテーブルでは、会話はさらに輪をかけて悲惨なものだった。僕の右手にはいかにも「アイビー・リーガーでございます」みたいな男がいた。グレイのフランネルのスーツに、例のおかまっぽい感じのタッターソールのベストといういでたちだ。アイビー・リーグの連中ってどうしてみんなこう、似たようなかっこうをしなくちゃならないんだろうね。うちの父親は僕にイェールとか、それともプリンストンみたいなところに行ってもらいたがっている。でもなにがあろうと、たとえ死の瀬戸際に立たされたって、アイビー・リーグのカレッジになんか行くもんか。いずれにせよこのアイビー男はとびっきりの美人を連れていた。うん、なにしろきれいなんだ。しかし君は彼らが交わしている会話をぜひ聞くべきだったよ。まずだいいちに二人ともちょっと酔っぱらっていた。男が何をしているかというと、テーブルの下でこそこそと彼女にちょっかいを出しているわけだ。そしてそうしながら、同じ寮に住んでいる学生が、自殺をしようとアスピリンをまるまる一瓶飲んじまって、もうちょっとで死にかけた話をしているんだ。相手の女性は彼に向かって、「それはひどいことね……やめて、ダーリン。お願い、やめてよ。ここじゃだめ」と言いつづけた。一方で女の子におさわりをしながら、もう一方で自殺未遂をした男の話をするなんて、とんでもない話じゃないか！　これには参ったよ。

でもそこに一人でしんねりむっつり座っていると、なんだか自分が間抜けの親玉になったような気がしてきた。ただ煙草を吸って酒を飲むくらいしかやることがないんだもの。だもんで、僕はウェイターに声をかけて、アーニーにここに来て一緒に一杯やらないかって伝えてくれないかと言った。DBの弟が来ているって言ってよ。でもそんなメッセージはアーニーのもとに伝わりさえしなかったと思うね。こいつらときたら、伝言なんか絶対伝えやしないんだから。

出し抜けに一人の女の子が僕のところにやってきて言った。「ホールデン・コールフィールド！」。彼女の名前はリリアン・シモンズ。兄のDBは彼女と一時期デートをしていた。おっぱいがとにかくでかいんだ。

「ハイ」と僕は言った。僕は当然立ち上がろうとしたわけだけど、そんなすし詰め状態で立ち上がるのは簡単なことじゃない。彼女の連れは海軍の士官で、尻から火掻き棒でも突っ込んだような顔つきの男だった。

「あなたと会えるなんて素敵！」とリリアン・シモンズは言った。まったくよく言うよって感じだ。「お兄さんはどうしてるの？」、結局それだけが彼女の知りたいことなんだからさ。

「元気だよ。今はハリウッドにいる」

「ハリウッドですって！　それってサイコーじゃない！　何をやってるの？」

「知らないよ。何か書いているんじゃないかな」。僕としてはそんな話をしたくなかった。なにしろ彼女は、兄がハリウッドにいるのが目ざましいことだと思っているんだよ。まあほとんどの人が同じように思うわけだけどさ。兄が書いた短編小説を読んだこともないような連中は、みんなだいたいそう考えるんだよ。でも面と向かってそんなことを言われると、僕としちゃやっぱり頭にきちゃうわけだ。

「すごいエキサイティングじゃない」とリリアンは言った。それから彼女は僕にその海軍士官を紹介した。彼の名前はブロップ中佐とか、その手のものだった。こいつは、相手の手の指を四十本くらいぼきぼきと折ってしまわないような握手じゃないと女々《めめ》しいと考えるような、よくいるタイプの一人だった。たまらないよな、まったく。「あなた一人きりなの、ベイビー？」とリリアンが僕に尋ねた。彼女は通路に突っ立って、一切の通行をブロックしていた。人の通行をブロックするのが三度の飯より好きな女なんだよ、見るからに。ウェイターが一人、彼女がどいてくれるのをじっと待っていた。でも彼女はそんなことには気づきもしなかった。これには笑っちまったね。ウェイターが彼女のことをこころよく思っていないことは明らかなんだよ。海軍士官だって彼女のことをこころよくは思っていないみたいだった。たとえデートの相手であってもだよ。そして僕にしたところで彼女のことをこころよくは思っていなかった。誰も彼女のことをこころよく思っていなかったわけだ。そこまでいくとこっちも、ちょっと気の毒かなって感じがしてきちゃうんだけどさ。「連れの女の子はいないの、ベイビー？」と彼女は僕に訊いた。僕はそのときにはもう立ち上がっていたんだけど、彼女は座りなさいよとも言わなかった。彼女は相手を何時間もかまわずに立たせておくようなタイプなわけだ。「ねえ、この子ハンサムだと思わない？」と彼女は海軍士官に言った。「ホールデン、あなたって一分ごとにますますハンサムになっていくわね」。海軍士官は彼女に向かって、そろそろ失礼しようよと言った。ここにいると人が通れないからさ。「ホールデン、こっちにいらっしゃいな」とリリアンは言った。「グラスを持ってこっちに移ってきなさいよ」

「もうそろそろ引き上げるところなんだ」と僕は彼女に言った。「待ち合わせの約束があるからさ」。彼女はただ僕に親切にしておきたかったというだけなんだ。僕がＤＢに会ったときにそのことが伝わるようにさ。

「いいわよ、お利口坊や。好きになさい。お兄さんに会うことがあったら、大嫌いだって伝えておいてね、くれぐれも」

そして彼女は行ってしまった。僕と海軍士官はお会いできてなによりというような挨拶を交わした。そういうのってほんとに腐っちまうんだよな。僕はいつも「お会いできてよかったです」なんて言っているわけだけど、僕としちゃそいつに会って嬉しいなんてことはないわけだよ、ぜんぜん。でも世間で生き延びていくためには、心にもないことだってある程度は口にしなくちゃならないんだ。

人に会う約束があると言ったからには、店を出ていく以外にとるべき道はなかった。おかげで、アーニーが半分でもいいからまっとうな演奏をしてくれるのをじっと待っていることもできなくなった。しかしだからと言って、リリアン・シモンズと海軍士官に同席して退屈死にするわけにもいかないじゃないか。だから僕は店を出た。でもコートを受け取りながら、どうにも腹の虫がおさまらなかったよ。まったくどうしてみんな、人の楽しみを台無しにしなくちゃいられないんだろうね。

13

ずっと歩いてホテルまで戻った。全部で四十一ブロックの華麗なる道のりだ。べつに歩きたいから歩いたってわけじゃないんだよ。どっちかっていうとタクシーの乗り降りにも疲れちゃったからだ。ときどきタクシーに乗るのにもうんざりということはあるよね。エレベーターに乗るのにもうんざりということがあるのと同じようにさ。出し抜けにというか、どんなに遠くまでも、どんなに高いところまでも、自分の足で歩いていかなくちゃと君は思ったりするわけだ。子どもの頃、うちのアパートメントのある階までしょっちゅう歩いて上がったもんだ。うちは十二階にあったんだけどさ。

ちょっと前まで雪が降っていたなんてまったく嘘みたいだった。歩道にはもうほとんど雪は残っていなかった。でも凍りつくように寒かった。それで僕は赤いハンティング帽をポケットから出してかぶった。見かけなんてもうどうでもいい。耳あてを下ろしまでした。いったいどいつがペンシーで僕の手袋をかっぱらったのか、探し当ててやりたいもんだと思った。僕の手はもうすっかり凍りついたみたいになっていたんだよ。もっとも犯人が誰だかわかっていたとしても、僕に何ができるってわけでもないんだけどさ。僕はすごく臆病《おくびょう》なやつなんだ。なるべく表に出さないようにしているんだけど、とにかくそれが僕だ。たとえば、誰がペンシーで僕の手袋をかっぱらったのか、もしわかったとしたら、僕はたぶんそのこそ泥の部屋に行ってこう言うと思う。「オーケー、あの手袋返してくれよな」と。でも手袋をかっぱらったそのこそ泥はたぶん、なんのことだかわけがわからないという声で、こう言うと思う。「手袋ってなんだよ?」ってさ。で、そこで何をするかっていうとだな、僕はたぶんそいつのクローゼットを開けて、どっかから手袋をみつけだすと思うんだ。それはたとえばろくでもないオーバーシューズかなんかの中に隠してあるわけだ。僕はそいつを取り出し、相手に見せる。そして言う、「ほら、これはきっとお前の手袋なんだろうね?」。するとやつはすごく驚いたような嘘っぽい顔をするんだ。そして「そんな手袋、見たこともないぜ。でももしそれがお前のなら、持っていきゃいい。そんなもの俺はいらないんだからさ」って言う。僕はたぶんそこにあと五分くらい、じっと立っているだろう。その手袋を手にしっかりと握りしめてね。実のところ僕としては、そいつの顎にがつんと一発くらわしてやらなきゃと思っているわけだ。顎を砕いてやりたい。でもそんなことをするガッツがないんだな。ただそこにじっと立っているだけだ。自分をタフに見せようって精一杯つとめながらさ。で、僕が何をするかというとだね、たぶん何か辛辣《しんらつ》で嫌みなことを口にすると思うんだ。相手の気分を悪くさせるためにね。つまり相手の顎に一発くらわせるかわりにだよ。で、もし僕が何か辛辣で嫌みなことを口にするとだね、そいつはさっとベッドから起きあがって、こっちに詰め寄ってくると思うんだ。そして言う、「おいコールフィールド、お前は俺のことをこそ泥って呼ぶわけか？」ってさ。で、僕が「そう、まさにそのとおりじゃないか。この薄汚ねえこそ泥野郎が！」って言い返すかっていうと、そんなことはなくて、たぶんこんなふうに言うのがせいぜいだと思うんだ。「はっきりしてるのは、僕の手袋がお前のろくでもないオーバーシューズの中にあったってことさ」ってね。そこで相手の男は、一発くらわせるつもりが僕にはないんだってことを即座に見抜いてしまう。そこでやつはかさにかかって言う。「おい、話をはっきりさせようぜ。お前は俺がそれを盗んだって言うのか？」。で、たぶん僕はこう言うだろう。「べつに誰が盗んだとか、そういうことを言ってるわけじゃないんだ。言いたいのは、僕の手袋がお前のろくでもないオーバーシューズの中からみつかったってことだけだ」。そういうやりとりが下手すると何時間もえんえんと続くわけさ。しかし結局のところ、僕は相手に一発もくらわせることなく、そいつの部屋をあとにするだろう。それからたぶん洗面所に行って、こっそり煙草なんか吸って、鏡に向かってなるたけ自分をタフに見せかけるわけだ。

とにかくホテルに帰る道すがら、ずっとそんなことを考えていた。臆病であるってのはあんまり愉快なことじゃないんだよ。あるいは僕は全面的に臆病ってわけではないかもしれない。よくわからないけどさ。ある部分においてはたしかに臆病なのかもしれないけど、ある部分においては手袋がなくなったって、まあしょうがないじゃないかとあきらめちゃうタイプなのかもしれない。僕の抱えている問題のひとつは、何かをなくしてもそんなに気にしないってことなんだ。そのおかげで、もっと小さかった頃のことだけど、母親をよく逆上させたものだった。世の中には、何かをなくしたらしつこく何日も探しまわる人間もいる。でも僕はといえば今までのところ、何があろうとこれだけは失うわけにはいかないというようなものを手にした覚えがないんだよ。たぶんそういうことも僕が臆病になっちまう理由のひとつかもしれない。でもだからそれでいいんだ、というもんじゃないよね。断じてない。人は臆病であったりしちゃいけないんだ。もし君が誰かの顎に一発くらわせるべき状況にいて、やってやろうじゃないかという気持ちになっていたとしたら、君はやっぱりそうするべきなんだ。でも僕ときたら、そういうことにぜんぜん向いてない。僕としてみれば、顎に一発くらわせるよりは、相手を窓から突き落としたり、斧《おの》で首をはねたりするほうがまだしも楽なんだ。げんこでの殴り合いってのがどうにも好きになれない。自分が殴られることはそれほど気にならない。いや、そりゃもちろん殴られて楽しいってわけはないけどさ。でも殴り合いをするとしていちばんおっかないと思うのは、相手の顔なんだよ。僕は喧嘩相手の顔をまっすぐ見ることができなくて、そいつが障害になるわけだ。だからお互い目隠しをしての殴り合いなんてことになったら、僕だってけっこういい線は行くんじゃないかな。これは考えてみれば、ちょっとへんてこな種類の臆病さかもしれないけど、でもなにはともあれ、臆病であることには変わりないよね。それをごまかすつもりはないんだよ。

自分の手袋と臆病さについて考えれば考えるほど、気持ちはますます落ち込んできた。それでどこかでひと休みして、一杯やらなくちゃと思った。歩きながらそう決心したわけだ。「アーニーズ」では三杯しか飲まなかったし、最後の一杯は途中までしか飲まなかったんだ。何はともあれ、僕は酒には強いんだよ。気分さえ乗れば、一晩じゅう飲んでもしらっとしていられる。一度、ウートン・スクールにいたときのことだけど、スコッチのパイント瓶を買ってきて、レイモンド・ゴールドファーブっていうやつと、チャペルの中で飲んだことがある。土曜の夜のチャペルなら誰にも見られないからだ。やつはべろべろになってしまったけど、僕の方は顔色ひとつ変えなかった。いつもどおりに涼しい顔で構えていた。ベッドに入る前にいちおう吐きはしたけど、それはどうしても吐きたかったからじゃなくて、いちおう吐いておかなくちゃと思ったから無理にそうしたんだ。

いずれにせよ僕はホテルに着く前に、そのしけた構えのバーに入りかけた。でもそのときにちょうど二人のひどい酔っぱらいが中から出てきて、地下鉄の駅はどこだいと僕に尋ねた。ひとりはいかにもキューバ人という顔をしていて、道順を教えてやっているあいだずっと僕の顔に臭い息を吐きかけていた。そんなこんなで結局そのバーに入るのはやめて、まっすぐホテルに戻った。

ロビーには誰もいなかった。五千万本くらいの火の消えた葉巻の匂いがした。嘘じゃなくてさ。僕はちっとも眠くはなかった。ただ、どうにもうらぶれた気持ちになっていた。心が深く沈み込んでいたんだよ。いっそこのまま死んでしまいたいと思ったくらいだった。

それから、まさに青天の霹靂《へきれき》というか、僕はひどいごたごたに巻き込まれてしまった。

エレベーターに乗り込むと、エレベーター係の男が間髪《かんはつ》入れず僕に尋ねた。「お客さん、お楽しみに興味はありますかい？　それとももう遅すぎますかね？」

「どういうこと？」と僕は言った。何が言いたいのかよくわからなかったんだ。

「あっちの方は、今夜いかがでしょうね？」

「僕がかい？」と僕は言った。それはすごく間の抜けた答えだった。でも突然真っ向からそんなことを質問されたら、面食らっちまうものじゃないか。

「歳はいくつなんですかい、チーフ？」とエレベーター係の男は言った。

「なんで」と僕は言った。「二十二だけど」

「じゃあ、いかがですかね、あっちの方は？　ちょいの間《ま》が五ドル、一晩で十五ドル」、彼は腕時計に目をやった。「つまり正午までってことです。ちょいの間が五ドル、正午までで十五ドルってこと」

「いいよ」と僕は言った。そういうのは主義に反することではあるんだけど、そのときはとことん落ち込んでいたし、まともにものを考えることもできなくなっていたんだ。そういうのが命取りになるわけだよ。君はすごく落ち込んでいる。すると君にはものを考えることすらできなくなっちまうんだ。

「いいって、どっちなんですかい？　ちょいの間、それとも正午まで？」

「ちょいの間でいいよ」

「オーケー、お部屋はどちら？」

僕は番号の書いてある赤いものに目をやった。鍵についているやつ。「１２２２」と僕は言った。そんな話に乗ってしまったことを既に悔やんでいた。でも今更あともどりはできない。

「オーケー、十五分くらいで女の子をやります」、彼はドアを開けて僕は外に出た。

「ねえ、きれいな子だろうね？」と僕は言った。「どっかのばあさんみたいなのはごめんだよ」

「ばあさんなんかやりゃしませんよ。心配ないって、チーフ」

「金は誰に払えばいいの？」

「女に」と彼は言った。「てえことで、チーフ」。彼は扉を閉めた。文字どおり僕の顔の前でぴしゃっと。

僕は部屋に戻って、髪に水をつけた。でもクルーカットには櫛をいれるわけにもいかない。それから息の匂いをかいでみた。煙草もずいぶん吸ったし、「アーニーズ」でスコッチ・アンド・ソーダも飲んだ。口の前に手をかざして、鼻の穴に向けて息を吐きかければいいんだ。とくに匂いはしなかった。でもいずれにせよ歯は磨いておいた。それからまた新しいシャツを取りだした。娼婦を相手にいちいちおめかしをする必要もないんだけど、何かしてないと落ち着かなかったんだ。僕はいくぶんナーバスになっていた。だんだんその気になってきてはいたんだけど、同時にいくぶんナーバスになってもいた。ほんとのことを打ち明けると、僕はまだ未経験なんだよ。いや正直な話。あと一歩で、というところまではずいぶん何度も行ったんだけど、でも結局は最後までやらなかった。さあいよいよってときになると、必ず何かが突発的に持ち上がるんだ。たとえば彼女の家にいるとすると、いつも両親が予定より早く帰宅しちゃったりするんだ。あるいは今にも帰宅するんじゃないかって、気が気じゃないわけだ。あるいは誰かの車の後部座席にいるとする。そしたら前の席には決まって、車の中で何が進行しているか隅から隅まで頭に入れておきたがるやつ——つまり誰かの連れてきた女の子——がいるんだよ。その子はときどき後ろを向いて、どんな感じになってるかなってチェックしまくるわけだよ。とにかく必ずそういう障害みたいなのが出てくるんだ。でも二度ばかりほんとにぎりぎりの瀬戸際までは行ったんだ。とくにそのうちの一度なんて、もうがちがちに行けてたところだったんだ。でもそこで何かが持ち上がったわけさ。それが何だったか、今となっては思い出せないんだけどね。

さあいよいよってところまで行ったときの問題点は、そこでだいたいにおいて女の子が——娼婦とかそういうんじゃない女の子のことだよ――ねえ、やめて、やめてって言い出すことなんだ。困ったことに僕はそこでまた、しっかりとやめちまうんだよ。たいていの男は、そんなこと無視してやっちまう。ところがこの僕ときたら、やめないわけにいかないんだ。彼女たちが真剣にやめてもらいたがっているのか、ただびくついているだけなのか、それともただやめてくれって口先で言っているだけなのか（つまり君がそれでも無理にやっちまえば、それは彼女たちの責任ではなく、君の責任になるわけだからね）、そのへんの見分けがつかないんだよ。いずれにせよ、僕はそこでついやめちまうわけだ。問題は僕が彼女たちを気の毒に思ってしまうってことなんだ。つまりさ、だいたいの女の子って頭がよくないんだ。しばらくネッキングをしているとさ、彼女たちがみんな頭がぼおっとしちまっていることがわかる。女の子って情熱的に盛り上がると、もうまともにものが考えられないんだよ。よくわかんないけどさ。で、やめてって言われると、僕はつい正直にやめちまうんだ。やめなきゃよかったんだよなって、いつもあとになって思うんだ。女の子をうちに送り届けたあとでとかさ。でもついやめちまうんだよ、僕ときたらね。

　とにかくまた新しいシャツに着替えながら、これはまあなんというか、僕にとっちゃビッグ・チャンスだぞって考えた。相手は娼婦なんだから、いい練習になるわけじゃないかと思ったんだ。結婚するとか、そういうときのためにさ。僕はときどきそういうのが心配になることがある。ウートン・スクールにいるときに読んだ本の中に、すごく洗練された小粋でセクシーな男が出てくるんだ。ムッシュウ・ブランシャールってのが彼の名前だ。まだ覚えているよ。本はどうしようもない代物だったけど、このブランシャールってやつはけっこう冴えてたね。彼はヨーロッパに住んで、リヴィエラかどっかにでかいシャトーを所有している。それでそいつが余った時間に何をやるかっていうと、むらがってくる女をほとんど棍棒片手にみたいな感じで追い払っているんだ。根っからやくざなやつなんだけど、女たちはみんな彼に夢中になってしまう。彼はあるところでこんなふうに言う。女の体というのはバイオリンのようなもので、それを弾きこなすには名人の手が必要なんだってね。すごく陳腐な本だったよ。それは認める。しかしそれでも、そのバイオリンの部分はずっと頭に残っていた。だからこそ僕としては練習を積みたいというようなことを考えたわけだ。結婚したりするときのためにさ。コールフィールドと彼のマジック・バイオリン、なんてね。たしかに陳腐だよ。それはわかるんだ。でもまったく陳腐とばかりは言えないんじゃないかな。その手のことに熟達したって、損にはならないじゃないか。ぶちまけたことを言えばさ、どっかの女の子といちゃついているとすれば、そのだいたい半分くらいの時間は、何がどこにあるのかおろおろと探しまわっているような有様なんだ。言いたいことはわかってくれるかな。たとえばさっき話してた、最後までやりかけた女の子のことだけどさ、彼女のややこしいブラジャーをはずすだけで、なにしろ一時間くらいかかっちまったわけだ。それをようやくはずし終わったときには、彼女は僕の目に唾でも吐きかけたいような顔をしていたね。

いずれにせよ僕は部屋の中をせかせかと歩きまわって、娼婦がやってくるのを待っていた。美人だといいんだけどなと思った。でもべつにそうじゃなくてもよかったんだ。僕としてはとにかく早くすませてしまいたかっただけだ。やっと誰かがドアをノックした。それでドアを開けにいく途中、床に置いてあったスーツケースにつまずいて転び、あやらく膝の骨を折ってしまいそうになった。僕は肝心なときにかぎって、スーツケースか何かにつまずくようにできてるんだよ、ほんと。

ドアを開けると、そこに娼婦が立っていた。彼女はポロ・コートを着て、帽子はかぶっていなかった。髪はいちおうブロンドだったけど、染めてあることは見え見えだった。でもぜんぜんばあさんなんかじゃなかった。「こんばんは」と僕は言った。だからさ、すごくあか抜けた感じで。「あんた、モーリスの話の人？」と彼女は僕に訊いた。あんまりフレンドリーな感じじゃないんだ。

「エレベーター係のこと？」

「そう」と彼女は言った。

「そうだよ。まあ、入りなよ」と僕は言った。ものごとが進むにつれて、僕はだんだんさりげない感じになっていった。ほんとの話。

女は中に入り、さっさとコートを脱いで、ベッドの上に放り投げた。その下にはグリーンのドレスを着ていた。それからデスクの前にある椅子に横向きに座り、足先を小刻みに上下に揺すり始めた。脚を組んで座って、その貧乏揺すりみたいなのを始めたんだ。娼婦にしちゃということだけど、やたら神経質な女だった。まったくの話。それは彼女がまだすごく若いからだろうと僕は思った。僕とそんなに変わらないくらいの歳だ。僕は彼女のとなりの大ぶりな椅子に座って、煙草を勧めた。「煙草、吸わないの」と彼女は言った。小さな声だ。かぼそくて、今にも消え入りそうな声。何を言っているのかほとんど聞き取れない。何かを勧めても、ありがとうも言わない。礼儀作法みたいなのがなってないんだよ。

「まず自己紹介させてもらうよ。僕はジム・スティールっていうんだ」と僕は言った。

「あんた、時計持ってる？」と彼女は言った。当たり前のことだけど、僕の名前になんてなんの興味も持っていなかった。「ねえ、ところであんたいくつ？」

「僕？　二十二だよ」

「へへへだね」

なんていうものの言い方だ。まったくガキの台詞じゃないか。ふつうの娼婦ならたぶん「よく言うよ」とか「冗談よしな」とか言うところだよね。「へへへだね」なんて言うもんか。

「君はいくつなの？」と僕は訊いてみた。

「世間がわかるくらいの歳だよ」と彼女は言った。まったくウィットに富んでいるよな。「あんた、時計持ってる？」と彼女はまた訊いた。それから立ち上がって、頭からドレスを脱ぎ始めた。

それを見て、僕はなんか変てこな感じになってしまった。というのは彼女はすべてをすごく唐突にやったからだ。女の子が立ち上がって頭からドレスをすっぽり脱いだりしたら、普通ならわりにぐっと来るものじゃないか。でも僕はそのとき何も感じなかった。盛り上がるなんてどころじゃない。興奮するよりは、むしろ気が滅入ってしまった。

「ねえ、あんた時計持ってるの、どうなの？」

「いや、時計は持ってないな」と僕は言った。まったくもう、わけのわからない感じなんだよ。

「君の名前は？」と僕は尋ねた。彼女はピンクのスリップだけになっていた。そういうのって、なんだかすごいばつが悪かったね。真剣な話。

「サニー」と彼女は言った。「さあ、おいでよ」

「ねえ、なんか話でもしないか」と僕は言った。そういうのは子どもっぽい言い方だと思う。でも僕はなんかやたらずれた感じになっていたんだ。「君はそんなに急いでいるのかい？」

彼女はまるで気のふれた人間を見るみたいな目つきで僕を見た。「話って、あんたいったい何の話をしたいの？」

「わからない。べつに何でもいいんだ。君とちょっとおしゃべりできたらなって思ったもんだからさ」

彼女はまたデスクのとなりの椅子に座った。でも気が進まないことは見ていればわかった。またまた貧乏揺すりみたいなのを始めた。ほんと、神経質な子なんだよ。

「煙草でも吸わないか？」と僕は言った。彼女が煙草を吸わないってことを忘れちまっていたんだ。

「吸わないんだよ。そいでさ、何か話したいことがあるんなら、さっさと話しちゃってよ。あたしも暇人《ひまじん》じゃないんだからさ」

でも何を話せばいいのか、ぜんぜん思いつけなかった。どうして娼婦なんかになったのか、みたいなことを質問しようかとも思ったけど、おっかなくて切り出せなかった。いずれにせよ、正直に答えてくれるわけもないしね。

「君はニューヨークの生まれじゃないよね、きっと」、僕はやっとそう言った。それくらいしか言うことを思いつけなかったんだ。

「ハリウッド」と彼女は言った。それから立ち上がって、ドレスを脱ぎ捨てたところに行った。「ハンガーある？　ドレスをしわくちゃにしたくないんだよ。クリーニングしたてだからさ」

「あるよ」と僕は即座に返事をした。立ち上がって何かできるというのはすごくありがたかった。彼女のドレスをクローゼットまで持っていって吊した。それは変な感じだった。彼女の服を吊していると、なんだかやるせない気分になった。彼女がどっかの店に行ってそれを買い求めるところを僕は思い描いた。彼女が娼婦だなんてことは店の中にいる人にはわからない。売り子はたぶん彼女のことを普通の女の子だと思うだろう。そう考えると、ずぶずぶに淋しくなってしまった。どうしてそうなるのか、よくわかんないんだけどさ。

僕はまた腰を下ろして、会話を続けようと試みた。でも彼女は会話に向いていないみたいだった。「君は毎晩働いているの？」と僕は尋ねてみた。口に出してみると、それはいかにも不適切な質問だった。

「うん」。彼女は部屋の中をうろうろと歩きまわっていた。彼女はデスクの上にあったメニューを手に取ってそれを読んだ。

「昼間って何をしてるの？」

彼女はちょっと肩をすくめた。ずいぶんやせっぽちだった。「寝てたり、映画を見に行ったりさ」。彼女はメニューを置いて、僕を見た。「さあ、早くすませちゃおう。あたしだって——」

「ねえ、僕は今あんまり調子がよくないんだ」と僕は言った。「今夜はいろんなことがあった。まったくのところさ。お金はちゃんと払うよ。でもあっちの方は、君さえよければなしですませたい。もちろん君さえよければってことだけど」。問題は僕の方にやりたいという気持ちが起きないことだった。正直なところ気分が沈み込んで、とてもセックスどころじゃなかった。彼女が僕を落ち込ませたんだ。彼女のグリーンのドレスがクローゼットに吊されていることとかね。それにだね、昼間から間の抜けた映画を見て時間をつぶしているような女の子と、そんなことできるわけがないじゃないか。できっこないよ、ほんとに。

彼女は妙ちくりんな顔をして、こっちにやってきた。僕の言うことを信じてないみたいだった。

「どっか具合悪いわけ？」と彼女は言った。

「とくに悪くはないんだけどさ」、やれやれ、僕の頭はすごくそわそわしてきた。「ただね、ついこのあいだ手術を受けたもんだから」

「ふうん、どこの手術？」

「あれ、なんて言ったっけね——クラビコードだ」

「へえ、それどこにあるの？」

「クラビコード？」と僕は言った。「えーと、脊髄《せきずい》管の中にある。つまり、脊髄管のずっと下の方にあるんだ」

「へえ」と彼女は言った。「大変なんだ」。それから彼女は僕の膝の上に腰を下ろした。「あんた、キュートだよ」

おかげで僕はがちがちにナーバスになってしまった。僕はますます嘘に磨きをかけていった。

「今はまだ回復期なんだよ」と僕は言った。

「あんたって、映画に出てくる人に似てるよ。えーと、あれは誰だったかな。ほら、あの人よ、わかるじゃない。名前はなんていったっけね？」

「わからないな」と僕は言った。彼女はずっと僕の膝の上に座り続けていた。

「わかるったら。メル‐ヴァイン・ダグラスと一緒に映画に出ていたんだ。その中でメル‐ヴァイン・ダグラスの弟役をしてたでしょう。で、ボートから落っこちちゃうんだ。誰のことだか、ほら、わかるじゃない」

「わからないよ。僕はなるたけ映画は見ないようにしているからさ」

それから彼女は変なことを始めた。わりに露骨に。

「そういうのちょっとやめてくれないかな？」と僕は言った。「さっきも言ったけど、その気分になれないんだ。最近手術をやったばかりだからさ」

彼女は僕の膝からどきもせず、すごくすさんだ目つきで僕の顔を見た。「言っとくけどね、モーリスのやつから電話がかかってきたとき、あたしは寝てたんだよ。もしこれがなんかの――」

「だから来てくれたぶんの料金は払うって言ったじゃないか。ちゃんと払うよ。金ならたっぷりある。僕はただ重い手術から回復しているところだから――」

「だったらなんでモーリスのやつに女の子がほしいなんて言ったんだよ？　その、なんだかわけのわからないところの手術をしたばかりっていうんならさ。そうだろ？」

「そのときはいざとなったら調子が出るだろうと思ったんだ。ちょっと見通しが甘かったんだ。ほんとの話。悪かったよ。ちょっとそこをどいてくれたら、財布をとってくるよ。嘘じゃなく」

彼女はぷりぷりしてはいたが、僕の膝から離れた。それで僕は引き出しのところに行くことができた。そこの財布を取って五ドル札を出し、彼女に渡した。「ありがとう」と僕は言った。「悪かったね」

「これって五ドルじゃないか。料金は十ドルだよ」

彼女は見るからに変てこな感じになっていった。こういうことが持ち上がるんじゃないかって心配していたんだ。ほんとの話。

「モーリスは五ドルって言ってたぜ」と僕は言った。「正午までだと十五ドル、ちょいの間なら五ドルだって」

「ちょいの間は十ドルだよ」

「彼は五ドルって言ったんだ。悪いとは思うけど、ほんとに悪いんだけど、それしか僕には出せない」

彼女はちょっと肩をすくめた。前にやったのと同じように。それからすごくひやっとした声で「ちょっとあたしの服をとってくんない？　それともそういうのってご面倒すぎるかな？」。彼女はうす気味の悪い娘だった。声はひょろひょろとかぼそいくせに、そこはかとなくおっかない感じがするんだ。もし彼女が厚化粧をしたでかい年増《としま》の娼婦だったりしたら、その半分も不気味じゃなかっただろうと思うんだけどさ。

僕はドレスをもってきてやった。彼女はそれを着込んだ。それからベッドの上のポロ・コートを取り上げた。「じゃあな、トンチキ」と彼女は言った。

「じゃあね」と僕は言った。ありがとうとかそういうことは口にしなかった。しなくてよかったよ、まったく。

14

サニーがいなくなってしまうと、しばらく椅子に座って、煙草を二本ばかり吸った。空はだんだん白《しら》んできた。やれやれ、たまらなく惨《みじ》めな気分だった。僕がどれくらい落ち込んでいたか、君には想像もできないはずだ。それでなにをやったかっていうと、弟のアリーに向かって話し始めたんだ。ちゃんと声に出してね。すごく落ち込んだときに、よくそういうことをする。うちに帰って自転車を取ってこいよ、ボビー・ファロンのうちの前で会おうぜ――僕は何度も何度もアリーに向かってそう言い続ける。ボビー・ファロンはメインの僕らの住居の、すぐ近くに住んでいた。もうずいぶん昔のことだけどね。で、何があったかっていうとだね、僕とボビーはあるとき、レイク・セデビーゴまで二人で自転車で行こうとしていたんだ。お弁当やら空気銃やらをもってさ。僕らはまだぜんぜん子どもだったんだよ、そのとき。空気銃で何かが撃てるだろうと思っていたんだ。アリーがそれを聞きつけて、自分も一緒に行きたいって言い出した。それは駄目だよと僕は言った。お前はまだ小さいんだからってさ。だから、すごく落ち込んだときなんかに、僕はずっとこう言い続けるわけだ。「オーケー。うちに帰って自転車を取ってこいよ、ボビーのうちの前で会おうぜ。さあ、急いで」ってさ。どっかに行くときに、いつもアリーを仲間はずれにしたというわけじゃないんだよ。ちゃんと一緒に連れて行ってやったよ。でもその日にかぎっては、連れて行かなかった。それでアリーが気を悪くしたとかそういうんでもない。あいつは何があろうと気を悪くなんかしないやつだった。でも僕はいつもそのときのことをふと考えちゃうわけさ。すごく落ち込んでるときなんかにね。

やっと服を脱いでベッドに入った。ベッドに入ってみると、お祈りみたいなのをしたい気分だった。でも僕にはできなかった。お祈りをしたいという気になったときにいつもお祈りができるとは限らないんだよ。まず僕は無神論者みたいなものなんだ。僕はイエスなんかのことは好きだ。でも聖書に書いてあるたいていのことは、どうもあんまり気に入らない。たとえば十二使徒の連中とかさ。はっきり言って、あいつらにはまったくいらいらさせられるんだよ。イエスが死んだあとでは彼らはたしかにまっとうなことをしたと思うよ。でもイエスが生きているうちは、まるで抜け作の群れみたいな感じだった。連中がやったことといえば、イエスの足を引っ張るようなことばかりだった。聖書にはいろんな人が登場するけれど、ほとんど誰だってこいつらよりはましだよ。聖書に出てくる人たちの中で、僕がイエスの次に好きなのは、墓所に住んでいて、石で自分の体を切り刻んでいる頭のおかしいやつだ。僕はその男のことが、十二使徒の連中なんかより、十倍くらい好きなんだよ。とにかくかわいそうなやつなんだ、これが。ウートン・スクールにいた頃、僕はそのことでしょっちゅう議論をかわしていた。同じ階にアーサー・チャイルズってやつがいたんだけど、このチャイルズはクエーカー教徒で、年がら年中聖書ばかり読んでいた。とてもいいやつで、僕はそいつのことが好きだったけど、聖書のいろんなことの話になると、とくに十二使徒の話になんかなると、まったく意見があわなかった。もし君が十二使徒の人々を好きになれないのなら、イエス様のことだって好きにはなれないはずだって、やつは言うわけだよ。何故ならイエス様は自ら十二使徒を選ばれたのだから、君は彼らのことを好きにならなくてはいけないんだって、やつは主張するんだ。たしかに彼らを選んだのはイエスだ、と僕は認めた。でも彼はきっとわりに見ずてんで選んだんだよ。忙しい身だから、いちいち細かいところまで吟味《ぎんみ》することなんてできなかったんじゃないかな、と僕は言った。なにもイエスのことを非難してるわけじゃないんだよ、と僕は言った。忙しいってのはべつに彼の責任じゃないんだからさ。

一度チャイルズに質問したことがある。イエスを裏切ったユダのやつは、自殺をしたあと地獄に堕《お》ちたと思うかと。もちろんさ、とチャイルズは言った。それは僕が彼と意見をまったく異《こと》にするところだった。千ドル賭けたっていいけど、イエスはユダのやつを地獄には送らなかったはずだ、と僕は言った。今だって、もし手元に千ドル持っていたら、そっちに賭けると思う。十二使徒の連中なら、それが誰であっても、きっとユダを地獄に送っていたことだろう。それも問答無用の超特急で。でも、なにを賭けてもいいけどさ、イエスならそんなことはしなかったはずだ。君の問題は教会に行かないことだとチャイルズは言った。たしかに彼の言うことにも一理はある。僕は教会に行かない。まずだいいちにうちの両親は信仰している宗教がそれぞれ違うんだ。そして子どもたちは、全員が無神論者ときている。はっきり言っちゃうと、僕は牧師というものに我慢ができない。僕が通った学校には、どこでも学校つきの牧師がいた。で、そいつらはお説教を垂れるときには、いつもあのおためごかしな声をもち出してくるんだ。やれやれ、あの声がほんとにたまらないんだよ。どうしてみんな普段の声で話ができないんだろうね。あれってほんとにインチキっぽいしゃべり方なんだもんな。

とにかくベッドに入ったとき、僕はこれっぽちもお祈りすることができなかった。お祈りを始めようとすると、サニーが僕をトンチキと呼んだときのことをつい思い出しちまうんだよ。しょうがないからベッドの上に身を起こして、煙草をまた一本吸った。煙草はひどい味がした。ペンシーを出てからもう二箱くらいは吸ってしまったはずだ。

そこで横になって煙草を吸っていると、突然誰かがドアをノックした。ノックされているのが、うちのドアじゃなきゃいいんだけどなと願った。でもそれがこの部屋のドアであることはわかっていた。どうしてわかるのかって訊かれてもわりに困るんだけど、でもちゃんとわかるんだよな。ノックしているのが誰かもわかっていた。僕はちょっとした超能力者なんだよ。

「誰？」と尋ねた。けっこうびくついていたね。こういうことになると、僕はからっきし臆病なんだよ。

でもノックが繰り返されるだけだった。更に大きな音で。

とうとう僕はベッドから出て、パジャマだけというかっこうで、ドアを開けた。わざわざ部屋の明かりをつけるまでもなかった。外はもうすっかり明るくなっていたからさ。サニーと、ぽんびきエレベーター係のモーリスがそこに立っていた。

「なんだよ、いったい。何か用事？」と僕は言った。やれやれ、僕の声はどうしようもなく震えまくっていた。

「用事ってほどのものじゃない」とモーリスは言った。「五ドル払ってくれ」。彼が話をする役だった。サニーはただ口をぽかんと開けて、そのとなりに立っているだけだ。

「もう払ったよ。五ドル渡した。彼女に訊けばわかる」と僕は言った。しかしまったくなんでこんなに声が震えちゃうんだよ。

「だから十ドルなんだよ、チーフ。そう言ったじゃないか。ちょいの間が十ドル、正午までが十五ドル。ちゃんとそう言っただろう」

「いや、言わなかったね。あんたはちょいの間が五ドルって言った。あんたは正午までは十五ドルってたしかに言ったよ。でも僕はたしかにこの耳で――」

「中に入れろよ、チーフ」

「なんでだよ？」と僕は言った。やれやれ、心臓がすごくどきどきして、身体があやうく部屋の外に飛ばされてしまいそうになった。せめてちゃんとした格好をしていたらなあと思った。こんなことが持ち上がっているときに、パジャマ姿だなんてぜんぜんしまらない話だ。

「さあさあ、チーフ」とモーリスは言った。そして薄汚い手で僕をどんと突いた。僕はあやうく尻餅をつきそうになった。モーリスってのはなにしろでかいやつなんだ。気がついたら、彼とサニーは二人とももう中に入って、まるでそこが自分の部屋みたいな顔をしていた。サニーは窓の敷居の上に座った。モーリスのやつは大ぶりな椅子に腰を下ろし、カラーをゆるめていた。彼はエレベーター係の制服を着ていたんだ。やれやれ、僕はとことんナーバスになっていた。

「さてと、チーフ、さっさと金を払ってくれ。仕事に戻らなくちゃならねえ」

「だからさっきからずっと言ってるじゃないか。びた一文借りはない。ちゃんと五ドルを――」

「くだらん能書きはいいから、おとなしく金を払いな」

「なんであと五ドルも払わなくちゃならないんだ?」と僕は言った。声はすごくうわずっていた。「それじゃまるで詐欺じゃないか」

モーリスのやつは制服の上着のボタンをすっかりはずした。その下にはいんちきなシャツ・カラーをつけていたけれど、シャツそのものは着ていなかった。太った大きな腹にはもじゃもじゃと毛が生えていた。「妙な言いがかりはよしてくれよな」と彼は言った。「さっさと金を払えよ、チーフ」

「いやだね」

僕がそう言うと、モーリスはさっと椅子から立ち上がって、まっすぐこちらにやってきた。彼はものすごくものすごく疲れているか、あるいはものすごくものすごく退屈しているみたいに見えた。やれやれ、本気で怖かったよ。僕は腕組みみたいなことをしていた。そう記憶している。もしパジャマ姿なんかじゃなければ、けっこう悪い感じじゃなかったと思うんだ。まったくの話。

「さっさと金を払うんだ、チーフ」。彼は立っている僕としっかり向かい合った。こいつにはそれ以外に手持ちの台詞がないみたいだった。「さっさと金を払えよ、チーフ」。まったく度しがたい間抜けなんだから。

「まっぴらだね」

「なあチーフ、俺だって何も手荒な真似はしたくねえんだよ。そんなことできればやりたくねえんだ。でもやむを得ないって雰囲気だな」と彼は言った。「あと五ドル払ってもらわんことにはな」

「五ドルなんて払ういわれはない」と僕は言った。「もし変なまねをするんなら、大声で叫んでやる。ホテルの客を全員起こしてやる。警察も飛んでくる」。僕の声はぶるぶる震えまくっていた。

「上等だね。好きなだけわめきゃいい。さあやってみろや」とモーリスのやつは言った。「あんたが商売女と一晩過ごしていたとわかったら、ご両親はどう思うかね? あんたみたいないいとこの坊やがさ」。こいつはこいつなりに、こすからく知恵が働くわけだ。たいしたもんじゃないか。

「もういい加減にしてくれ。最初から十ドルだって言ってれば話はまたべつだ。でもあんたは僕にはっきりと――」

「さあ、払うのか払わないのか」、彼はのしかかるような格好で僕をドアに押しつけた。汚らしい毛だらけの腹が目の前にあった。

「もうやめてくれよ。さっさと部屋から出ていってくれ」と僕は言った。まだ腕組みをしたままだった。ほんと、しまらない話だよね。

そこでサニーが初めて口を開いた。「ねえ、モーリス。こいつの財布を持ってこようか？　タンスみたいなやつの上にあるんだ」

「ああ、持ってきな」

「財布に手を出すなよ！」

「もう出しちゃってるよ」とサニーは言った。彼女は僕に向かって五ドル札をひらひらと振った。「わかった？　あたしがとったのは、もらって当然の五ドルだけだよ。あたしはこそ泥じゃないもんね」

出し抜けに僕は泣き出した。あのとき泣き出したりせずにすんだら、僕はなんだって進んで差し出しただろう。でも泣き出してしまったんだ。「ああ、たしかにこそ泥じゃないさ」と僕は言った。「ただ僕から五ドルを盗んだだけで――」

「うるせえ」とモーリスは言って、僕を突いた。

「ねえ、そいつのことは放っておきな」とサニーは言った。「よしなって、さあ。もらうものはもらったんだからさ。ねえ、行こうよ。ほら」

「ああ、行くよ」とモーリスは言った。でも彼は動かなかった。

「ほんとにさ、モーリス、引き上げよう。そいつは放っておきなって」

「誰も痛い目になんかあわせちゃいませんよって」と彼は言った。まったく邪気のない声色で。

それから彼は僕のパジャマの上から、指でぱちんと強くはじいた。それがどこだったか口に出したくはないけれど、でもとんでもなく痛かった。僕はモーリスに向かって、お前は小汚い間抜けだと言った。「なんだと?」とやつは言った。彼はまるで耳がよく聞こえないみたいに、手を耳の後ろにあてた。「なんだって? 今なんて言った?」

僕はまだ泣き続けていた。頭がかっかしていたし、神経もひきつれていた。「お前は小汚い間抜けだよ」と僕は言った。「救いようのない脳たりんのインチキ野郎だ。あと二年もすればお前なんかな、よれよれの浮浪者になって街角でコーヒー代の十セントをねだっているだろうよ。どろどろのおんぼろコートは鼻水まみれで、さぞや——」

そこで彼は僕に一発くらわせた。僕は身をよけようとも、身体を曲げようともしなかった。腹にきつい パンチをもろにくらっただけだ。

でもべつに意識をうしなったわけじゃない。というのは僕は、二人が部屋から出ていってドアが閉まるのを、床から眺めていたことを覚えているからだ。かなり長いあいだそこに同じかっこうで横になっていた。ストラドレイターにやられたときと同じようにね。ただ今回は、そのまま死んでいくような気がした。ほんとうにそんな気がしたんだ。まるで溺《おぼ》れているみたいだな、と思った。参ったのは、ほとんど呼吸ができないってことだった。ようやく立ち上がったとき、僕は身体を二つに折り、腹を抱えるようにしてよろよろとバスルームまで歩いていかなくちゃならなかった。

でも僕ときたら根っからクレイジーなんだ。嘘いつわりなくそう思う。バスルームまでの道のりの半ばくらいのところで、僕は腹に銃弾をくらったふりを始めた。モーリスのやつに撃たれたわけだ。そして僕は、神経をしゃんとさせ、リアルな行動に出るのを助けてくれるバーボンとかそういうものを、ぐっと一杯やるために、バスルームに向かっているんだよ。自分がきりっとした身なりでバスルームから出てきて、ポケットに自動拳銃をつっこみ、いくぶんよろめいているところを想像した。それから歩いて下まで降りていく。エレベーターは使わず、階段の手すりにつかまってそろそろと降りていく。ときおり口の端から血が少しだけぽたりとこぼれ落ちる。そうして僕は数階ぶん下に降りる。腹をぎゅっと押さえている。血がどんどんにじみ出ていく。それからベルを押してエレベーターを呼ぶ。モーリスがドアを開け、すぐに僕の手の中の自動拳銃に目をとめ、「よせ、寄るな」と大声で叫ぶ。ものすごく甲高い、いかにも臆病者の声だ。でも僕はおかまいなくやつを撃つ。毛むくじゃらの太った腹に六発を撃ち込む。そしてエレベーター・シャフトに拳銃を捨てる。指紋なんかをすっかり拭《ふ》き取ったあとでね。そのあと這うようにして部屋まで戻り、ジェーンに電話をかけ、部屋に呼び、腹に包帯を巻いてもらう。僕がだらだらと血を流しまくっているとなりで、彼女が僕のために火のついた煙草を持っていてくれるところを思い描く。

　こういうのもみんなくだらない映画のせいだ。映画って人を駄目にしちゃうんだよ。ほんとの話さ。

僕は一時間くらいバスルームの中にいた。風呂に入ったり、そういうことをしていたんだ。それからベッドに戻った。寝つくまでにけっこう時間がかかった。これっぽっちも疲れちゃいなかったからさ。しかしやっとなんとか眠りがやってきた。でも僕が本気で考えていたのは、このまま自殺しちゃいたいってことだった。窓から飛び降りてしまいたかった。僕が地面に衝突したときに誰かがさっと覆いをかけてくれるとか、そういうことをしてくれるとはっきりわかっていたら、実際に飛び降りていたはずだ。でも僕としては、自分が血まみれになっているところを、アホ面さげた野次馬連中にじろじろ見物されたくはなかった。

15

そんなに長くは眠らなかったはずだ。目が覚めたときはまだ朝の十時くらいだったと思うから。煙草を一服すると、とたんにぐっとおなかが減ってきた。考えてみれば、ブロッサードとアックリーと一緒にエイジャーズタウンに映画を見に行って、そのときにハンバーガーを二個食べたっきり、何ひとつ口にしていなかったんだものね。それはずいぶん前のことだ。もう五十年くらい昔のことみたいに思えた。電話は枕元にあったから、さっそくルームサービスの朝食を注文しようかと思った。でもひょっとしてモーリスのやつがそれを運んでくるんじゃないかと心配になった。もし僕がモーリスに会いたくてたまらないと君が考えているとしたら、それは頭がどうかしているってもんだ。だから僕はもうしばらくベッドの上でごろごろして、煙草をあと一本吸った。ジェーンに電話してみることも考えた。もう家に帰っているかどうかチェックしてみようかと。でもそういう気分でもなかった。

で、何をやったかというとだね、僕はサリー・ヘイズに電話をかけた。彼女はメアリ・A・ウッドラフ校に行ってるんだけど、休暇で家に戻っているってことは、二週間くらい前に受け取った手紙でわかっていた。彼女にとくに夢中になっているというのでもなかったけど、とにかく僕らはけっこう長いつきあいだった。かつて僕は彼女のことをずいぶん知性的だと考えていたんだ。今にしてみればアホみたいだけどさ。僕がそう思ったのは、彼女が芝居とか文学とか、その手のことに豊富な知識を持っていたからだ。そういうことに豊富な知識を持っている人間が相手だと、ほんとうは間抜けなのかどうかを見抜くのにけっこう時間がかかるんだよ。サリーの場合、見抜くのに何年もかかっちまったわけだ。もし彼女としょっちゅうネッキングなんかしていなかったら、もっと早くわかったと思うんだよ。僕のひとつの問題点は自分がネッキングをしている相手のことを、それが誰であれ、けっこう知性的だと考えがちなことなんだよ。そんなのってぜんぜん関連性のないことなんだけどさ、とにかく僕はいつもついついそう考えちゃうんだ。

いずれにせよ、彼女に電話をかけてみた。まずメイドが電話をとり、次に父親が出た。それからやっとこさ本人が出てきた。「サリー？」と僕は言った。

「ええ、で、どなた？」と彼女は言った。まったく嘘くさいやつなんだよ。だって僕はお父さんが出たときにちゃんと名乗ってるんだからさ。

「ホールデン・コールフィールドだよ。元気にしてる？」

「ホールデン！　私は元気よ！　あなたは？」

「まずまず。で、君はどうなの？　学校なんかどんな具合？」

「うまくいってる」と彼女は言った。「なんていうか――うん」

「そりゃよかった。ねえ、今日は忙しい？　今日は日曜日だけどさ、マチネーも探せば少しはあると思うんだよ。慈善公演とかさ、そういうやつ。よかったら行ってみないか？」

「いいわね。ご機嫌」

ご機嫌ときたね。何がいやといって、こんなにいやな言葉ってないんだよな。ご機嫌なんてさ。まったくインチキくさい言葉じゃないか。一瞬のことだけど、マチネーのことは忘れてくれよな、と言ってしまいそうになった。でもそのまましばらく僕らはおしゃべりをした。というか、正確にいえば彼女が一人でずっとしゃべりまくってたんだ。こっちが口をはさむ間もなく。まず最初に彼女はハーヴァードの学生の話をした。そいつはたぶん一年生なんだと思うんだけど、彼女は当然のことながらそんなことはわざわざ言わなかった。で、そいつは彼女に猛然と言い寄っているわけだ。昼夜をおかず彼女に電話をかけてくるわけだ。昼夜をおかずだってさ。まったく参っちゃうよね。それからウェスト・ポイント陸軍学校の士官候補生。こいつは彼女のために喉を掻《か》き切らんばかりなんだって。うん、たいしたもんじゃないか。二時にビルトモア・ホテルの時計の下で待ち合わせようって僕は言った。ショーはだいたい二時半に始まるから、遅れないようにね。サリーは何があろうと必ず遅刻するんだよ。それから僕は電話を切った。話してると頭がささくれてくるんだけど、ルックスにはなにしろ文句のつけようがないからさ。

　サリーとデートの約束をしたあとで、僕はベッドを出て服を着替え、荷物をまとめた。でも部屋を出る前に外を眺めてみた。変態たちがなにをしているか、いちおうチェックしてみたんだ。でもみんな窓にしっかりとシェードを下ろしていた。ああいう連中も朝がくればお上品になっちゃうわけだ。それから僕はエレベーターに乗って、チェックアウトした。モーリスのやつはどこにも見あたらなかった。当たり前のことだけど、あのやくざ野郎の姿が見えなくて残念とか、そんなことはぜんぜん思わなかったね。

　ホテルの外でタクシーを拾った。でもこれからどこに行けばいいのか、ぜんぜん見当がつかなかった。行くべき場所もなかったんだ。まだ日曜日だったし、水曜日までは家に戻れない。ぎりぎりのところ火曜日まではさ。べつのホテルに泊まって、またまたさんざんな目にあわされるっていうのも、願い下げだった。で、僕が何をやったかっていうとだね、運転手にグランド・セントラル駅にやってくれって言ったんだよ。そこはサリーと待ち合わせをしていたビルトモア・ホテルのすぐ近くだった。駅のロッカーに鞄を入れ、それから朝ご飯でも食べようと考えたわけさ。

けっこうおなかがすいていたんだよ。タクシーに乗っているあいだに、財布を出して中身を勘定してみた。そのときどれくらい残っていたのか、正確な額は思い出せない。でもたっぷり金がなっていたわけじゃないことは確かだ。このろくでもない二週間くらいのあいだに、ずいぶん散《さん》財《ざい》しちゃっていたわけだ。ほんとの話さ。僕はもともとが浪費家なんだよ。使いまくっちゃうか、それともどっかでなくしちまうか、そのどちらかだ。たとえばレストランとかナイトクラブとかに行くと、二回に一回は釣り銭をもらうのを忘れてしまうんだ。そういうことでうちの両親はいつも怒りまくっている。まあ怒るのも無理はないんだけどさ。でもうちの父親はかなり金持ちなんだよ。どれくらいの収入があるのか、よく知らない。親子間でそんな話をしたりはしないからさ。でも相当な額になるはずだよ。顧問弁護士をやっているし、そういう連中はなんといっても稼ぎがいいからね。父親がずいぶんもうけているって僕が考えるもうひとつの理由は、彼はしょっちゅうブロードウェイの芝居に投資しているからだ。でも芝居はだいたいこけちまって、そういうのがばれるとうちの母親はかんかんになる。母親はアリーが死んでからというもの、そんなに調子がよくないんだよ。いつもなんか、すごいぴりぴりしている。そういうこともあって、また退学をくらったことをあんまり知られたくないなあって、僕としては思ったわけさ。

鞄を駅のロッカーに預けたあと、僕は小さなサンドイッチ・バーに行って朝ご飯を食べた。僕にしてはたっぷりとした朝食だったね。オレンジ・ジュース、ベーコン・エッグズ、トーストとコーヒー。普段だと朝はオレンジ・ジュースを飲むくらいなんだ。僕はなにしろすごく少食だから。ほんとにそうなんだよ。だからほら、こんなにやせてるってわけ。澱粉《でんぷん》とかそういうものをしっかりと食べて、体重をつけろって言われてるんだけど、ぜんぜんやってないんだ。外で何か食べるときには、だいたいスイス・チーズのサンドイッチを食べて、麦芽乳を飲む。量的にはたいした食事じゃないけど、麦芽乳にはたくさんのビタミンが含まれている。H・V・コールフィールド。つまりホールデン・ビタミン・コールフィールドってわけさ。

僕が卵を食べていると、スーツケースを提げた二人の尼さんが店に入ってきて、カウンターのとなりの席に座った。たぶんべつの修道院だかそういうところに転任するために列車を待っているんだろう。彼女たちはスーツケースにてこずっていたので、僕は手を貸してやった。どれも見るからに安物のスーツケースだった。革製とかそういうものじゃぜんぜんなかった。そんなのはべつにたいしたことじゃない。それはよくわかっているんだ。でも僕は安物のスーツケースを持っている人を見ているだけで、落ち込んじゃうんだよ。こういう言い方はひどいとは思うんだけど、安物のスーツケースを持っている人をただ見ているだけで、その人が嫌いになっちゃうことだってある。以前こんなことがあった。エルクトン・ヒルズ校にいた頃、しばらくディック・スレイグルっていうやつと同室だったんだけど、こいつがなにしろ安物のスーツケースを持っていたんだね。彼はそのスーツケースをいつもベッドの下に突っ込んでいた。棚の上に載っけて、僕のスーツケースと一緒に並んでいるところを人に見られたくなかったんだ。そのことで僕はとことん落ち込んでしまった。自分のスーツケースをどっかに捨てちまいたいとずっと思い続けていたし、彼のものと交換してもいいとまで思った。僕のスーツケースはみんなマーク・クロス社製で、本物の牛革とかそういうのだったし、値段もずいぶんしたはずだ。でもね、それから実におかしなことになってしまった。僕が結局何をしたかっていうとさ、僕のスーツケースを棚の上に置くのをやめて、僕のベッドの下に突っ込んだんだ。スレイグルがそのことでコンプレックスを抱かなくてもいいようにと思ってさ。だけど彼が何をしたかっていうとだね、あくる日その僕のスーツケースをベッドの下から引っ張り出して、もとの棚の上に戻したんだ。なんでそんなことをしたのかっていうとだね――そのわけがわかるまでにけっこう時間がかかったんだけど――結局彼はそのスーツケースが自分のものだと、みんなに思ってもらいたがっていたんだよ。まじめな話さ。そういう面ではまったくおかしなやつだったんだよ。たとえばスレイグルは、僕のスーツケースについていつも何か批判がましいことを口にしていたんだ。あまりにも新しすぎるし、ブルジョワ的すぎるとかね。ブルジョワ的っていうのは、彼のおはこの台詞なんだ。おおかた何かの本からの受け売りなんだろうけどさ。僕の持っているものすべてが、彼によればきわめてブルジョワ的なんだ。なにしろ僕の万年筆までブルジョワ的なんだよ。彼はその万年筆をしょっちゅう借りて使っていたんだけど、それはそれとして、とにかくブルジョワ的なわけだ。

　僕らがルームメイトだった期間は、おおよそ二カ月だけだった。それから双方の希望で部屋替えをしてもらった。でもおかしなことに同室じゃなくなったあとで、僕はスレイグルのことを懐かしく思うようになった。というのは、彼はユーモアのセンスに富んでいたし、僕らはときにはずいぶん楽しい思いをしたからだよ。彼が同じように僕のことを懐かしく思っていたとしても、とくに驚きはしないね。僕の持ち物をブルジョワ的だって言い出したとき、スレイグルはたぶん僕をただからかっていたんだと思う。そしてこっちだって、そんなこと言われてもべつに気にしなかった。実際、最初のうちそれはけっこう笑えることだったんだよ。しかしそのうちに、彼の言い方がだんだん真剣味を帯びてきたみたいだった。要するにね、誰かのスーツケースより君のスーツケースの方が数段上等だっていうような場合、その相手と部屋をともにするのはかなりきついことなんだ。君のスーツケースがすごい高級品で、相手のがそうじゃないというようなときにはね。相手が知性のあるやつで、ユーモアのセンスを持ち合わせていたら、どっちのスーツケースが高級品かなんて気にもしないだろうと君は考えるかもしれない。でもそれが違うんだな。ちゃんと気になるんだよ。僕がストラドレイターみたいな脳味噌すかすか男と同室になったのには、そういう理由もある。少なくともあいつのスーツケースは、僕のと同じくらい高級品だったからさ。

とにかくその二人の尼さんは僕のとなりに座った。そして僕らはなんとはなしに会話を始めた。僕のすぐとなりに座った方の尼さんは麦藁《むぎわら》のバスケットを持っていた。よく尼さんとか、救世軍《きゅうせいぐん》の女の子とかが、クリスマスの季節なんかに、募金を入れてもらうために持っているやつだよ。彼女たちが街角に立っているのを君も目にしたことがあるだろう。とくにフィフス・アベニューの大きなデパートの前なんかでさ。で、僕のとなりにいた尼さんはそのバスケットを床に落としてしまって、僕はかがみこんでそれを拾ってあげた。あなたがたは慈善の募金みたいなのをなさっているところなんですか、と僕は尋ねた。いいえ、と彼女は言った。スーツケースに入れようと思ったんだけどうまく入りきらなくて、それでこうして持ち歩いているだけなんですと。彼女は僕と顔が合うとすごく感じのいい微笑みを浮かべた。鼻が大きくて、鉄みたいなフレームのあまりぱっとしない眼鏡をかけていたけど、とても親切そうな顔をしていた。「ひょっとして募金をしてらっしゃるところじゃないかと思ったんです」と僕は彼女に言った。「僕も少しくらい協力ができたらと思ったものですから。もしよかったら次の募金のときまで、お金を預かっておいていただけませんか」

「それはどうもご親切に」と彼女は言った。もう一人の連れは、顔を上げて僕の方を見た。彼女はコーヒーを飲みながら小さな黒い本を読んでいた。それは聖書のように見えたけれど、聖書にしては薄すぎた。でも聖書みたいなタイプの本だった。二人は朝食にトーストとコーヒーしかとっていなかった。おかげで比較的落ち込んじゃったね。自分がベーコン・エッグズなんかを食べているときに、ほかの誰かがトーストとコーヒーだけだったりすると、なんかいやな気がするんだよ。

なんとか十ドルを寄付として受け取ってもらった。そんなにたくさん寄付しちゃって大丈夫なのかと、彼女たちはずっと僕に言い続けていた。お金ならたっぷりあるから問題ないと言ったんだけど、彼女たちは僕の言うことをあまり信用していないみたいだった。でも最後にはなんとか受け取ってくれた。二人ともやたら深々とお礼を言い続けたので、なんだかきまり悪くなってしまった。話題をもっと一般的なものごとにふり向けるために、これからどちらにいらっしゃるんですかと尋ねてみた。私たちは教師で、シカゴからこちらに来たばかりなんです、と二人は言った。彼女たちは百六十八丁目通りだか百八十六丁目通りだか、とにかくどこかずっとアップタウンにある女子修道院で教鞭《きょうべん》をとることになっていた。僕のすぐとなりに座っている鉄縁眼鏡の尼さんは英語を教え、もう一人は歴史とアメリカ政治を教えている。それでわりに深く考えこんでしまうことになった。つまりこの僕のとなりに座っている、英語を教えているという尼さんは、ある種の本を授業で読んで——べつに性的な場面がいっぱい出てくる本じゃなくても、恋人たちなんかが登場するような本でいいわけだけど——尼さんとしていったいどんなふうに感じるんだろうな、と。たとえばトマス・ハーディーの『帰郷』のユーステイシア・ヴァイみたいなのが出てきたときさ。ユーステイシアはとくに性的っていうほどでもないけど、でも尼さんがユーステイシアの話を読んでどんなことを思うんだろうって、僕としてはつい考えこんじゃうんだ。でも当たり前の話だけど、そんなことは口に出さなかった。英語は僕がいちばん得意な科目ですと言っただけだった。

「あら、そうなの。それは素敵だわ！」と眼鏡をかけて英語を教えている方が言った。「今年になってどんな本を読んだの？　とても知りたいわ」。彼女はとにかく感じがいいんだよ。

「ええと、だいたいは英国の古典を読んでいます。『ベオウルフ』、グレンデルのやつ、『我が子ロード・ランダル』、その手のものです。でも自由選択図書として、ときどきはほかの本も読まなくちゃなりません。僕が読んだのはトマス・ハーディーの『帰郷』とか、『ロミオとジュリエット』とか、『ジュリアス――』」

「ああ、『ロミオとジュリエット』、いいわねえ。ぐっときたでしょう?」。ぜんぜん尼さんっぽい話し方じゃなかったね。

「ええ、そうですね。あれはよかったな。いくつか気に入らないところもあったけど、全体としてはすごく感動的な本ですよね」

「どんなところがあなたの気に入らなかったのかしら? 思い出せる?」

実のところを言えば、『ロミオとジュリエット』について彼女と語り合うのは、いささかばつの悪いことだった。ほら、つまりあの戯曲はところどころでけっこう性的な感じになるし、なにしろ相手は尼さんなわけだからさ。でも向こうが質問したんだし、僕はそれについて彼女と少しのあいだ話をすることになった。「ええとですね、僕にはロミオとジュリエットって人たちがもうひとつぴんと来ないんです」と僕は言った。「いや、もちろん好意は持ってますよ――でもね、なんていうんだろう、彼らにはときどきいらいらさせられちゃうんです。僕はロミオとジュリエットが死んだときよりも、むしろマキューシオが死んだときの方がかわいそうだと思ったな。要するにですね、マキューシオがもうひとりのやつに、ジュリエットの従兄弟に、刺し殺されたあとでは、僕はロミオのことがどうしても好きになれなくなっちまったんです。あの従兄弟の名前はなんていったっけな？」

「ティボルト」

「そうそう、ティボルト」と僕は言った。どうしてもあの男の名前が覚えられないんだよ。「それはロミオの過失なんだ。つまりですね、僕はあの戯曲の中で彼のことがとりわけ好きなんです――マキューシオのことが。なんて言えばいいのかな。モンタギュー家の連中もキャピュレット家の連中も、みんなまっとうな人たちです。とくにジュリエットなんかね。でもマキューシオのやつは、なんていうのか――説明するのがむずかしいな。彼はすごく頭が切れて愉快なやつです。問題はですね、誰かが殺されたりすると――とくにすごく頭が切れて愉快なやつが殺されたりして、それが誰か他人のせいによるものだったりすると――僕はけっこうとり乱しちゃうということなんですよ。ロミオとジュリエットの死に関していえば、あれは少なくとも自分たちのせいみたいなもんだから」

「あなたはどこの学校に通っているのかしら？」と彼女は尋ねた。たぶん『ロミオとジュリエット』の話題は避けようときめたんだろうな。

ペンシー校だと言うと、彼女はその名前は耳にしたことがあると言った。とてもいい学校よねと彼女は言った。でも僕はそれを聞き流した。それからもう一人が（歴史と政治を教えている方だ）、そろそろ行った方がいいかもしれませんと言った。僕は彼女たちの勘定書をさっと取った。でも彼女たちは僕に勘定を払わせてはくれなかった。眼鏡をかけた方が僕にそれを返させた。

「これ以上ご親切にしていただくわけにはいきません」と彼女は言った。「あなたはとても心優しい方ね」。ほんとに感じのいい尼さんだったよ。彼女を見ていると僕は、列車の中で会ったアーネスト・モロウのお母さんのことをふと思い出してしまった。とくににっこりと笑ったりしたときにね。「あなたとお話しできてとても楽しかったわ」と彼女は言った。

お話しできて僕もすごく楽しかったです、と僕は言った。真実そう思ったんだよ。彼女たちが話の途中で突然、僕がカソリックかどうか探りを入れてくるんじゃないかと、ずっとひやひやしていなかったら、もっと素直に会話を楽しめただろうと思う。カソリックの人って、いつだって相手がカソリックかどうかを知りたがるものなんだよ。僕はしょっちゅうそういう目にあうんだ。というのは、ひとつには僕のラストネームがアイルランド系で、アイルランド系の人ってだいたいカソリックだからだ。実際の話、僕の父親はかつてはカソリックだった。でも母親と結婚するときに教派を変えた。でもカソリックの人って、たとえラストネームを知らなくたって、君がカソリックかどうかを知りたがるものなんだよ。ウートン・スクールにいるときに、ルイス・シェイニーっていうカソリックの子がいた。彼は僕がそこで最初に話をした相手だった。僕らはろくでもない医務室の外にある椅子に座っていた。いちばん前のふたつの席だった。学期の初日で、そこで二人して身体検査の順番を待っていた。待っているあいだにテニスの話になった。彼は相当なテニス・ファンだったし、僕もテニス好きなことでは人後《じんご》に落ちない。毎年夏には全米大会を観戦するためにフォレスト・ヒルズに行くんだよと彼は言った。僕も毎年観に行くよ、と僕は言った。それでプロ・テニスの一流選手たちについて本腰を入れて話しこむことになった。彼はその歳の子どもにしてはテニスのことをずいぶんよく知っていた。ほんとに感心するくらい。それから会話の途中で、とくになんの脈絡もなく、彼は出し抜けに僕に尋ねた。「ところで君、この町のどこにカソリックの教会があるかなんて、ひょっとして知らないかな?」って。その言い方から僕は、ああこの男はこっちがカソリックかどうか知りたがっているんだなって察したわけだよ。ほんとにそうなんだ。彼が宗教的に偏狭《へんきょう》だとかそういうことじゃないんだよ。ただ単に知りたがっているだけなんだ。彼はテニスについての会話を楽しんでいたんだ。でもさ、もし僕がカソリックだったら、彼にとってそれは更に楽しいものになるんだろうなってことが、なんとなくわかるんだよ。そういうのがあると僕は頭がけっこう乱れちまうんだ。そのせいで彼との会話が台無しになったとか、そういうんじゃないんだよ。実際に台無しになったりもしなかったしさ。でもそういうのって、やっぱりいくらか水を差されるみたいなところがあるじゃないか。だから僕としては、二人の尼さんが僕がカソリックかどうか尋ねたりしなかったことをありがたく思ったわけさ。もしそんな質問をされたとしても、僕らの会話は台無しになったりはしなかっただろう。でもたぶん違った感じのものにはなっていただろうね。だからといって、べつにカソリックの人たちのことを悪く言ってるんじゃないんだぜ。ほんとに。もし僕がカソリックだったとしても、やっぱり同じように思うんじゃないかな。それはある意味では、さっき話をしていたスーツケースと似たようなことなのかもしれないね。僕が言いたいのはただ、そういうのって楽しい会話の助けにはならないってことさ。言いたいことはそれだけ。

二人の尼さんが席を立って出て行きかけたときに、僕はすごく間抜けでみっともないことをやらかしてしまった。煙草を吸っていたんだけど、立ち上がって二人にさよならを言うときに、その煙をちょっと、相手の顔に間違って吹きかけてしまったんだ。そんなことをするつもりはなかったんだけど、ついそうなっちまったんだ。僕は気がふれたみたいに必死に謝りまくったよ。そんなことは何でもないと、二人は親切に言ってくれた。しかしどう考えてもそれはみっともないことだった。

二人が出ていったあとで、十ドルしか寄付しなかったことをひしひしと後悔した。でも考えてみたら、サリー・ヘイズと一緒にマチネーに行く約束をしていて、そうなるとチケットを買うだとかなんだとかあるわけだし、ある程度のお金は持っていなくちゃならない。にもかかわらず僕はやはり後悔した。お金っていやだよね。どう転んでも結局、気が重くなっちまうだけなんだ。

16

朝食を食べ終えたとき、時刻はまだ正午くらいだった。サリーとの待ち合わせは午後の二時だったから、その前に長い散歩をすることにした。あの二人の尼さんについて考え始めると、止まらなくなってしまった。学校で教えてないときに、彼女たちが募金を集めるのに使っているあのおんぼろの麦藁バスケットのことをずっと考えていたんだ。うちの母親なんかが、あるいはうちの叔母さんとか、サリー・ヘイズのクレイジーな母親とかが、どこかのデパートの前に立って、おんぼろの麦藁バスケットを差し出して貧しい人たちのための募金をつのっている光景を想像してみた。想像するのはむずかしかった。うちの母親についてはまあそんなでもないんだけどさ、ほかの二人の場合はむずかしかったね。うちの叔母さんってのはけっこう博愛心に富んだ人で、赤十字の活動なんかもずいぶんやっているんだ。しかしものすごく服装に気をつかう人だから、たとえ慈善活動をするときでも、ばりっとした身なりをして、口紅なんかもしっかりつけている。もし黒ずくめの服を着て、口紅も一切なしでやらなくちゃならないと言われて、なおかつ彼女が慈善活動をやるかっていうと、僕にはぜんぜんそうは思えないんだよ。それからあの、サリー・ヘイズのお母さん。ジーザス・クライスト。あの人はお金を差し出す人たちがみんな、へいこらと這いつくばっておべんちゃらでも言ってくれないかぎり、小汚いバスケットを持って募金を呼びかけたりはしないね。みんながお金をただひょいとそこに放り込んで、彼女になんか目もくれず、声もかけず、そのまますたすた歩き去ってしまうようなら、ものの一時間ともちはしないだろう。募金なんか切り上げて、さっさとどっかに行っちまうだろう。飽きちゃうんだね。バスケットを「これお願いね」とか言って適当に誰かに渡して、そのへんのちゃらちゃらしたレストランに行って、ランチなんか食べてるはずだ。僕があの尼さんたちに好意をもつのは、そういうところなんだよ。つまりさ、あの尼さんたちがランチを食べにどっかのお洒落なレストランに行ったりするとはまず思えないもの。そう考えると、僕はけっこう切なくなっちまった。彼女たちがどっかのお洒落なレストランに行くことなんて絶対にないんだって思うとさ。そういうのって、どうでもいいようなことなんだけど、それでもなんだか切ない気持ちになったんだよ。

なんとはなくブロードウェイの方に歩いていった。もう何年もそのあたりに行ったことはなかったからさ。それから、日曜日にも開いているレコード店を探すためもあった。フィービーのために『リトル・シャーリー・ビーンズ』というレコードを買うつもりだった。このレコードはみつけるのが簡単じゃないんだ。小さな子どものことを歌った唄で、その子は前歯が二本抜けていて、それが恥ずかしいから、うちから出ようとしないんだね。僕はペンシーにいるときにその唄を聴いた。べつの階にいるやつがレコードを持っていたんだ。これは絶対にフィービーの気に入るだろうと思ったから、そのレコードを売ってくれないかと持ちかけたんだけど、相手は首を縦に振らなかった。すごく古い、いかしたレコードで、二十年くらい前にエステル・フレッチャーという黒人女性歌手が吹き込んだものだった。彼女はすごくディキシーランド風に、娼家《ホアハウス》風に歌っているんだけど、ぜんぜんべたっとした感じじゃないんだ。もし白人の女性歌手がこういうのを歌ったら、きっとどうしようもなくキュートな感じにしちゃうだろうね。でもエステル・フレッチャーっていう歌手は、実にツボを心得た歌い方をしている。こいつは僕がこれまでに聴いた中でも最高のレコードのひとつだった。僕は日曜日でも開いているレコード店をどこかでみつけて、このレコードを買い、それを持って公園に行くつもりだった。日曜日だったし、フィービーは日曜日になるとしょっちゅう公園に来てローラースケートで遊んでいたからだ。だいたいどのへんにいるかもわかっていた。

前の日みたいなとてつもない寒さじゃなかったにせよ、太陽はやはり姿を隠していたし、絶好の散歩日和ってわけでもなかった。でもひとつ愉快なことがあった。ついさっきどこかの教会から出てきたばかりとおぼしき一家が、僕のすぐ前を歩いていた。父親と母親と六歳くらいの男の子。彼らはどっちかというと貧しそうに見えた。父親は貧乏な人がシャープに見せたいときによくかぶるようなパール・グレイの帽子をかぶっていた。彼と奥さんは二人で話をしながら歩いていて、子どもにはこれっぽっちも注意を払っていなかった。でもその子どもはなかなか良かったね。その子は歩道を歩かずに、車道を歩いていた。歩道の縁のすぐわきのところを歩いていたんだけどさ。彼はまっすぐな一直線をたどって歩こうと必死にがんばっていた。そういうのって小さな子どもがよくやるじゃないか。そしてそのあいだずっと唄を歌ったり、ハミングをしたりしているんだ。何を歌っているのか知りたくて、僕はその子の近くに寄ってみた。その子の歌っているのは、「ライ麦畑をやってくる誰かさんを、誰かさんがつかまえたら（If a body catch a body coming through the rye）」という唄だった。なかなかかわいらしい声だった。彼はとくに意味もなくその唄を歌っているみたいだった。車がそのわきをスピードを出してびゅんと通り過ぎ、ブレーキの音がひびきわたった。でも両親は子どもにはまったく注意を払っていなかった。そして子どもは歩道の縁に沿って歩きながら、「ライ麦畑をやってくる誰かさんを、誰かさんがつかまえたら」と歌い続けていた。それを聴いていると気持ちが晴れてきた。僕はもうそれほど落ち込んでいなかった。

ブロードウェイの人混みはすさまじいものだった。日曜日の、それもまだ昼の十二時だというのに、なにしろひどい混雑なんだ。みんな映画を見に行くところなんだよ——パラマウント、アスター、ストランド、キャピトル、その手の血迷ったような劇場にね。日曜日だからみんなばりっとした格好をしていて、おかげで気持ちは余計にすさんだ。なによりもめげたのは、人々がみんな映画をわざわざ見に行きたがってるように見えるってことだった。そういう連中を目にするのは耐えられなかった。ほかにやることがないから映画にでも行こうかって考えるのは、まあわかるんだ。でも人が映画をわざわざ見に行きたいと思うなんて、おまけに一刻も早く映画館に着こうと早足になったりまでするなんて、僕にはぜんぜん理解できないんだよ。とくに何百万人もの人たちが映画館の前から延々おぞましい長蛇《ちょうだ》の列を作って、席をとるための艱難辛苦《かんなんしんく》に耐えているところを目の前にしたりしたらさ。まったくもうそんなところからは一刻も早くおさらばしたい。しかし僕はラッキーだった。というのは最初に入ったレコード店に『リトル・シャーリー・ビーンズ』のレコードがあったから。値段は五ドルもした。手に入れるのがすごくむずかしいレコードだったからね。でも値段なんてべつにかまわない。うん、それでもう僕はだんぜんハッピーになっちまったわけさ。一刻も早く公園に行って、フィービーをみつけてこのレコードを渡さなくちゃ、と思った。

レコード店を出たところにドラッグストアがあったので、中に入った。そこからジェーンに電話をかけて、休暇で家に戻っているかどうかチェックしようと思ったんだ。で、僕は電話ブースに入って、彼女のうちに電話をかけた。問題は彼女のお母さんが電話にでたことだった。だからそのまま電話を切らなくちゃならなかった。ジェーンの母親の長話につきあいたいような気分じゃなかったんだ。そもそもからして、女の子の母親と電話で話をしたりするのがあんまり好きじゃないんだよ。でもせめてジェーンが家に戻っているかどうかくらいは尋ねてもよかったな。それくらい尋ねても命に別状はなかったはずだ。でもさ、そんな気分にもなれなかったんだ。そういうのって気が乗らないとうまくできないものなんだよ。

まだ劇場のチケットを買っていなかった。それで新聞を買って、どんな芝居がかかっているのか調べてみた。日曜日だったから、三本しかやっていなかった。で、僕が何をやったかっていうと、『アイ・ノウ・マイ・ラブ』の一階前列のチケットを二枚買いにいったわけだ。それは慈善公演とかその手のものだった。僕はそんなものとくに見たくはなかった。でもサリーときたらインチキの国の女王様みたいなもんだから、この芝居のチケットを手に入れたなんて言ったら、きっとよだれをたらしまくることだろう。なにしろラント夫妻（アルフレッド・ラントとリン・フォンタンの夫妻。当時の舞台の花形俳優であり、しばしば共演した）の出演する芝居だったからね。すごく洗練されて、辛口だと見なされていて、ラント夫妻なんかも出ているような芝居がサリーのお好みなんだ。僕はそうじゃない。正直に言わせてもらえれば、どんな芝居だってたいして見たいとは思わないんだよ。まあ、映画ほど悪質じゃないとは思うよ。しかしそんなに後生大事にたてまつるほどのものでもない。だいたい僕は俳優ってのがちっとも好きじゃないんだ。彼らは生身の人間みたいに振る舞わない。生身の人間みたいに振る舞っていると自分で思いこんでいるだけだ。中にはそういうことのできる優れた俳優もいるけれど、それもせいぜいちょっとできるだけだし、見ていて楽しいとかそういう感じじゃないんだな。それに優れた俳優ってのはだいたい、自分が優れた俳優だってことをしっかり心得ているし、そういう感じってついつい滲《にじ》み出てきて、嫌みになっちまうんだよね。

たとえばサー・ローレンス・オリビエだ。僕は彼の『ハムレット』を見た。去年、兄のDBがフィービーと僕を連れて行ってくれたんだ。彼はまず僕らに昼ご飯をご馳走してくれて、それから映画館に行った。兄は前に一度その映画を観ていたので、昼ご飯のときにいろいろ話をしてくれたんだけど、それを聞いているうちに、僕も観たくてたまらなくなった。しかし僕はその映画が今ひとつ好きになれなかった。サー・ローレンス・オリビエのいったいどこが素晴らしいのか、ちっともわからなかったんだ。ただそれだけ。彼は見事な声をしていたし、とびっきりハンサムだし、歩いたり決闘をしたりするのを眺めているのは最高だった。でもDBが話してくれたハムレット像とオリビエとはぜんぜんあっていなかった。オリビエは頭がこんがらがった気の毒な青年というよりは、どっかのお偉《えら》い将軍みたいに見えたんだよ。全体の中でいちばんよかったのは、オフェリアのお兄さん――最後にハムレットと決闘することになるやつなんだけど――こいつが旅立つことになって、父親からあれこれとアドバイスを受ける場面だ。父親がもっともらしいこと言ってる傍《かたわ》らで、オフェリアは兄のことをおちょくりまくるんだよ。短剣を鞘《さや》から抜いちゃったり、父親のくどくどしい忠告を真剣に聞くふりをしている兄に、しょっちゅう茶々を入れたりさ。これはよかったね。僕はそこのところですっかり盛り上がってしまった。でもそういう場面はちょっとしかなかった。フィービーが気に入ったただひとつの場面は、ハムレットが犬の頭をとんとんと撫でるところだった。そこがおかしくてよかったと言った。まったくそのとおりなんだけどさ。で、思うんだけど、僕はいつかその戯曲を読まなくちゃいけないね。僕の問題は、いちいち自分で本を読まなくちゃならないってことなんだ。俳優が目の前でそれを演じたりしたら、台詞なんてほとんど耳に入らないんだ。こいつ、今になんかインチキなことをやりだすんじゃないだろうかって、そういうことばかり気になっちまうからさ。

ラント夫妻の出る芝居の切符を二枚買ったあとで、タクシーを拾って公園まで行った。地下鉄に乗るべきだったのかもしれない。手持ちのお金がだんだん乏しくなっていたからね。でも僕としちゃ、このおぞましいブロードウェイ界隈《かいわい》を一刻も早く離れたかったんだよ。

公園の中はもうひとつ冴えなかった。やたら寒いというわけじゃなかったけど、太陽は相変わらず出ていなかったし、あたりはしょぼくれていた。目につくものといえば犬の糞と、唾のかたまりと、年寄りの捨てた葉巻の吸い殻くらいだ。ベンチはどれも、腰を下ろしたらぐっしょり濡れてしまいそうに見えた。なにしろ滅入っちまう風景だったし、歩いているとときどき、これという理由もなく鳥肌が立った。もうすぐクリスマスが来るというような雰囲気じゃまるでないんだよ。いつまでたってもなんにも来ませんっていう雰囲気なんだ。でもとにかく僕は遊歩道《モール》まで歩いていった。フィービーは公園に来るとだいたいいつもそこに行くから。バンドスタンドの近くでローラースケートをするのが好きなんだ。不思議なもんだね。僕も子どもの頃はよく同じ場所でスケートをしたもんだ。

　でもそこに行ってみると、フィービーの姿はどこにも見えなかった。あたりでは何人かの子どもたちがスケートをしていた。二人の男の子たちがソフトボールでフライのあげっこをしていた。でもフィービーはいない。ただフィービーくらいの年頃の女の子が一人でベンチに座って、スケート靴のねじを締めているのが目についた。この子ならフィービーのことを知っていて、今どこにいるかも教えてくれるんじゃないかと思った。それでとなりに腰を下ろして尋ねてみた。「ねえ、君はフィービー・コールフィールドって子を知ってる？」

「誰？」とその子は言った。ジーンズの上に二十着くらいのセーターを重ね着している。彼女のお母さんの手編みのセーターだということは一目でわかった。なにしろ編み目が不揃いだったから。

「フィービー・コールフィールド。七十一丁目通りに住んでる。学年は四年生で、学校は——」

「フィービーを知ってるの？」

「僕はフィービーのお兄さんなんだよ。フィービーが今どこにいるか知らない？」

「ミス・キャロンのクラスにいる子でしょ？」とその子は言った。

「えーと、どうかな。たぶんそうじゃないかと思うけど」

「じゃあきっとミュージアムに行ってるはずだよ。先週の土曜日にわたしたちが行ったから」とその女の子は言った。

「どっちのミュージアム？　美術館か、博物館か、どっち？」と僕は尋ねた。

彼女はちょっと肩をすくめるような格好をした。「わかんない」と言った。「とにかく、ミュージアム」

「それはわかってるけど、絵が飾ってあるところ？　それともインディアンがいるところ？」

「インディアンがいるところ」

「どうもありがとう」と僕は言って立ち上がった。でも行きかけたときに、今日が日曜日だってことを突然思い出した。「ねえ、今日は日曜日だぜ」と僕はその子に言った。

女の子は顔を上げた。「ああそうか、じゃあミュージアムじゃないわね」

その子はスケート靴を締めるのにやたら時間をかけていた。手袋もはめてなくて、両手は冷えて真っ赤になっていた。それで彼女に手を貸してやった。まったくの話、スケート・キーなんてずいぶん長いあいだ手にしていなかった。でも違和感みたいなものはなかった。あと五十年たって、真っ暗闇の中で急にスケートのキーを渡されたとしても、僕にはそれがなんだかすぐにわかるはずだ。靴のねじをしっかり締めてやると、どうもありがとうとその子は言った。とても感じのいい礼儀正しい子だった。そうなんだ、スケート靴を締めてやるとかそういうことをしてあげたときに、きちんと丁寧にお礼を言われたりすると、僕はとても嬉しくなるんだよ。たいていの子どもはきちんとしてるよ。ほんとの話さ。温かいココアでも一緒に飲まないかと僕は誘ってみた。ありがとう、でもいらないとその子は言った。これから友だちに会うことになっているからと。子どもって、いつだって誰か友だちと会うことになっているんだね。うん、たいしたもんだよ。

日曜日で、フィービーがクラスの課外授業でミュージアムに行っているわけはなかったし、あたりはじっとり湿ってしょぼくれていたけれど、僕はかまわず公園を横切って自然歴史博物館に向かった。それがスケート・キーを持った女の子が言う「ミュージアム」のはずだった。僕はこの博物館のことなら、それこそ隅から隅まで知っていた。僕は子どものとき、今フィービーの通っているのと同じ小学校に通っていて、やっぱりしょっちゅう博物館に行った。ミス・エイグルティンガーという先生がいて、彼女はほとんど毎週のように土曜日になると僕らを博物館に連れて行った。ときには僕らは動物を見たし、ときには大昔にインディアンが作ったものを見た。陶器とか麦藁のバスケットとか、そういうもの。そのときのことを思い出すとすごく幸福な気持ちになる。今でもなお、ね。インディアンの展示を全部見たあと、だいたいいつも大講堂に行って映画を見た。コロンブスの映画。そこではいつもコロンブスがアメリカ大陸を発見したときの映画をやっているんだ。船を調達するのに必要な金をフェルナンドとイサベルに貸してもらうためにすごい苦労したり、船員が途中で反乱を起こしたり、そういうなにやかや。僕らはコロンブスがどうなろうが知ったことじゃなかった。でも君はキャンディーやガムなんかをたっぷりと持っているから、場内には甘い香りがぷんと漂うことになる。まるで、外では雨が降っています、というような匂いがした。たとえ実際には降っていなくてもね。で、この世界中で唯一《ゆいいつ》、僕らの今いる場所だけが、からっと乾いて居心地がよくてなごめる場所なんだ、みたいな。僕はその博物館がなにせ好きなんだ。

講堂に行くにはインディアン展示室を抜けなくちゃならない。長い長い部屋で、そこでは小さい声でしか話しちゃいけないんだ。先生が先頭に立ち、そのあとを生徒たちがついていく。二列縦隊で、君にはパートナーがいる。僕のパートナーはだいたいいつもガートルード・レヴィーンっていう女の子だった。彼女は必ず君の手を握りたがるんだけど、彼女の手ときたら決まってべたついているか汗で湿っているかなんだよ。床は石でできていて、もし君がおはじきをいくつか持っていて、それを落としたとしたら、それはもう気がふれたみたいにぴょんぴょんとはねて床じゅうに散らばり、えらい騒ぎになっちまうわけだ。先生はみんなを立ち止まらせ、後ろにやってきて、いったい何が起こったのかをチェックする。でも先生は決して怒りまくったりはしない。このミス・エイグルティンガーはね。それから君はその長い長いインディアンの戦闘カヌーのわきを通り過ぎる。なにしろキャディラックを三台並べたほどの長さがあるんだよ。そこには二十人くらいのインディアンが乗り込める。オールを漕いでいるのもいるし、なにもせずただタフな顔をして突っ立っているのもいる。みんな戦いのための顔料を顔に塗りまくっている。カヌーの最後尾にはすごく気色《きしょく》の悪いやつがいる。仮面なんかつけてさ。呪《まじな》い師なんだよ。こいつにはぞっとさせられたけど、にもかかわらず僕はこいつのことが好きなんだ。もうひとつ。もし君が通りがかりにパドルなんかにちょっと触るとさ、警備員が君に向かって注意する、「坊やたち、さわるんじゃないよ」ってね。でもそれはいつだって優しい声なんだ。お巡《まわ》りみたいなどすのきいた声じゃない。それから君は大きなガラスのケースの前を通りかかる。ケースの中にはインディアンたちがいて、彼らは火を熾《おこ》すために棒をこすりあわせている。女が毛布を織《お》っている。毛布を織っているインディアン女は前屈みになっているので、おっぱいなんかをばっちり見ることができる。僕らはみんなそれをこっそりと、でもしっかりのぞき込んだものだ。女の子たちですら同じことをした。というのはまだみんな小さな子どもだったから、女の子たちの胸だって僕らと変わりなかったからだ。

それから講堂の中に入るちょっと前、入り口のすぐ手前に、一人のエスキモーがいる。氷結した湖に開けた穴にかがみ込むように座って、その穴から魚を釣っているんだ。穴のわきには二匹ばかり魚が置いてある。既に釣り上げたぶんだ。まったくの話、この博物館ときたらガラスケースだらけなんだよ。上の階にももっとたくさんある。溜《た》まりの水を飲もうとしている鹿とか、越冬するために南に飛んでいく鳥なんかがその中に入っている。手前の方にいる鳥たちは剝製《はくせい》にされたもので、上から針金で吊されている。奥の方にいる鳥たちは壁にただ描かれたものだ。でも鳥たちはみんなほんとうに南に向かって飛んでいるみたいに見えるんだよ。そしてもし君がかがみこんで、逆さに見上げると、鳥たちは更に急いで南に向かっているように見えるんだ。

　でもね、この博物館のいちばんいいところは、なんといってもみんながそこにじっと留《とど》まっているということだ。誰も動こうとはしない。君はそこに何十万回も行く。でもエスキモーはいつだって二匹の魚を釣り上げたところだし、鳥たちはいつだって南に向かっているし、鹿たちはいつだって溜まりの水を飲んでいる。素敵な角《つの》、ほっそりしたかわいい脚も同じ。おっぱいを出したインディアン女はいつだって同じ毛布を織っている。みんなこれっぽっちも違わないんだ。ただひとつ違っているのは君だ。いや、君がそのぶん歳をとってしまったとか、そういうことじゃないよ。それとはちょっと違うんだ。ただ君は違っている、それだけのこと。今回君はオーバーコートを着こんでいるかもしれない。あるいはこの前に列を組んだときの君のパートナーは、今回は猩紅《しょうこう》熱にかかっていて、君には新しいパートナーがいるかもしれない。あるいは君のクラスを今回率《ひき》いているのはミス・エイグルティンガーじゃなく、代理の先生かもしれない。あるいは君はバスルームで母親と父親が激しい喧嘩をしているのを耳にしたあとかもしれない。あるいは君はさっき通りがかりに、水たまりにガソリンの虹が浮かんでいるのを目にしたかもしれない。つまり僕が言いたいのはさ、君はなんらかの意味でこの前の君とは違っているということなんだ。うん、うまく説明できないんだけどさ。それにもしうまく説明できたとしても、いちいち説明したいっていう気になるかどうかはわからないね。

歩きながら、例のハンティング帽をポケットから取り出してかぶった。知り合いに会う可能性はなかったし、あたりはずいぶんじっとり冷え込んでいたから。僕はただ延々と歩きつづけ、延々と考えつづけた。そしてフィービーが土曜日に、僕が昔やったのと同じように博物館に行くということについて。フィービーは僕がかつて見たものを同じように見るだろうし、見るたびに彼女もやはり違っているんだということについて。そう考えてとくに気が滅入ってきたというんでもないけど、すごく陽気になったというわけでもなかったね。ある種のものごとって、ずっと同じままのかたちであるべきなんだよ。大きなガラスケースの中に入れて、そのまま手つかずに保っておけたらいちばんいいんだよ。そういうのが不可能だって、よくわかってはいるんだけど、まあ残念なことではあるよね。僕は歩いているあいだずっと、とにかくその手のことをぶつぶつと考えていたわけさ。

遊び場を通り過ぎるときに、立ち止まって二人のすごく小さな子どもたちがシーソーで遊んでいるのを眺めた。一人の子どもは太り気味だったので、僕は痩せた方の子どもの側にちょっと手を添えてやった。つまり重量的に公平になるようにね。でもその子たちは手出しをしてほしくないと思っているようだったから、僕は二人をそのままにしていった。

それから妙な成りゆきになってしまった。というのは博物館の前に着いたとき僕は急に、たとえ百万ドルもらったって中には入りたくないなと思っちゃったんだよ。それはもうぜんぜん心をそそらなくなっていたんだ。せっかく公園を歩いて横切って、胸をわくわくさせながらここまで来たっていうのにさ。フィービーがそこにいるってことがわかっていたら、中に入ったと思うよ。でも彼女はいない。で、僕が何をやったかっていうと、博物館の前でタクシーを拾ってビルトモア・ホテルに向かったわけさ。とくに行きたいとも思わなかったけど、なにしろサリーとデートの約束をしちゃってたからね。

17

ずいぶん早く着いてしまったので、僕はロビーの時計近くの革のソファに座って、女の子たちを眺めていた。多くの学校はもう休みに入っていたから、おおよそ百万人くらいの女の子たちがそのへんに座ったり立ったりして、デートの相手が現れるのを待っていた。脚を組んでいる女の子たち、脚を組んでいない女の子たち、素敵な脚をした女の子たち、ぱっとしない脚の女の子たち、感じのよさそうな女の子たち、つきあってみたら性格の悪さがずるずる出てきそうな女の子たち。なんというか、それは見ごたえのある光景だった。でも考え方によっちゃ気の滅入る光景でもあった。というのは、そんな女の子たちがこれからいったいどうなっていくんだろうと、君はついつい考えちまうからだ。つまり学校を出てから、カレッジを出てから、ということだよ。たぶん彼女たちの多くは、冴えない男たちと結婚しちゃうんだろうなと君は想像する。俺の車はガロンあたり何マイル走るんだぜみたいな話ばかりしている男たちと。ゴルフで（あるいはピンポンみたいなあほらしいゲームでもいいんだけどさ）誰かに負かされたらすごい不機嫌になったり、子どもみたいにムキになったりするような男たちと。とびっきり根性の悪い男たちと。本なんてぜんぜん読みもしない男たちと。救いがたく退屈な男たちと——でもそういうのって一概に決めつけられないことかもしれない。つまりある種の男たちがほんとに退屈なのかどうかってことがさ。僕には退屈な連中のことがうまく理解できないんだよ。まったくの話。

エルクトン・ヒルズにいたとき、ハリス・マックリンって男と二カ月ばかり同室になった。こいつはすごく知性的ではあるんだけど、僕がこれまで出会った中では、退屈さにかけちゃ掛け値なし、まったくの超弩《ど》級だった。この男、耳障《ざわ》りなキイキイ声の持ち主なんだけど、いったんしゃべり始めたらもう話が止まらない。とにかく際限なく続くんだよ。更に困ったことにこの男は、君がとくに聞きたくもないというような話しかしないんだ。そもそも絶対に。ところがこいつにはひとつ特技があった。口笛がとびっきり上手なんだ。こんなに口笛のうまいやつにはいまだもってお目にかかったことがない。ベッドをなおしたり、クローゼットに服をかけたりしながら——またしょっちゅうクローゼットに服をかけている男で、それにはとことんうんざりさせられたんだけど——そのあいだずうっと口笛を吹いてるんだ。つまり耳障りな声でしゃべりまくってないときには、ということだけどね。こいつは口笛でクラシック音楽だってちゃんと吹くことができるわけだが、だいたいにおいてジャズの曲を吹いていた。いかにもジャズっぽい音楽、たとえば『ティン・ルーフ・ブルーズ』みたいなのを選んで、それをさらっと、いい感じで吹くことができた。クローゼットに服なんかをかけながらさ。これにはうならされるぜ。でももちろん、僕がその口笛に参ってる、みたいなことは口には出さなかったよ。だって面と向かって「君の口笛は見事だよな」なんてちょっと切り出せないじゃないか。でも僕は彼と丸々二カ月くらい同じ部屋に住んだ。世界の果てまで退屈なやつで、僕の頭は半分崩れかけたくらいだけど、それでも口笛が最高にうまかったから我慢できた。あんなに見事な口笛ってまず聞けないね。だからさ、退屈な人間ってのはそもそもよくわからないものなんだ。というようなわけで、もしどっかの素敵な女の子が見るからに退屈な男と結婚したとしても、それほど気の毒に思ったりするべきじゃないのかもしれない。そういう連中は、というかそのほとんどは、たぶん誰かを傷つけたりすることもないだろう。それに彼らは実を明かせばみんな口笛吹きの名人だったとか、そういうことなのかもしれない。本当のところって外から見るだけじゃわかりにくいものなんだよね。そう思うな。

やっとサリーが階段を上がってきた。僕は立ち上がって彼女を迎えに下りていった。彼女はきれいだった。そりゃたいしたものなんだよ。黒いコートを着て、黒いベレー帽みたいなのをかぶっていた。普段は帽子なんてあまりかぶらないんだけど、このベレー帽はばっちり決まっていたね。とんでもない話だけど、彼女を見たとたんに結婚したくなっちまった。僕は頭がどうかしているんだ。だって僕は彼女のことがとびっきり好きってわけでもないんだからさ。それなのにとつぜん彼女に恋をしちゃって、結婚しようかみたいなことまで考えちまっている。どうみても僕の頭はとっちらかっているよね。真剣な話。

「ホールデン！」と彼女は言った。「会えてすごおく嬉しいわ！ とんでもなく久しぶりじゃない」。彼女の声ときたら、外で会うとちょっとこっちがひるんでしまうくらいみっともない大声なんだよ。まあルックスがとびっきりいいから、そういうのもカバーされちゃうんだけど、でもやっぱりめげるよな。

「君に会えて嬉しいよ」と僕は言った。本気でそう言ったんだよ。「元気にしてた？」

「すごいご機嫌よ。私、遅れなかった？」

ぜんぜん、と僕は言った。正確に言えば十分くらい遅刻していたんだけど、そんなことはべつにどうでもよかった。デートの相手が待ち合わせの時間に遅れて、男が街角に立って仏頂面《ぶっちょうづら》をしている漫画が、「サタデー・イブニング・ポスト」なんかによく載ってるけど、ああいうのって嘘っぱちだね。やってきた女の子が目が覚めるようなルックスだったら、多少の遅刻なんて誰が気にするだろう？ 誰もしないね。「ちょっと急いだ方がいいな」と僕は言った。「芝居は二時四十分に始まるからさ」。僕らはタクシーを拾いに下に降りた。

「私たちこれから何を見に行くの？」とサリーが訊いた。

「えーと、なんだっけな？　ラント夫妻。それくらいしかチケットが買えなかったからさ」

「ラント夫妻が出るの！　最高じゃない！」

だからさ、ラントって名前を出したら彼女はぜったいもだえまくるって、さっきも言ったよね。劇場まで行く途中、僕らはタクシーの中で少々いちゃつきあった。最初のうちサリーはそれを嫌がった。口紅とかそういうのをしっかりつけていたから。でも僕はそのへんをすごくうまくやったから、彼女に勝ち目はなかった。二度ばかり、前がつっかえてタクシーが急停車したときに、僕はあやうく座席から転げ落ちそうになった。タクシーの運転手って、前を見て運転してたためしがないんだ。まったくの話。で、どれくらい僕の頭がおかしいかひとつ例をあげて君に説明するとだね、僕はその熱い抱擁《ほうよう》を解いたあとで、彼女に向かって君のことを愛しているよとかなんとか、その手のことを言っちゃったわけだ。それはもちろん嘘っぱちだった。でも君にわかってほしいのはさ、それを口にしたときには本気でそう思っていたんだってことだよ。僕は頭がいかれてるんだ。まじめな話、そう思うよ。

「ああ、ダーリン、私もあなたのことを愛してるわよ」と彼女は言った。でも間を置かずにこう続けるんだ。「髪の毛を長くのばすって約束してよ。クルーカットはもう時代遅れになってきたんだから。あなたの髪ってもともとかわいらしいんだし」

かわいらしいときたね、いやはや。

その芝居は、お話にならないくらいひどいというわけでもなかった。まあとるに足りない代物であることはたしかだとしても、もっとひどいやつだって見てきた。それはある夫婦の人生の、五十万年くらいにわたる物語だった。物語は二人がまだ若いところから始まる。女の子の両親は結婚に反対するんだけど、それでも彼女はその青年と結婚する。それから二人は手に手を取ってえんえんと歳をとりつづけるってわけだ。夫は戦争に行って、妻にはアル中の弟がいたりする。とにかくそんなに興味しんしんって話じゃないんだよ。つまりさ、その家族の誰かが死んじまったところで、僕としちゃべつにどうってことないんだ。結局のところみんな俳優が演じているわけだからさ。まあなかなか悪くないカップルだった。すごくウィットにも富んでいたしね。でもね、その二人にも僕はとくに興味は持てないわけだ。たとえばさ、二人はその芝居のあいだずっと、お茶やらなんやらをがぶがぶ飲みつづけているんだよ。二人が舞台に登場するとだね、必ず執事みたいなのが現れて、彼らの鼻先にお茶をぱかぱか置いていくとか、あるいは奥さんが誰かにお茶を注いであげるとか、そういうシーンがあるんだよ。そしてしょっちゅう誰かがやってきて、誰かが去っていったりするわけだ。そんなふうに人が立ったり座ったりするのを見ているだけで、頭がなんかくらくらしてくるんだ。老夫婦を演じるのがアルフレッド・ラントとリン・フォンタンで、この二人はたしかにとてもうまかったけど、僕としてはあんまりぴんとこなかったね。しかしなんのかんの言っても、この二人はほかの連中とは格が違うんだな。彼らは生身の人間みたいに自然に振る舞いはしないけど、いかにも役者っぽく振る舞いもしない。これを言葉で説明するのはむずかしいね。二人は自分たちが大物であることを承知していて、いかにも大物らしく演技した、と言うべきなのかもしれない。彼らはたしかにうまいんだ、でもいささかうますぎる。二人のどちらかが長めの台詞をしゃべり終えると、もう一人は間髪を入れずすごい早口でぱっと何か口をはさむんだ。つまり現実の人々がお互いに会話したり、相手の話の腰を折ったりしているのと同じような感じを出すためにね。でも問題はね、それが、現実の人々が会話したり、相手の話の腰を折りあったりしているという感じをあまりにもうまく出しちゃっているってことなんだ。そのへんはあのアーニーがビレッジでピアノを弾いているときの感じと、一脈通じているかもしれない。つまりさ、君が何かをあまりにも良くできるようになるとだね、自分でよほどよく注意をしていないかぎり、ついついそのうちに、これ見よがしなことをやり始めちゃうわけだ。そうすると君はもうそんなに良くなくなっちまってる。でもそういううるさいことを言わなければ、その芝居の中で彼らは――つまりラント夫妻はってことだけど――本物の脳味噌らしきものを持ちあわせている唯一の存在だった。それは認めなくちゃならないね。

　一幕目が終わると、僕らはまわりのとんちきどもと一緒にロビーに出て煙草を一服した。こいつはまさに壮観だったよ。こんなにたくさんの嘘くさい連中が一堂に会したところを、きっと君は目にしたことがないはずだ。みんなが煙草をもうもうと吹かしながら、さっきの芝居がどうたらこうたら、聞こえよがしな大きな声でしゃべりまくるわけだ。自分たちがどれくらいシャープな人間かみんなにわかるようにってさ。ぼんくらの映画俳優がひとり、僕らの近くに立って煙草を吸っていた。名前は知らない。でも戦争映画の中で、いよいよこれから一斉攻撃っていう段になると臆病風を吹かせる兵隊の役を、こいつはいつもやるんだよ。ゴージャスなブロンドが一緒で、二人はすごく無関心な風を装っていた。みんなが自分たちを見ていることになんかぜんぜん気づいておりませんっていうふりをしているんだ。謙虚さのお手本だね。僕はそれを見ていて参っちまったよ。サリーは、ラント夫妻を褒《ほ》めちぎるのをべつにすれば、ほとんど口をきかなかったからだ。彼女はきょろきょろまわりを見まわしたり、自分をチャーミングに見せたりするのに忙しかった。それから突然、彼女はロビーの向こう側に、知り合いのとんちきをひとり発見した。例のこってりとダークなダークグレイのフランネル・スーツに、例のチェックのベストといういでたちの男だった。アイビー・リーガーを絵に描いたみたいなやつさ。勘弁してもらいたいよ、まったく。こいつは壁際に立って煙突みたいに煙草を吹かし、とことん退屈そうな顔をしていた。サリーはこう言い続けていた。「えーと、あの子とどっかで会ったことあるみたい」と。どこに一緒に出かけても、サリーときたら必ず誰かとどっかで会ったことのある男をみつけちまうんだ。あるいは会ったことがあると思っている男をね。その同じ台詞をいつまでも繰り返していたんで、僕もさすがにうんざりして、「知り合いならあっちに行って、熱烈なキスでもしてくればいいじゃないか。きっと歓迎してくれるよ」と言った。そう言うと彼女は気を悪くした。でも最後にはそのとんちきがやっと彼女の姿を目に留め、こっちにやってきて挨拶をした。この手の連中がどんな挨拶をするか、君も後学《こうがく》のために見ておくべきだよ。そういうのを見るときっと君は、二人はたぶん二十年ぶりくらいに再会したんだろうな、とか思っちまうはずだ。小さな子どもの頃にこいつらはきっと同じバスタブで湯浴《ゆあ》みをさせてもらったりしたんだろう、とかさ。竹馬の友っていうやつさ。まったく吐き気がしてくるよね。ところがさ、笑っちまうじゃないか、こいつらはどうやらどっかの嘘っぽいパーティーでたった一度会ったことがあるだけなんだよ。べたべたした二人のあいだのやりとりがやっとこさ一段落すると、サリーは相手に僕を紹介した。男の名前はジョージなんとかといって（名字なんか覚えてもいない）、アンドーバー（ボストンの北二十一マイル。フィリップス・アカデミーという名門プレップスクールがある）に行ってるんだ。いやはや、おそれいるじゃないか。サリーに「どう、お芝居は気に入った？」と尋ねられたときのこの男の顔を、君にも見せてやりたかったね。こいつは誰かの質問に答えようとすると、なぜかそのための自前の空間みたいなものを確保しなくちゃならないってタイプのインチキ男なんだよ。それでさっと一歩後ろにさがったもんだから、後ろにいた女のひとの足をみごとに踏んづけてしまった。その足の指を全部ばりばりに折っちゃったんじゃないかな。芝居じたいは傑作ってわけでもないけど、今更ながら思うに、ラント夫妻はまさしく神の使いだね、と彼は言った。神の使いだってさ。おい、頼むよなあ。神の使いはないだろう。ひっくりかえっちまうじゃないか。それから彼とサリーはあまたいる共通の知り合いの話を延々とやりだした。こんなインチキな話は人生長しといえども、そうそうしょっちゅう聞けるものじゃない。二人は猛スピードでいろんな地名を思いついて、それからそこに住む人たちの名前を思いついて並べたてていった。座席に戻る時間になる頃には、僕はもうげえげえ吐いちまう寸前だったよ。ほんとの話。それでさ、次の幕が終わると、二人はなんとまたさっきのとことん不毛な話の続きにとりかかったんだ。更にあれこれ地名をあげて、そこに住んでいる人たちの名前を片端からあげてくんだよ。いちばん参ったのは、この抜け作がいかにもアイビー・リーグっぽい作りものみたいな声でしゃべったことだ。すごい疲労感あふれる、気取りまくった声だよ。まるで女の子の声みたいなんだ。この野郎はだいたい、他人のデートに厚かましく割り込んでくることに遠慮もクソもないわけだ。芝居が終わったとき、こいつは僕らのタクシーにまで乗り込んでくるんじゃないかと心配したくらいだった。というのはそいつは、僕らと一緒に二ブロックくらい並んで歩いたからさ。でも彼にはこれからほかのインチキ仲間たちとカクテルを飲みにいく予定があった。こいつらがみんなでお揃いのチェックのベストを着て、どっかのバーに腰を据えて、その疲労感あふれる猫なで声で、芝居やら本やら女やらについて偉そうに批評しまくるところが目に浮かんだ。この手の連中ってさ、僕は世界の果てまでめげちゃうんだよ。

　このアンドーバーの抜け作の話を十時間くらいぶっとおしで聞かされて、タクシーに乗ったあとでは、僕はもうほとんどサリーのことが嫌いになっていた。このままさっさとうちに送り届けちまおうかという気になっていたんだけど——ほんとにそのつもりだったんだ——彼女は言った。

「私にバッグンの考えがあるのよ！」。彼女にはいつだってバッグンの考えがあるわけだよ。「ねえ、あなた夕ごはんにおうちに戻らなくちゃいけないの？　つまり、すごい急いでるとかそういう感じ？　何時までにうちに戻らなくちゃいけないとか」

「僕が？　いや、予定なんて何もないけどさ」と僕は言った。これほどの真実ってなかなか言えないよな、ほんと。「どうして？」

「ラジオ・シティーに行ってアイススケートしましょう！」

サリーときたら、いつだってこういうとんでもないことを思いつくわけだ。

「ラジオ・シティーでアイススケートをするって、今からかい？」

「一時間くらいよ。やりたくない？　もしあなたの気が進まないのなら――」

「いや、気が進まないって言ってるわけじゃないよ」と僕は言った。「いいよ。もし君がそうしたいって言うんなら」

「それって本気？　私はとくにどっちだっていいんだから。べつに無理にあわせてくれなくてもいいのよ」

どっちだっていいわけがないだろうよ。

「あそこでスケート用のかわいいスカートを貸してもらえるんだ」とサリーが言った。「先週ジャネット・カルツも借りたの」

なるほど、熱心にスケートがやりたかったのには、そういうわけがあったんだ。サリーはお尻がやっと隠れるだけという例のスカートをはいてみたかったんだね。

僕らはそこに行ってスケート靴を借り、それからサリーはお尻がぷりぷり揺れて見える小さなブルーのウェアを借りた。でもそのなりはたしかにすごく似合っていた。こいつは認めなくちゃならない。そして本人もそのことをよく承知していたはずだ。というのはサリーはずっと僕の先に立って歩いたからだ。つまり、彼女の小さなお尻がどんなにキュートか、僕がじっくり観察できるようにね。じっさいにすごいキュートなお尻だったね。そいつは認めなくちゃならない。

　しかしお笑いだったのは、そのリンク全体の中で僕らが誰よりも下手くそなスケーターだったっていうことだった。掛け値なしにいちばん下手だったんだ。ほかにも下手くそな連中はけっこういたんだけど、それでも。サリーの足首は今にも氷にくっつきそうなくらいくにゃっと曲がっていた。それはひどく間が抜けて見えるっていうだけではなく、現実的にすごく痛かったはずだ。とにかく僕は痛かったからさ。ほんと、痛くて死にそうだったよ。やれやれ、二人ともとことんゴージャスに見えたはずだ。なおさら悪いことには、すってんころりんと転ぶスケーターをじろじろ眺めるくらいしかやることがないという見物人が、少なく見つもって二百人くらいリンクをとり囲んでいたんだ。

「中にテーブルをとって、何か飲んだりしないか？」、僕はたまらず彼女を誘った。

「それは今日のところ、あなたが持ち出したなかで最高の提案だわね」とサリーは言った。彼女もほうほうの体《てい》だった。さんざんな目にあったわけだ。僕としては心から同情したよ。

　僕らはそのろくでもないスケート靴を脱ぎ、バーに行った。そこでなら靴下姿で一杯やりながら、スケーターたちを見物することができる。席に着くとすぐにサリーは手袋をとった。僕は彼女に煙草を勧めた。彼女はそれほどハッピーには見えなかったね。ウェイターがやってきて、僕はサリーのためにコークを注文し——彼女は酒は飲まない——自分のためにスコッチのソーダ割りを注文した。でもそいつは「お酒はお持ちできません」みたいなことを言うもんだから、しょうがなくて僕もコークをとった。それから僕は次から次へとマッチを擦って、火をつけていった。僕はある種の気分になると、ところかまわずそういうことをやりだすわけだ。マッチに火をつけ、もうこれ以上は持てないというところまでいってから灰皿にぽいと捨てる。なんとも神経質な癖だよね。

それから出し抜けに、ほんとに青天の霹靂《へきれき》みたいに、サリーが切り出した。「ねえ、ひとつはっきりしておきたいんだけど、あなたはクリスマス・イブにうちに来て、ツリーの飾り付けを手伝ってくれるの、くれないの？　そのことを教えてほしいんだけど」。彼女はスケートをしたときの足首の痛みのせいで、まだ不機嫌だった。

「行くって、手紙にも書いたじゃないか。もう二十回くらい同じことを訊かれてるぜ。間違いなく行くよ」

「念をいれておきたかったのよ」と彼女は言った。そして店の中をきょろきょろと見まわし始めた。

僕はそこで急にマッチの火をつけるのをやめた。そしてテーブル越しに彼女の方に身を乗り出した。話したいことが頭にどっと浮かんだわけだ。「ねえ、サリー」と僕は言った。

「え、なに？」とサリーは言った。彼女は部屋の向こう側にいる一人の女の子を見ていた。

「君はさ、何かにうんざりしちゃったことってあるかい？」と僕は言った。「つまりさ、ここで何かやっておかないと、すべてが先になってひどいことになっちまうんじゃないかとか思って、怖くなったりしない？　だからつまりさ、たとえば君は、学校のこととか好きかい？」

「とことん退屈なところよね」

「君は学校が大嫌いかって、訊いてるんだよ。学校がとことん退屈なことはわかってるよ。でも君ははたしてそいつが大嫌いなのか、というのが僕の知りたいことさ」

「そうねえ、学校が嫌で嫌でしょうがないっていうのでもないわね。だって世の中には――」

「ところがさ、僕は学校ってのが大嫌いなんだ。うん、とことん嫌いだ」と僕は言った。「でも学校だけじゃないんだ。すべてについてそうなんだ。僕はすべてのことに我慢できないんだよ。ニューヨークに住むこととかね。タクシーだとか、マディソン・アベニューのバスだとか。後ろのドアから降りてくれって運転手がしょっちゅう怒鳴りまくっているやつのことさ。それからラント夫妻のことを神の使いと呼ぶようなインチキな連中に紹介されるとか、ただ外に出たいだけなのにエレベーターで上にやられたり下にやられたりしなくちゃならないとか、ブルックス・ブラザーズでしょっちゅうズボンの丈《たけ》を測られることとか、それからいつだって――」

「ねえ、ちょっと怒鳴らないでくれる」とサリーは言った。でもそれはすごく変な言いぐさだった。だって僕は怒鳴ってなんかいなかったんだから。

「たとえば自動車のことだよ」と僕は言った。ものすごく静かな声で言ったんだ。「たいていの人は車に夢中になっている。ちょっとでもキズがつきやしないかってひやひやしている。話題ときたら、ガロンあたり何マイル走るかっていうようなことばかりだ。ついこのあいだ新車を買ったばかりだっていうのに、それを下取りに出してもっと新しい車を買うことを考えはじめている。僕はべつに古い車が好きだって言ってるわけじゃないんだよ。古かろうが新しかろうが、そんなものにはぜんぜん興味が持てない。持つんなら、馬の方がまだましだよ。やれやれ、馬だったらまだ人間っぽいって感じがするんだけどね。少なくとも馬は――」

「なにを話してるのか、よくわかんない」とサリーは言った。「あなたったらひとつの話題からべつの――」

「ねえ、いいかい」と僕は言った。「僕が今こうしてニューヨークにいるのは、いやべつにどこにだっていいんだけど、こうしているのは、たぶん君がいるからだよ。それがたったひとつの理由だ。もし君がここにいなかったら、僕はたぶんどっか遠くの場所に行っちまっているだろうな。森の中とか、とんでもない場所とかにさ。ほんとの話、君がいればこそこうしてここにいるんだ」

「嬉しいわ」とサリーは言った。でも彼女が話題を変えてもらいたがっていることは明らかだった。

「君はいつか男子校に行ってみるべきだよ。まったくの話さ」と僕は言った。「なにしろインチキ野郎の巣窟みたいなところでさ、そこでみんながやっていることといえば、いつの日にかろくでもないキャディラックを買えるくらいの切れ者になるべく、せっせと勉学に励むことだけ。そしてもし我が校がフットボールの試合に負けたら、それこそ天下の一大事みたいに思い込まなくちゃならないわけだよ。やることといえば女の子と酒とセックスの話、それだけ。一日中その話だ。そして誰も彼もが、ちっぽけで陰険な派閥《はばつ》みたいなのを作って、身内でかたまりあっている。バスケットボール部の連中は自分たちだけでかたまり、カソリックの連中は自分たちだけでかたまり、知性派ぶったやつらは自分たちだけでかたまり、ブリッジ仲間は自分たちだけでかたまっている。ブック・オブ・ザ・マンス・クラブの会員ですら自分たちだけでかたまっているんだぜ。もし君がちょっとでも自分の頭でものを考えようと思ったら――」

「ねえ、ちょっと聞いて」とサリーは言った。「もっとまともなことを学校から得ている人たちも沢山いるはずよ」

「そのとおり！　まさにそのとおりだよ。そこからまともなことを得てるような連中もいくらかはいる。でも僕にとっちゃ、まともじゃないことしかないんだ。わかるかい？　それが言いたいことだ。それがどんぴしゃり、僕の言わんとしていることだ」と僕は言った。「僕はどこからだって、ほとんど何ひとつ得られないんだよ。僕はひどいことになっている。まさによれよれだよ」

「それはたしかみたいね」

そこでとつぜん僕の頭にアイデアが浮かんだ。

「ねえ、いいことを思いついた」と僕は言った。「二人でここを抜け出そうじゃないか。つまりこういうことなんだ。グリニッチ・ビレッジに知り合いがいてね、そいつから二週間くらい車を借りることができるんだ。昔同じ学校にいたことがあって、そいつにいまだに十ドルばかり貸しがある。で、どういうことかというとさ、僕らはその車で明日の朝、マサチューセッツとかバーモントとか、そういうあたりに行くのさ。あのへんは断然きれいなんだよ。じっさいの話」。僕はすごく興奮していた。そのことを考えているうちに、思わず手をのばしてサリーの手を握ったりしていた。まったくなんていう底抜けの馬鹿だったんだろう。「まじな話さ」と僕は言った。「銀行に百八十ドルくらい預金があるんだ。朝に銀行が開いたら引き出そう。それからその男のところに行って、車を借りる。まじな話だぜ。そしてお金が尽きるまで、キャンプ場のキャビンみたいなところで暮らすんだ。お金がなくなったら、そのへんでなにか仕事を見つけて、小川が流れたりしているような土地に二人で住み、そのあとで結婚とかすりゃいいんだよ。冬のあいだは僕が自分で薪《まき》を割るんだ。うん、そういうのって考えただけでわくわくしちゃうよね！　どう思う？　最高じゃないか。ねえ、僕と一緒にそういうのをやろうよ。いいだろう！」

「あのね、そんなのできるわけがないじゃない」とサリーは言った。彼女はものすごく気を悪くしていた。

「どうして？　どうしてできるわけがないんだよ？」

「お願いだから大声を出さないでよ」と彼女は言った。そんなでたらめな話ってないぞ。だって僕はぜんぜん大声なんて出していなかったんだもの。

「そんなことできるわけないって、どうしてそう思うんだい？」

「ただ単にできっこないからよ。まずだいいちに私たちってなんのかんの言ってもまだ子どもなのよ。ちょっと考えてもみてよ。仕事もなくて、お金もなくなっちゃって、そうなったらいったいどうするつもりなの？　飢え死にするしかないじゃない。そんなのってぜんぜんおとぎ話よ。だいたいからして——」

「おとぎ話なんかじゃないね。僕は仕事をみつける。それは大丈夫さ。心配することないって。なあ、いったいどうしたっていうんだい？　君は僕と一緒に行きたくないのかい？　行きたくないんなら、はっきりそう言ってくれよ」

「そういう問題じゃないのよ。そういうんじゃぜんぜんなくて」とサリーは言った。僕は彼女のことがなんだか嫌いになりはじめていた。「もっと先になれば、そういうことをする時間はいくらでもあるわ。好きなことができるじゃない。つまりあなたがカレッジを出て、私たちがもしも結婚して、そういうふうになったあとならってこと。そしたら私たちはいっぱい好きなところに行くことができる。だからあなたはただ——」

「いや、そうはならないね。先になったら、行きたい場所なんてもうそんなにあるもんか。事情はすっかり変わっちまっているはずだ」と僕は言った。そしてまた本格的に落ち込んでいった。

「え、なんて言ったの？」と彼女は言った。「よく聞こえなかった。あなたって、大声で叫んでいるかと思ったら、次の瞬間には——」

「僕が言ったのは、ノー、大学に行ったりしてたら、行きたいと思う素晴らしい場所なんてもうありゃしないだろうってこと。ねえ、よく聞いてくれよ。先になれば、話は今とはぜんぜん違っちゃっているはずだ。僕らはスーツケースやらなんやらを持ってエレベーターに乗って、下の階まで降りなくちゃいけないだろう。みんなに電話をかけてさよならを言って、泊まり先から絵はがきを書かなくちゃならないだろう。そして僕はどっかの会社で働いて、たんまり金を稼いでいることだろう。タクシーだかマディソン・アベニューのバスだかに乗って会社に行って、新聞を読んだり、暇さえあればブリッジをしていることだろう。映画館に行ってくだらない短編映画やら予告編やらニュース映画なんかを見ていることだろう。ニュース映画だぜ。参っちゃうよな。ニュース映画の中じゃ、いつもどっかでしょうもない競馬が開催されていて、どっかの御婦人が進水式で瓶を割っていて、パンツをはいたチンパンジーが自転車に乗ってるんだ。先になったら、話なんかぜんぜん違ってきちゃうんだよ。僕が言いたいことが君にはちっともわかっちゃいないんだ」

「わかるもんですか！　きっとあなたにだってわかってないんだわ」とサリーは言った。そのころには僕らは相手のことが嫌いになり始めていた。知的な会話を交わそうと思ったって、最初から無理な話なんだよ。こんな話を持ち出したことを僕はとことん後悔していた。

「さあ、もうこんなところは出ようぜ」と僕は言った。「君みたいなスカスカ女には限りなくうんざりだよ。はっきり言わせてもらえればね」

やれやれ、僕がそう言うと彼女はもう怒りまくったね。そんなことを口に出すべきじゃなかったってことはわかっているんだよ。それに普通の場合なら、僕はそういう言い方はしなかったはずだ。でもそのとき彼女は僕をとことん落ち込ませてしまったんだ。いつもなら僕は女の子に向かってそんなひどい言葉を口にしたりはしないんだよ。しかしやれやれ、彼女の憤慨《ふんがい》ぶりたるや、そりゃ大変なものだった。僕はもうぺこぺこ謝りまくったんだけど、彼女は一切耳を貸さなかった。ついには泣き出しまでした。おかげで僕はいささかびびってしまった。というのはサリーが家に帰って、僕に「スカスカ女」と言われたなんて父親に告げ口するんじゃないかって心配になったからだ。サリーの父親ときたら、なにしろ図体がでかくって無口なやつなんだ。おまけにもともと僕にいい印象を持っちゃいない。こいつは一度サリーに、僕のことを騒々しすぎると文句を言ったことがあるんだ。

「いや、まじめな話、悪かったよ」と僕は言い続けていた。

「悪かった？　悪かったですって？　悪かったですむようなことじゃないでしょう」と彼女は言った。彼女はまだいくぶんめそめそしていた。そしてとつぜん僕は本気で悪かったと思いはじめた。あんなことを口にするべきじゃなかったんだ。

「さあ、行こう。家まで送るよ。冗談抜きで」

「うちくらい一人で帰れるわよ。どこの誰が、あなたになんか家まで送ってほしいと思うもんですか。そんなひどいことを男のひとの口から言われたのは、生まれてから初めて」

でもさ、まあなんというか、よく考えてみれば、何もかもがお笑いみたいなことじゃないか。それで僕は出し抜けにそのときいちばんやっちゃいけないことをやっちまったわけだ。つまり吹き出しちゃったんだ。しかも僕の笑い方ときたら、ものすごく大きくて、馬鹿みたいなげらげら笑いなんだ。もし僕が映画館で自分の前に座っていたら、振り返って「ちょっと静かにしてくれませんか」と注意したくなるような馬鹿笑いなんだ。サリーはそれでますます頭に血がのぼった。

僕はそのあともしばらくのあいだ、彼女にとりいって、謝りまくって、なんとか許してもらおうと努力はしたんだよ。でも彼女はぜんぜん聞く耳をもたなかった。さっさとどっかに消えて、ひとりにしてちょうだい、と言い続けていた。だから僕も最後には言われたとおりにした。中に入って靴と持ち物を受け取り、ひとりでそこを引き上げた。そういうのって、ちょっとまずいよね。でもそのときには僕はいい加減うんざりしちまっていたんだ。

真実を言えばだね、サリーを相手になんでそんな話を始めてしまったのか、自分でもよくわからないんだ。つまりさ、マサチューセッツとかバーモントとかに行っちまおうというような話をだよ。もしかりに彼女が、いいわね、一緒に行きたいわとか言ったとしても、実際に行ったりはしなかっただろうと思うんだよ。サリーは一緒にどっかに行ってしまいたいと思うようなタイプじゃぜんぜんないんだもの。でも困ったことに、というべきなんだろうけど、彼女にその話を持ち出したとき、僕は混じり気なしに本気だったんだよ。そいつが困っちゃうところなんだ。実にまじめな話、僕は頭がほんとにどうかしてると思うな。

18

スケート場を出ると、お腹がいくらか減ってきたので、ドラッグストアに入ってスイス・チーズのサンドイッチと麦芽乳を注文した。それから電話ブースに入った。ジェーンにもう一回電話をかけて、家に帰っているかどうか確かめてみようと思ったんだ。つまりその夜は何も予定がなかったし、もし電話をかけて彼女がいたら、ダンスにでも誘ってみようかというつもりだった。これまでずっとつきあっていて、まだ一緒に踊ったことはなかった。でも踊っているところを目にしたことはあって、ダンスはずいぶん得意そうだった。クラブで開かれた独立記念日のダンス・パーティーでのことだ。そのとき僕はまだ彼女のことをよく知らなかったし、デートの相手をおしのけてダンスを申し込もうとまでは思わなかった。彼女の相手はアル・パイクという最低の男だった。チョート校に行ってたやつだ。こいつのことはそんなによく知らないんだけど、とにかくいつもプールでうろうろしていた。ラステックスみたいな生地の白い水泳パンツをはいていて、明けても暮れても高飛び込みをやっているんだ。かすみたいなハーフゲイナーを、馬鹿のひとつ覚えみたいにえんえんとやりつづけてるわけさ。飛び込みといっても、それひとつしかできないんだけど、自分じゃすげえかっこいいと思っているんだね。筋肉ばっちり、頭からっぽ。とにかくこいつが、そのときのジェーンのデートのお相手だった。まったくもって理解に苦しむよな。そのへんが、ほんとにわかんないんだよ。ジェーンと親しくつきあうようになって、僕は尋ねてみたんだ。どうして君は、ノル・パイクみたいな目立ちたがりのうすら馬鹿とデートなんてできるんだいと。あの人は目立ちたがりっていうのでもないのよ、とジェーンは言った。あの人にはコンプレックスがあるの、と彼女は言った。なんだか彼に同情しているみたいな言い方だった。口先だけじゃなく、本心そう思っているみたいだった。女の子ってちょっと変なところがあるよね。君がどっかの最悪のろくでなし——すごく根性が悪かったり、うぬぼれが強かったりするようなやつのことだよ——の話をもちだすとする。どっかの女の子の前でもちだすとする。するとだね、彼女は決まってこう言うんだ。あの人にはコンプレックスがあるのよってさ。まあたしかにそのとおりかもしれないよ。でもさ、だからといってそいつがろくでなしじゃないってことにはならないじゃないか。女の子たち。彼女たちがいったい何をどう考えるのか、これはばかりは謎だよ。

　僕はいちどある友だちを、ロバータ・ウォルシュっていう女の子のルームメイトとデートさせたことがあるんだ。ボブ・ロビンソンっていう男で、こいつはほんもののコンプレックスを持っていた。彼は間違いなく両親のことをとても恥ずかしく思ってた。というのは彼の両親は「ヒー・ダズント」「シー・ダズント」と言うべきところを「ヒー・ドント」「シー・ドント」とか言っちまうような人たちだったし、しかもあんまり裕福じゃなかったからだ。でも彼はぜんぜん悪くなかった。すごい感じのいいやつだった。なのにこのロバータ・ウォルシュのルームメイトは、彼のことがまったく気に入らなかった。彼女はロバータに、あの人ったらすごいうぬぼれ屋なんだからと言った。どういう理由があってそんなふうに思ったかっていうとだね、それは彼がたまたま、自分は弁論部の部長をやっているって口にしたからなんだよ。そんなの、べつになんてことないじゃないか。それなのにその子は、彼のことを救いようなくうぬぼれの強い男だって思いこんじまったんだね。問題はさ、女の子っていうのは、相手の男がいったん気に入ったら、そいつがどんな下らないやつだったとしても、「あの人にはコンプレックスがあるだけなのよ」で片づけちゃうし、いったん気にくわないとなると、どんなにいいやつであっても、またどれほど大型のコンプレックスを抱えていたとしても、「あの人はうぬぼれ屋なんだから」となっちまうわけだ。頭のいい女の子だって例外じゃない。

　とにかく僕はジェーンにまた電話をかけてみた。でも誰も出なかったので、受話器を置いた。それからアドレス・ブックのページを繰って、誰か今夜会えるような相手はいないものかと探してみた。でも困ったことには、アドレス・ブックには三人くらいしか名前が書き込まれていなかった。ジェーンと、エルクトン・ヒルズ校時代の僕の先生だったミスタ・アントリーニと、あとは父親のオフィスの電話番号だ。いろんな人の名前を書き込んでおかなくちゃなと思いつつ、ずるずるとそのままになっていたわけだよ。しょうがないから、カール・ルースに電話をかけてみることにした。彼は僕がウートン・スクールを出ていったあとで、そこを卒業したんだ。僕より三つくらい年上で、とくに大好きな相手というんでもないんだけど、でもこの男はいわゆる超インテリだった。ウートン・スクールでは誰よりも知能指数が高かった。で、カールならひょっとしてどこかで僕と夕食をともにして、わずかなりとも知性的な会話を交わすことに興味をもつんじゃないかなと思ったわけだ。この男にはときどきすごく教えられることがあるんだ。それで彼に電話をかけてみた。今はコロンビア大学の学生だったけど、家は六十五丁目通りにあったし、そこにいることはわかっていた。カールは電話に出て、夕食はちょっと無理だけど、十時に会って一杯やることはできる、五十四丁目通りのウィッカー・バーでどうだいと言った。僕から電話がかかってきて、けっこうびっくりしたと思うな。僕は一度彼のことを「鼻持ちならないインチキ野郎」と呼んだことがあるんだ。

十時までにはまだずいぶん時間があったから、ラジオ・シティーに映画を見に行った。それはおそらくあらゆる選択の中でも最悪の選択だった。でも場所がすぐ近くだったし、ほかに何をすればいいのか、ぜんぜん思いつけなかったんだよ。

劇場に入ると、ろくでもないステージ・ショーが進行中だった。ザ・ロケッツがこれでもかと高く脚を蹴《け》り上げていた。いつものように列を組んで、お互いの胴に腕をまわして。観客は頭がいかれたみたいに熱烈に拍手していた。僕の後ろに座っていた男は奥さんに向かって「見てごらんよ。一糸《いっし》乱れず、というのはまさにこのことだ」と言い続けていた。疲れるんだよな、まったく。ザ・ロケッツが終わったあと、ローラースケートをはいた男がひとり出てきて、並べられたたくさんの小さなテーブルの下を滑ってくぐり抜け、そのあいだずっとジョークを連発していた。

なるほど見事なスケーターだったけど、僕としてはその芸をあまり楽しめなかった。というのも、ローラースケート男としてステージに立つべく、そいつがせっせと練習に励んでいる姿がどうしても目に浮かんでくるんだよ。そういう姿ってすごい間抜けっぽいんだよね。まあそんなことといちいち考える方がどうかしてるのかもしれないけどさ。それから、スケート男が引っ込んだあとで、ラジオ・シティー恒例のクリスマス特別だしものが始まった。ボックス席やら、そのほかあらゆるところから天使がぞくぞくと現れ出てきて、十字架をもった男たちがそこらじゅうにどっと溢《あふ》れ、みんなで――それがもう何千人もいるんだけどさ――『神の御子は』を気がふれたみたいに歌いまくるわけだ。やれやれ、参っちまうよな。これはものすごく宗教的で、美しいことだってみなされているわけだ。それはわかっているんだけど、俳優が寄り集まって舞台で十字架を持ち歩くことが宗教的だとか美しいことだとか、僕にはぜんぜん思えないんだな。だってさ、ちょっと考えれば連中がステージを終えて、ボックス席から退場してきて、ああやっと終わった、みたいな感じで煙草をぷかぷか吹かしたりすることは、見え見えなわけじゃないか。僕は前の年もそれと同じものをサリー・ヘイズと一緒に見ていたんだけどさ、なんて美しいんでしょう、衣装とか何もかも、と彼女は言い続けていた。もしイエスがこんなものを見たら、きっとげえげえ吐いちゃうぜ、と僕は彼女に言った。こんなちゃらちゃらしたコスチュームなんかをさ。あなたって冒瀆《ぼうとく》的な無神論者だわとサリーは僕に言った。まあたぶんそのとおりなんだけどさ。でも僕は思うんだけど、イエスがほんとうに気に入るのは、きっとそこのオーケストラでティンパニーを叩いているひとなんだよ。僕はこのひとを八歳くらいのときからずっと見ている。弟のアリーと僕は、両親と一緒のときにはということだけど、彼の姿がよく見えるようにずっと前の方に席を移動したものだった。こんなすごい打楽器奏者はちょっといないね。一曲全体の中で、彼がティンパニーを叩くのはたった二度ぐらいなんだ。でもそれ以外のときでも、このひとはぜんぜん退屈そうなそぶりを見せないんだ。そしてティンパニーを叩かなくちゃならない時がやってくると、ちっとばかりナーバスな表情を顔に浮かべて、それでもとてもいい感じでひょいひょいとやってのけるんだ。あるとき、僕らが父親と一緒にワシントンに行くことがあって、アリーはこのひとにあてて絵はがきを書いて出した。でもたぶんうまく届かなかったと思うな。宛先の書き方もよくわからなかったからさ。

クリスマス特別だしものが終わったあとで、しょうもない映画が始まった。それはあまりにもお粗末な映画だったので、僕はかえってスクリーンから目を離すことができなくなってしまった。英国人の男が主人公で、アレックなんとかっていうやつ。戦争のときの話で、こいつは病院に入って、記憶をなくしちまっているんだ。彼は病院を出ると、杖なんかをついてよろよろとあちこちを、文字どおりロンドンじゅうを歩きまわるわけさ。自分の素性がなんにもわからないままにね。実は公爵なんだけど、自分ではそのことを知らない。それから彼はバスに乗ろうとしているひとりの娘に出会う。性格がよくて、気さくで、誠実な女の子だ。彼女の帽子が風に飛ばされて、彼がそれをつかむ。そしてふたりはバスの二階にあがって席に座り、チャールズ・ディッケンズについて語り合う。ふたりともディッケンズのファンなんだよ。彼は『オリバー・ツイスト』を持ち歩いていて、彼女も同じ本を持ち歩いている。僕は思わずどっと吐いちまいそうになったよ。とにかくふたりはそこであっという間もなく恋に落ちてしまうんだ。それというのも、どちらもチャールズ・ディッケンズに夢中だったからなんだぜ。そして彼は彼女のやっている出版業を手伝うことになるんだ。その娘は出版社を経営していたわけだ。でもそんなに生活が楽だったわけじゃない。というのは彼女のお兄さんはひどい飲んだくれで、あるだけの金を片端からぐいぐい飲んじまうんだよ。この兄貴ってのがなにせいじけたやつなんだ。戦争中に医者をしていたんだけど、すっかり神経をやられちまって、もう手術をすることができないんだ。だもんで、酒浸《びた》りになっているんだけど、けっこう頭の切れる気の利いたやつでもあるんだ。とにかくこのアレックくんが本を書いて、その娘がそれを出版して、その結果二人ともまとまった額の金を手にすることになる。かくして二人はいよいよめでたく結婚しようということになるんだけど、そこにマーシャっていうもうひとりの娘が登場する。マーシャは記憶をなくす前のアレックの婚約者だったんだ。彼女はたまたまアレックが書店で本のサイン会をしているところを目にする。でもアレックは自分が公爵だなんて話を信じないし、マーシャが一緒に母親に会いに行こうというのを拒《こば》んだ。彼のお母さんは、こうもりみたいにまるっきり目が見えないんだよ。でももうひとりの気だてのいい方の娘は、彼に行きなさいと言う。とにかくすごく清く正しい性格なんだよ。それなら彼は会いに行く。でも記憶はそんなに簡単に戻ってくるわけじゃない。たとえ彼の飼っていたグレートデーンが喜んでぴょんぴょんとびついてきても、母親が指で彼の顔をべたべたとさわりまくっても、彼が子どもの頃に手から放さなかったというテディーベアが持ち出されてきてもね。ところがある日、子どもたちが芝生の上でクリケットをしていて、そのボールが彼の頭にどこんとあたる。それで出し抜けにひゅうっと記憶が戻ってきてさ、彼はお母さんのところに行って、おでこやらなにやかやにキスしまくるんだ。それで彼はすっかりもとのご立派な公爵に戻っちまって、出版業をやっていた気だてのいい女の子のことなんかけろっと忘れちまうわけだよ。

そのあとの細かい筋も話そうと思えば話せるんだけど、でもそんなことしたら僕はげえげえ吐いちまうかもしれないな。なにも作品のネタを君にばらすことを控えようとか、そういうつもりじゃないんだぜ。だいたい、ばらしてどうこうというような代物じゃないんだもの。いや、真剣な話さ。とにかくまあ、このアレックと気だてのいい女の子がめでたく結婚するというところで話は終わるんだ。そして酔っぱらいの兄貴はまっとうな神経をとりもどし、お母さんの目の手術をやって、お母さんはまたばしばし目が見えるようになっちまうんだ。そしてこの酔っぱらいの兄貴とマーシャは相思《そうし》相愛《そうあい》の仲になってしまう。で、長いディナーテーブルにみんながついて、そこにグレートデーンが子犬の一団を連れてやってきて、一同大爆笑というところでめでたしめでたしとなるわけだ。みんなはずっとその犬のことを雄だと思いこんでいたってことらしいんだよ。僕の言いたいのはだね、もしげえげえへどを吐いて服を汚したくなかったら、この映画だけは見ないほうがいいよということさ。それだけ。

僕が参っちゃったのは、となりに座っていた女のひとが、そのろくでもない映画の最初から最後までずっと泣き続けていたことだ。映画が嘘っぽくなればなるほど、この女は更に激しくおいおい泣くんだ。きっとすごく心が温かいからだろうとか君は考えたりするかもしれない。でも違うんだよ。僕はこの女のすぐとなりに座っていたからそれがわかる。彼女は小さな子どもを連れていたんだけど、その子はすごい退屈しまくっていて、便所に行きたいってずっと言ってるんだ。でも連れて行ってやらないんだよ。そこに座ってじっとおとなしくしてなさい、と繰り返すだけだ。なにしろ漬け物石なみに心が温かいやつなんだよ。インチキくさい映画を見ておいおい泣いているやつなんてさ、十中八、九まで実は根性曲がりのカスなんだ。嘘じゃないぜ。

映画が終わったあと、カール・ルースと待ち合わせているウィッカー・バーまで歩いていった。歩いているあいだ僕はずっと戦争とかそんなことについて考えていた。戦争映画を見ると、いつもそういうふうになっちまうんだ。戦争に行かなくちゃならないなんてことになったら、きっと僕は耐えられないだろうと思う。間違いなくだめだね。もし連中が君をただ表にひっぱり出してずどんと撃ち殺しちまうとかそういうことだったら、まだ我慢はできるんだ。でも君は軍隊にうんざりするくらい長いあいだ入っていなくちゃならない。それがなにしろ困った点なんだよ。兄のDBはなにしろ四年間も軍隊に入っていた。戦場にも行った。Dデイに敵前上陸もした。でも彼は戦争よりも軍隊のほうをより憎んでいたと僕は真剣に思うんだ。僕はそのころまだ子どもだったから、細かいことはそんなに覚えちゃいないんだけど、休暇とかでうちに帰ってきたとき、兄はほとんどまる一日ベッドで横になっていた。居間に顔を出すことさえほとんどなかった。そのあと海外の戦地なんかに送られたわけだけど、怪我もしなかったし、誰かを撃たなくちゃならないようなこともなかった。与えられた仕事はカウボーイみたいな将軍を司令部の車に乗せ、一日中運転してまわることだった。彼は一度アリーと僕にこう言ったことがある。もし誰かに向けて銃を撃たなくちゃならないとしたら、どっちに銃口を向けりゃいいのか考えちまうところだってね。軍隊ってのはまったくの話、ナチ顔負けの悪質なやつらがうようよしてるところだ、とも言った。アリーが彼に一度こう尋ねたことがある。兄さんは作家だから、戦争に行ったことは役に立ったんじゃないの。そこには書く材料はたくさんあっただろうしって。彼はアリーに野球のミットをもってこさせた。そして誰がいちばん優れた戦争詩人だと思うかとたずねた。ルパート・ブルックか、エミリー・ディッキンソンか？* エミリー・ディッキンソン、とアリーは言った。そのへんのことはよくわからない。僕はあまり詩なんて読まないからね。でも僕にはよくわかるんだよ。もし軍隊に入れられて、アックリーとかストラドレイターとか、あるいはモーリスみたいなやつらと起居《ききょ》をともにして、みんなで並んで行進なんかをやらなくちゃならないとしたら、僕の頭は絶対おかしくなっちまうだろうってさ。僕は一度、一週間ばかりボーイスカウトに入っていたことがあるんだけど、前にいるやつの首筋を見ていることにすら耐えられなかったよ。前の人の首筋をじっと見るようにってしつこく注意されるんだ。もし新しい戦争が始まったら、僕としちゃむしろあっさり銃殺隊の前にひっぱりだされたいね。そうなってもなんの異議も申し立てないよ。

　でもDBに対してひとつ納得できないのはさ、彼がそれほどまで戦争を憎んでいながら、なおかつ去年の夏、僕にヘミングウェイの『武器よさらば』を読ませたことだ。これは実に素晴らしい作品だと彼は言った。そういうのが僕には理解できないんだ。その本にはヘンリー中尉ってやつが出てきて、そいつはナイスガイってことになっている。DBはあんなにも戦争と軍隊を激しく憎むことができるのに、どうしてこんなインチキ本を好きになれるんだろう。つまりさ、こんなインチキな野郎を好きでありながら、たとえばどうしてリング・ラードナーの本が同時に好きになれるんだろう？　あるいは『グレート・ギャッツビー』みたいな本にぞっこん惚れ込んだりできるんだろう？　僕がそう言うとDBはむっとして、お前はまだ子どもだから良さがよくわからないんだと言った。でも僕はそうは思わないな。リング・ラードナーとか『グレート・ギャッツビー』の価値はちゃんと認めているんだからね、と僕は言った。それは嘘じゃないぜ。僕は『グレート・ギャッツビー』に夢中になってしまった。ギャッツビーくん。オールド・スポート（『グレート・ギャッツビー』の主人公ジェイ・ギャッツビーの口癖。「ねえ君」というくらいの意味）。あれには参っちゃったね。いずれにせよ、原子爆弾なんてものが発明されたことで、ある意味では僕はいささかほっとしてもいるんだ。もし次の戦争が始まったら、爆弾の上に進んでまたがってやろうと思う。僕はそういう役に志願しよう。ほんとに、真面目な話。

＊ルパート・ブルック（一八八七－一九一五）。英国の詩人。第一次世界大戦中に病死。戦後、美貌と夭折によって、伝説化された。エミリー・ディッキンソン（一八三〇－八六）。米国の女流詩人。ブルックは戦争に題材をとった詩を多く書き、一方ディッキンソンは直接的な戦争詩を書いたわけではない。しかし本当に戦争について書いたのはディッキンソンの方なのだということが言いたいわけだ。

19

君がニューヨークに住んでいないものとしていちおう説明しておくと、ウィッカー・バーは、シートン・ホテルっていう気取ったホテルの中にあるんだ。昔は僕もよく行ったもんだけど、今ではもう行かない。だんだんうんざりしてきちゃったんだ。そこはすごく洗練された場所みたいに一般的に思われてるんだけど、なにせ半端な連中が押し寄せてくるんだよ。昔そのバーには、ティナとジャニーヌっていう二人のフランス娘が出演していて、一晩に三回くらいステージをこなしていた。ひとりがピアノを弾いて（ひどいピアノだったな）、もうひとりが歌うんだけど、曲のほとんどはかなりきわどい内容のものか、それともフランス語だった。歌うほうがジャニーヌなんだけど、彼女は歌い出す前にいつもマイクロフォンに向かってこそっと囁《ささや》くように話すんだ。「さてこれからみなさーまに、『フロンス語はお好き』って唄を歌いたーいと思います。ちーさなフロンス娘が、ニューヨークみたいなおーきな街にやってきまーす。そしてそこでブルックリン生まれのちーさな男の子と恋に落ちまーす。お気にいるといーのですーが」みたいにさ。そういうキュートな囁きみたいなのをみっちりやってから、しょうもない唄にとりかかる。半分英語で半分フランス語で歌うんだけど、インチキな客はみんなもう大喜びで、盛り上がっちまうわけさ。しばらくそこに座って、そういうインチキ連中がインチキな拍手をしているのを見ていると、もう世界中のすべての人間を憎んでやろうかっていうような気持ちになってくるんだよ。まったく、嘘じゃなくてさ。バーテンダーも最悪だ。なにしろ俗なやつなんだよ。君が大物だとか、有名人だとか、そういうんじゃないかぎり、ほとんど口もきいちゃくれない。そしてもし君がじっさいに大物だとか、有名人だとか、そういうんだとしたら、こいつはさらにむかつく人間になる。こいつは君のところにやってきて、すげえ愛想のいい笑顔を顔に浮かべて、私は実はすごく気さくなやつなんですよみたいな感じで、「やあ、コネティカットはいかがでした?」とか、「フロリダの具合は?」なんてぬかすわけだ。正真正銘、どうしようもない店なんだ。それで僕も結局はぜんぜん行かないようになっちまったんだ。

店に着いたとき、まだ時刻はずいぶん早かった。僕はバーに腰をおちつけ——そこは既に混み合っていた——スコッチのソーダ割りを二杯ばかり飲んだんだけど、それでもまだルースは姿を見せなかった。飲み物を注文するときには席を立った。そうすると僕がどれくらい背が高いか相手にもわかって、未成年だと思われずにすむから。それから僕はまわりのインチキ連中を観察した。僕のとなりにいたやつは連れの女を必死でくどきまくっていた。君の手はなんて貴族的なんだろうって言い続けていた。ほんと、疲れるんだよな。バーの反対側の端っこのほうにはゲイの連中がたむろしていた。彼らはいかにもゲイですっていうようなかっこうはしてなかった。つまり髪を長くのばしたりとか、そういうことはしてなかったんだけど、ゲイだってことは一目瞭然だった。というところにやっとルースくんが現れた。

ルースくん。ちょっとしたやつなんだ。彼はウートン・スクールで僕の指導係っていうことになっていたんだけど、彼がやってくれたことといえば、夜遅く自分の部屋にみんなを集めて、セックスの話をするくらいのもんだった。彼はセックスのことについては実によく知っていた。とくに変態的なやつのことをね。彼のおはこは、羊とやっちまうような気色のわるい連中についての話だった。それから帽子のライニングの中に女の子のパンツを縫いつけてるような連中の話。それからレズビアンとゲイのこと。彼はアメリカ全土にわたって、誰がゲイで誰がレズかを知っていた。誰でもいいから――ほんとに誰でもいいんだ――君はただ名前をあげればいい。そうするとそいつがゲイであるかないか、ルースは即座に教えてくれるんだ。映画俳優とかなんだとか、ときどきあっというような人物がゲイだとかレズだとか言われて、みんな我が耳を疑ったね。あいつはゲイだと言われた人間がちゃんと結婚していたりするんだよ。まったくの話さ。君はこんなふうに言い続けることになる。「なんだって、ジョー・ブロウがゲイだって？　あのジョー・ブロウが？　いつもギャングスターやカウボーイの役をやっている、あのでかいタフな男が？」。

するとルースはいつも「まさしく」と言った。「まさしく」っていうのが彼の口癖なんだ。結婚しているかどうかなんてそんなこと関係ないんだよ、ぜんぜん、と彼は言った。彼の説によれば、世界中の結婚している男の半分は実はゲイなんだけど、本人はそのことに気がついてもいないということだ。素質さえ備わっていれば、君はたった一晩で立派なゲイになれるんだよ、と彼は言った。そして僕らみんなをしっかり震え上がらせてくれたものだ。僕なんか、自分がいったいいつゲイみたいなものになるんだろうと、息をひそめて待ち続けたもんだ。ルースといえば、僕はかつて、ルースくんご本人に実はゲイ的な素質があるんじゃないかと考えていたんだよ。彼はいつも「こいつはどうだ」と言って、僕らが廊下を歩いているときなんかに、指をお尻にぐいと突き立てるんだ。それから便所ではいつも戸を開けっ放しにして、僕らが歯を磨いたりしているあいだ、ずっと話しかけるんだよ。そういうのってさ、なんかいかにもゲイっぽいよね。まったくの話。僕はいろんな学校なんかでけっこうな数の本物のゲイに出会ったわけだけど、そいつらはいつもその手のことをやらかしていた。だから僕はルースのことをひょっとしてとずっと疑っていたわけだよ。でもそれはそれとしてずいぶん知性的なやつなんだ。それはほんとの話。

彼は顔を合わせても「ハロー」とかそういうことはまったく言わなかった。腰を下ろしてまず最初に言ったのは、ほんのちょっとしかここにはいられないんだということだった。デートの待ち合わせがあるんだよと言った。それからドライ・マティーニを注文した。すごくドライにしてオリーブは入れないで、とバーテンダーに言った。

「よう、君のためにゲイを一人とっておいたぜ」と僕は言った。「バーの端っこのところにさ。まだ見ちゃだめだぜ。君のために確保しておいた」

「くだらん」と彼は言った。「相も変わらずのコールフィールドだ。いったいいつになったら大人になるんだ？」

彼は僕にうんざりさせられていた。間違いなく。でも僕の方はこの男に会うと愉快になった。僕をすごく面白がらせてくれるタイプなんだ。

「セックス・ライフはどんな具合？」と僕は尋ねてみた。彼はそういうことを質問されるとかりかりするんだよ。

「リラックスしろって」と彼は言った。「ゆったりと座って、リラックスしろって。頼むからさ」

「リラックスしてるよ」と僕は言った。「コロンビア大学はどう？ 気に入ってるかい？」

「いいところだよ、まさしく。気に入らないところに行くわけないだろう」と彼は言った。ときとしてこの男はかなり退屈なやつにもなれるわけだ。

「専攻はなんなの？」と僕は質問した。「変態学？」、ただふざけて言っただけなんだけどさ。

「そういうのがおかしいとでも思ってるのか？」

「だからさ、ただの冗談じゃないか」と僕は言った。「なあ、いいか、ルース、君は頭のいいやつだ。だから僕は君のアドバイスを必要としているんだよ。僕は今のところまったくとんでもない──」

彼は僕の話をさえぎるように、うなり声みたいなのをあげた。「いいか、コールフィールド、もしお前がここに座って静かに平和に酒を飲んで、おとなしく平和に会話をしたいんだったら──」

「わかった、わかった」と僕は言った。「リラックスしなよ」。彼が僕と真剣な会話をするつもりがないことは明らかだった。それがこういう知性的な連中の困った点なんだよ。連中は自分がそうしたいという気持ちにならないかぎり、真剣な問題を真正面から誰かと論じあおうとはしないんだ。だから僕が何をしたかというと、僕はもっと一般的な話題について彼と語り合うことにしたわけだ。「まじめな話、君のセックス・ライフはどんな具合?」と僕は尋ねてみた。「ウートンの頃つきあっていた女の子とまだつきあってるの? あのものすごい──」

「ああ、よしてくれよ。まさか」と彼は言った。

「なんで? 彼女はいったいどうなったんだい」

「ぜんぜん知らないね。お前が訊くから言うんだけど、たぶん今ごろはニューハンプシャーでいちばんのやらせ女にでもなってるんじゃないのかな」

「そういうのってひどいじゃないか。だって彼女はいつだってすごく温かく、君のことを性的に盛り上がらせてくれたわけだろう。それを今になってそんなふうに言うなんて、いいことじゃないぜ」

「参ったな！」とルースは言った。「かくして典型的なコールフィールド風会話に行き着くわけかい？　そいつは勘弁してもらいたいね」

「そうじゃない」と僕は言った。「でもそういう言い方ってよくないぜ。彼女は温かく優しく君に——」

「そのおぞましい思考の流れを、俺たちはどうしてもたどっていかなくちゃならないんだろうかね？」

僕は黙っていた。これ以上何か言うと、相手は立ち上がってそのまま店を出ていってしまいそうだったからだ。だから僕が何をしたかというと、ただ飲み物のおかわりを注文したわけだ。しっかり酔っぱらいたい気分だったね。

「今は誰とつきあっているんだい？」と僕は尋ねた。「言いたくなきゃべつにいいんだけどさ」

「お前の知らない女だよ」

「ああ、でも誰なんだい？　ひょっとしたら知ってるかもしれない」

「ビレッジに住んでいる女。彫刻家。それでいいのか？」

「へえ。すごいじゃないか。いくつなの？」

「そんなこと尋ねたこともないね。まったくもう」

「でもさ、だいたいいくつくらいなんだよ？」

「おおかた三十代後半ってところじゃないかな」とルースは言った。

「三十代後半だって？　へええ。そういうのってどうなんだい？」と僕は尋ねた。「年増がいいのかい？」。僕がそんな質問をしたのは、彼がセックスについて実に知識豊富だったからなんだ。セックスに真実詳しいやつはそんなにいないけど、彼はその数少ないうちの一人だった。童貞を失ったのはまだ十四歳のときで、場所はナンタケットだった。ほんとうの話さ。

「俺は成熟した人間が好きなんだ。もしそれがお前の聞きたいことであればね。まさしく」

「へえ。そうなんだ。それってさ、年上の女はセックスが上手だってことなのかな」

「おい、いいか、ひとつはっきりさせておきたいんだけどな、今夜のところ俺は典型的なコールフィールド風質問に答えるつもりはまったくないんだ。お前はいったいいつになったら大人になるんだ」

　僕はひとしきり黙っていた。しばらくのあいだその話題には触れなかった。ルースくんはマティーニのおかわりをした。もっとしっかりドライにしてくれと彼はバーテンダーに言った。

「で、どれくらい長くつきあってるわけなの？　その彫刻家のベイビーとさ」と僕は尋ねた。

「ぜんぜん。彼女がこの国にやってきたのはほんの数カ月前だから」

僕はすごく興味を引かれたんだよ。「ウートンにいた頃から彼女のことは知ってたの？」

「へえ、そうなんだ。どっから来たの？」

「上海から来たんだよ」

「わお！　すごいじゃないか。彼女、中国人なんだ、じゃあ」

「わお！　それって気に入ってる？　彼女が中国人だってことが」

「然《しか》り」

「でもさ、それはどうしてなんだい？　僕としちゃそこんところが知りたいな。どうあってもさ」

「俺はただたまたまね、西洋哲学みたいなのより、東洋の哲学に強く心をひかれるんだよ。お前が尋ねるからあえて言うんだけどね」

「ふうん、そうなんだ。それで、君の言う哲学ってさ、どういうことなんだろう。それはセックスがらみのことなのかな。そういうのって中国の方が進んでるわけ？　そういう意味で言ってるの？」

「中国がどうこうじゃないんだよ、まったくもう。俺は東洋って言ってるだろうが。俺たちはこういう空疎《くうそ》な会話を更につづけなくちゃならないのかね？」

「ねえ、僕は真剣に知りたいんだよ」と僕は言った。「だからさ、なんで東洋がそんなにもいいんだろう？」

「そういう話をやりだすと長くなるんだよな、まったくもう」とルースは言った。「彼らはただ、セックスというものを肉体的であると同時に、精神的な体験であると考えているんだ。でもお前がもし俺のことを——」

「実にそうなんだよ！　僕もまったくそれと同じことを考えていたんだ。今君が言ったとおり、それは、えーとなんだっけ、肉体的かつ精神的な体験なんだってさ。心底そう思うんだ。でもさ、それって相手が誰かってことでけっこう事情が変わってくるんじゃないのかな。もし僕の相手が誰か――」

「そんな大声をだすなって。まったくもう。なあコールフィールド、もしお前がもっと静かな声で話ができないんなら、この話題は――」

「わかった、わかった。でもさ、つまり」と僕は言った。たしかに興奮して、声もいくらか大きくなっていた。興奮するとときどき大声になっちまうんだよ。「でもさ、それこそまさに僕が考えていたことなんだ」と僕は言った。「それは肉体的かつ精神的、はたまた芸術的なことでもなくちゃならないんだってさ。でも僕が言いたかったのはさ、女の子なら誰とだってそういうのが、ほいほい簡単にできちゃうというわけじゃないよね、ということなんだ。エッチなことをする女の子みんなとそういう美しい関係が持てちゃうってものでもないだろう。そのへんはどうなの？」

「その話はよそうぜ」とルースは言った。「お願いだ」

「わかった。でもいいかい、君とその中国人のベイビーのことだけどさ、どういうところがそんなにいいわけ？」

「その話はよそうって言っただろう」

僕はたしかに個人的なことにいささか鼻を突っ込みすぎていた。今思えばたしかにそのとおりだ。でもさ、そういうのがルースってやつの気に障《さわ》るところではあるんだ。僕らがウートン・スクールの生徒だった頃のことだけど、この男は君の私生活のすごくプライベートなところまで、君にしっかりしゃべらせちゃうんだ。ところが君が彼に対して何か彼のプライベートなことを質問したりすると、ご本人はとたんに不機嫌になっちまう。こういう知的な連中ってのは、自分が上に立って仕切っているんじゃないかぎり、知的な会話をしたがらないんだよ。彼らは自分が静かにしているときには、君にも静かにしていてもらいたいわけだ。自分が部屋に引っ込むときには、君にも自室に引っ込んでいてほしいんだ。ウートンにいた頃、ルースは僕らを自分の部屋に集めて、セックス話をさんざんやったわけだが、それが終わったあと僕らが自分たちだけで集まって話の続きをしたりすることをいやがった。そういうのが彼の気にくわないっていうのは見えだった。つまり、彼の部屋を出たあとで、僕や他の連中が誰かの部屋に集まったりすることがだよ。そういうことをルースは嫌った。要するにさ、親分づらをして自分が好きなだけしゃべっちまえば、あとはみんな銘々の部屋に引き上げて静かにしてろってわけさ。結局のところ、彼が何を恐れていたかっていうとさ、自分がいないところで誰かが自分より気の利いたことを口にしたりすることを恐れていたんだね。そういうところが愉快なんだよ、この男は。

「中国にでも行こうかな。僕のセックス・ライフはもうはちゃめちゃだからさ」と僕は言った。

「当たり前だ。お前のアタマはまだ未成熟なんだから」

「そうだよ。まさにそのとおりさ。それはわかってるって」と僕は言った。「でもさ、いったい僕のどこが問題なんだと思う？　そんなに好きでもない女の子が相手だと、僕はセックス的にしっかり盛り上がれないいんだ。最終的に盛り上がれないってことだよ。僕ときたら、その相手にまっしぐらに惹かれてなくちゃダメなんだ。そうじゃないと、欲望がずるずる薄れてきちゃうんだ。やれやれ、おかげで僕のセックス・ライフはひどいことになっちまっている。手のつけようもないくらい」

「当然さ、まったくもう。この前会ったとき、その話はしただろう。お前にとって何が必要なのかって」

「精神分析を受けろってことかい？」と僕は言った。前にそう言われたことがあるんだ。彼の父親は精神分析医なんだよ。

「それはお前次第なんだよ、まったくもう。お前の人生がどうなろうが、こっちの知ったこっちゃないんだからさ」

僕はしばらくのあいだ何も言わなかった。ひたすら考えていたんだ。

「もし僕が君のお父さんのところに行って、精神分析みたいなやつを受けたとしてだね」と僕は言った。「いったいどんなことをされるんだろう？　だからさ、普通どういったことをするわけ？」

「なんにもしない。あっちがただお前に話をして、お前もただあっちに話をするんだよ、まっ

たくもう。ただし彼は、お前が自分の思考パターンを認識できるように力を貸してくれる」

「何を認識するって？」

「思考パターンだよ。お前の思考の流れというのは——なあ、いいか、俺は精神分析の初級講座をやるつもりはない。もし興味があるのなら、親父のところに電話をかけて予約をとれ。興味がないのなら、忘れろ。ぶちまけた話、どうなろうが知ったこっちゃないんだから」

僕は彼の肩に手を置いた。やれやれ、こんなに愉快なやつってなかなかいないぜ。「君は実にフレンドリーなやつだよ」と僕は言った。「それは知ってた？」

彼は腕時計に目をやった。そして「行かなくちゃ」と言って立ち上がった。「それじゃ、また」。バーテンダーを呼び、勘定書を持ってこさせた。

「なあ」と僕は帰り支度をしているルースに向かって言った。「君はお父さんに精神分析を受けたことがあるのかい？」

「俺が？　なんで？」

「なんでってこともないけどさ。で、受けたことはあるの？　ないの？」

「とくにない。適応することに関して、ある程度まで助力はしてはくれたよ。でもそれ以上の分析をする必要はなかった。なんでそんなこと訊くんだ？」

「理由はないよ。ふと気になっただけ」

「ああ、それじゃあな」と彼は言った。彼はチップなんかを置いて、そのまま店を出ていこうと

した。

「もう一杯つきあえよ」と僕は言った。「なあ、お願いだよ。僕はどうしようもなく切ない気分なんだ。冗談抜きで」

そいつは無理だ、と彼は言った。既に時間に遅れてるからさ。そしてそのまま行ってしまった。ルースくん。まったく神経に障るやつではあるけれど、そのボキャブラリーにはたしかに瞠目《どうもく》すべきものがあった。僕がウートン・スクールにいたとき、彼は学校一語彙《ごい》が豊富だった。そういうテストがあったんだよ。

20

僕はそこに座ってさらに酔っぱらいながら、ティナとジャニーヌが出てきて演奏するのを待った。でも彼女たちは現れなかった。かわりにウェーブのかかった髪の、おかまっぽい男が現れ、ピアノを弾いた。それからバレンシアっていう名前の、見たことのない女の歌手が出てきて歌った。たいした歌手じゃなかったけど、ティナとジャニーヌよりはましだったし、少なくとも歌う唄はまともだった。ピアノは僕の座っているバーのとなりにあったので、バレンシアは文字どお

り僕のすぐわきに立っていた。それでちょっとモーションをかけてみたんだけど、彼女はしっかり見えないふりをしていた。普通なら僕はそんなことはしなかったと思う。でもずいぶん酔いがまわっていたんだよ。ステージが終わると、彼女はまるで逃げるみたいにさっと引き上げてしまったので、一杯いっしょにいかがですかと誘いをかける暇もなかった。それで僕はヘッドウェイターを呼んで、一杯お相手をお願いできないかとバレンシアさんに伝えてほしいと言った。かしこまりました、と彼は言ったけど、そんなメッセージは彼女には伝わらなかったと思うな。だからさ、伝言なんて伝わったためしがないんだよ。

やれやれ、午前一時くらいまでそのろくでもないバーにいたと思う。おかげでひどく酔っぱらっちまった。まともにものが見られないくらいだ。でも何があろうと目立つことだけはするまいと気を引き締めていた。人目を引きたくなかったし、年齢を尋ねられるようなことも避けたかった。でもさ、とにかくものがひとつに見えないんだよ。そのうちに僕は真剣に酔っぱらってきて、腹に銃弾をくらったっていう、しょうもない例のやつをまたやり始めた。僕はそこのバーではただ一人、腹に一発撃ち込まれた男なんだ。そこらじゅうを血だらけにしないために、上着の中に手を入れて、腹をぐっと押さえているわけさ。自分が傷ついていることさえ、まわりに気づかれちゃならない。自分が深手を負っているという事実を、僕はひた隠しにしているわけだ。そのうちにどういう気分になってきたかっていうとだね、ジェーンに電話をかけてみようかなという気分になってきたわけだ。彼女が家に帰っているかどうかを確かめなくちゃ。そこで僕は勘定を払

い、バーを離れて、公衆電話のあるところに行った。血がぼたぼた落ちないように、ずっと上着の中に手を入れたまんま。だからさ、深刻に酔っぱらっていたんだよ。

でも電話ブースの中に入ると、ジェーンに電話をかけようという気持ちはすっかり薄れてしまった。たぶん酔っぱらいすぎていたんだね。そこで僕が何をやったかっていうとだね、サリー・ヘイズに電話をかけたわけだ。

電話がうまくつながるまでに、二十回くらい間違った番号をまわしちまったと思うな。だからさ、目がまともに見えないんだよ。

誰かが電話に出たから、「もしもし」と僕は言った。というか大声で怒鳴ったわけだ。なにしろ酔っぱらっていたからさ。

「どちらさま?」と相手は言った。女の声で、ものすごくひやっとしていた。

「僕だよ。ホールデン・コールフィールド。サリーと、えーと、話したーいんだけど。すいません」

「サリーはもう休んでいます。私はサリーの祖母です。どうしてこんな夜遅くに電話をかけてくるの、ホールデン? 何時だかわかっているの?」

「ええ。サリーとね、その、話したかったんだ。すごーい大事なことでね。彼女を出してほしいんですけど」

「よろしいですか、サリーは眠っています。明日また電話をかけてください。おやすみなさい」

「起こせよ！　よう、起こしなったら。そう、それでよし」

そこでべつの声が電話に出た。「ホールデン、私よ」。サリーだった。「いったいなんの真似なの」

「サリー、君だね」

「そうよ。だから怒鳴らないで。あなた酔っぱらってるの？」

「うん。いいかい、なあ、いいか。クリスマス・イブには君んところにちゃあんと行くよ。オーケー？　そいで、しょーもないツリーの飾り付けなんかもしてやるよ。わかったかい、よう、サリーちゃん」

「ええ。あなたは酔っぱらってるのね。もういいから寝なさい。いったい今どこにいるのよ？誰と一緒なの？」

「よう、サリー、しっかりそっちに行って、君のためにツリーの飾り付けをやりますって。オーケー？　わかってくれたかなあ、サリーちゃん？」

「わかったわよ。早く寝なさい。どこなのよ？　誰と一緒なのよ？」

「誰もいませんよ。正真の正銘、たった僕ひとりしかいないんだ」、やれやれ、ひどい酔っぱらい方じゃないか！　まだしっかり腹を押さえているんだから。「やられたよ。俺はロッキーの手下に、一発くらっちまった。そのことはわかってるのかな、サリーちゃん、君にはわかってるのかい？」

「よく聞こえないの。もう寝なさいよ。それじゃね。明日電話をして」

「なあ、サリーちゃん！　ツリーの飾り付けをやってほしいんだろ。僕にやってほしいんだよな。なあ？」

「はいはい。じゃあね。うちに帰っておやすみなさい」

彼女はがちゃんと電話を切った。

「おやすみ、おやすみ、サリー・ベイビー。サリー、スイートハート、ダーリン」と僕は言った。とにかく果てしもなく酔っていたわけさ。それから受話器を置いた。サリーはついさっきデートから帰ってきたばかりなんだろう、と思った。彼女がラント夫妻とか、あのアンドーバーから来たカスみたいなやつとかと、一緒にお出かけしているところを想像した。みんなでお茶のポットの中で泳ぎ、気の利いたことを言い合って、チャーミングにちゃらちゃらとインチキづくしをやらかしているわけだ。サリーになんか電話するんじゃなかったなと、とことん後悔したね。酔っぱらうと、僕はとにかくでたらめになっちまうんだ。

そのろくでもない電話ブースの中で、ずいぶん長いあいだじっとしていた。電話機にもたれかかるようなかっこうになっていたので、なんとか倒れずにすんだようなものだった。素晴らしい気分とは言えなかったよ、正直な話。でもやっとなんとかそこを出て、我ながら情けなくなるくらいの千鳥足で洗面所まで行った。そして洗面台に冷たい水を張り、しっかりと耳のところまで頭を浸《つ》けた。顔を拭きさえしなかった。ただぼとぼとと、そのやくざな水を滴《したた》らせていた。その

あと窓際のラジエーターのところまで行って、そこに腰掛けた。ラジエーターはほんのりと温かくて気持ちよかった。それでやっと一息つくことができた。というのは僕の身体はとにかく震えまくっていたからだ。妙な話だけどさ、僕は真剣に酔っぱらうと、身体がやたら震えまくるんだよ。

ほかにやることもなかったから、そのラジエーターの上にじっと座って、床の白いタイルの数を数えていた。僕はだんだん濡れ鼠みたいになっていった。というのはおおよそ一ガロンくらいの水が首をつたって下に降りて、シャツのカラーやらネクタイやらをずぶずぶに濡らしていったからだ。でも僕はとくに気にもしなかった。そんなことをいちいち気にかけるには、酔っぱらいすぎていたんだね。やがてバレンシアのためにピアノ伴奏をしていた、見事なウェーブ髪のおかまっぽい男が、その黄金色の巻き毛に櫛をあてるために洗面所に入ってきた。彼が髪を整えているあいだ、僕らはちょっとした会話を交わしたわけだが、彼の態度はとてもフレンドリーとは言いがたいものだった。

「ねえ、バーに戻ったらバレンシア・ベイビーに会うのかい？」と僕は尋ねた。

「その可能性は大なりだね」と彼は言った。気の利いたことを言うじゃないか。会うやつ会うやつ、みんな気の利いたことを言うんだから。

「あのさ、彼女に僕からよろしくって言っといてくれないか。ウェイターに伝言を頼んだんだけど、届いているかどうか聞いておいて。頼むよ」

「なんで家に帰らないんだ、マック。だいたいいくつなんだよ?」

「八十六だよ。あのさ、彼女によろしくって言っといてよ。オーケー?」

「家に帰ったらどうだい、マック」

「ごめんだね。でもさ、あんたのピアノはなかなかすごいぜ」と僕は言った。それはただのお世辞みたいなもんだった。ほんとのことを言えば、こいつのピアノ演奏はまったくお粗末なものだった。「ラジオに出ればいいのにさ」と僕は言った。「君はハンサムだし、金髪の巻き毛もばっちりだもんな。マネージャーとかいらない?」

「おとなしく家に帰りなって、マック。家に帰って、お寝んねするんだよ」

「帰る家なんてありゃしないよ。冗談抜きでさ。ほんとにマネージャーはいらない?」

彼は返事をしなかった。何も言わずにそこを出ていった。櫛をしっかりあてて、髪をとんとんと整えて、そのまま行ってしまった。まるでストラドレイターみたいに。ああいうハンサムなやつらって、みんな同じなんだよ。ご自慢の髪にしっかり櫛をあてちゃうと、あとは「はい、さようなら」って感じなんだ。

やっとラジエーターから降りて、クロークに行く頃には、僕は泣き出していた。どうしてかはわからないんだけど、とにかくおいおい泣いていた。たぶんとことん落ち込んでいて、淋しかったからだろうな。で、クロークに行ったんだけど、どうしても半券がみつからない。でも係の女性はすごく親切にしてくれた。半券なしで僕にコートを渡してくれた。それから『リトル・シャ

ーリー・ビーンズ』のレコードも。僕はまだなんとかそのレコードを持ち歩いていたんだよ。親切にしてくれたお礼に一ドルを渡そうとしたんだけど、受け取ってもらえなかった。早く家に帰っておやすみなさいと彼女は繰り返した。仕事が終わったらどっかに遊びにいこうよと誘ってみたけど、断られた。私はあなたのお母さんくらいの歳なのよ、と彼女は言った。僕は白髪を見せて、ほんとは四十二歳なんだよと言った。もちろんふざけて言ったんだけどね。でも親切な人だったね。僕が赤いハンティング帽を見せると、それをほめてくれた。そして店を出ていく前に僕にしっかりその帽子をかぶらせた。僕の髪はまだかなり濡れていたからさ。なかなか良い人だったね。

外に出たとき、もうそんなに酔いを感じなかった。しかしそれにしても、またやたら冷え込んでいた。僕の歯はがちがちと音を立て始めた。どうやってもそれが止まらないんだ。マディソン・アベニューまで歩いていって、そこでバスを待ちかけたんだ。というのは手持ちの金は尽きかけていて、タクシーに乗る余裕もなくなっていたからだ。でもバスに乗るような気分じゃなかった。それにさ、そもそもこれから自分がどこに行こうとしているのかもわからないんだぜ。で、何をしたかっていうと、公園に向かって歩いたんだ。あの池のそばを通って、アヒルたちが何をしているかチェックしてみようと思ったわけだ。連中がまだそこにいるかどうかとかさ。アヒルたちがまだそこにいるのかどうかも、まだ確かめてなかったんだよ。公園はそんなに遠くじゃなかったし、ほかに行くあてもなかったしね。というか、今夜どこで眠るかだってまだ決めていなかった。だから僕は公園に足を向けた。疲れはぜんぜん感じなかったな。ただ心がずぶずぶに切ないだけだった。

ところが公園に足を踏み入れたとたん、とんでもないことをやらかしてしまった。フィービーのレコードを落っことしたんだよ。それは五十くらいのばらばらのかけらになってしまった。大きな紙袋に入っていたんだけど、それでも粉みじんになった。僕はほとんど泣き出しそうになった。ひどい気分だった。でもとりあえず袋の中のかけらを集めてコートのポケットに入れた。そんなもの持っていたってなんの役にも立ちゃしないんだけど、僕としてはそのまま捨てていくわけにはいかなかった。それから公園の中に足を踏み入れた。いやはや、そこは真剣に真っ暗だったね。

僕は生まれてからずっとニューヨークに住んでいるし、セントラルパークのことならそれこそ自分の庭みたいに頭に入っている。子どもの頃そこでいやっていうほどローラースケートをしたし、自転車にも乗った。でもその夜、池をみつけるのに信じられないくらい苦労をした。その池の場所はちゃんとわかっていたんだよ。セントラルパーク・サウス通りの近くだ。でもそいつがどういうわけかみつからないんだ。きっと自分で思っていたより酔っぱらっていたんだね。さんざん歩きまわったんだけど、あたりはますます暗くなるし、ひたすら不気味な感じになっていった。公園をほっつきまわっているあいだ、人の姿をまったく見かけなかったけど、それはむしろありがたいことだった。もし誰かとばったり出くわしたりしたら、僕はきっと一マイルくらい飛び上がっていただろうから。でもやっとこさ池を探し当てることができた。池はある部分は凍り、ある部分は凍っていなかった。でもアヒルはただの一羽もいない。僕はそのろくでもない池のまわりをぐるっと一周してみた。まったくの話、もうちょっとで池の中に落ちてしまうところだった。でもアヒルの姿は見あたらなかった。もしまだそのあたりに居残っているとすれば、アヒルたちはきっと水辺近くの、草のわきとかで寝ているはずだと僕は考えた。おかげで池にあやうく落っこちそうになったわけさ。ともあれ、アヒルは一羽もいなかったね。

　やっと僕はそれほど真っ暗じゃないところにベンチをみつけて腰を下ろした。でもまだぶるぶる震えまくっていた。髪の後ろの方は、ハンティング帽をかぶっていたにもかかわらず、ばりばりに凍りついてるみたいだった。僕は不安になってきた。このまま肺炎になって死んじまうんじゃないだろうか。僕の葬式にろくでもないやつらが何百万人も押し寄せてくる光景が頭に浮かんできた。おじいさんがデトロイトからやってくるだろう。この人はね、一緒にバスに乗ると、通り過ぎていくストリートの番号をいちいち大声で読み上げていくんだよ。それから叔母さんたち。僕には五十人くらい叔母さんがいるんだ。そしてカスみたいな従兄弟たち。うれしくてほろほろと涙が出るようなやつらがどっと集まるわけさ。アリーが死んだときにも、そういう間抜け軍団が全員で押し寄せてきた。口臭のひどい一人の脳たりんの叔母が、なんて安らかな死に顔なのかしらと言い続けていた、とDBがあとで教えてくれた。僕はその場にはいなかった。そのときはまだ入院していたんだよ。手に怪我をしたあと、病院に入らなくちゃならなかったからさ。とにかく僕は心配だった。髪がこんな氷だらけみたいになってしまって、このまま肺炎になって死んじゃうんじゃないかって。両親に悪いなという気がすごくした。とくに母親にはね。というのは母はアリーの死によって受けた打撃からまだじゅうぶん回復していなかったからだ。あとに残された僕のスーツやら運動用具やらをいったいどう処分すればいいものか、母が考えあぐねている姿が何度も目に浮かんだ。ひとつ救いがあるとすればそれは、母はきっとフィービーを葬儀には来させないだろうってことだった。フィービーは葬儀に出るにはまだ小さすぎるからね。それが唯一の救いだった。それから僕は、連中がよってたかって僕を墓地に放り込み、墓石に名前が刻まれたりするところを想像した。まわりにいるのは死んだやつらばっかり。やれやれ、一度死んじまうとさ、君はひとつところにがっちり閉じこめられちまうんだ。僕は実につくづく思うんだよ。もし僕が真剣に死んじまったら、誰かが遺体を川にどぶんと放り込んだりしてくれないものかってさ。良識ってのはそういうものだぜ。何をされてもいいけど、ろくでもない墓地に押し込められるのだけはまっぴらだね。日曜日になるとみんながやってきて、君のおなかの上に花束やらその手のろくでもないものを置いてったりするわけだ。まったくもう、死んでいる人間が花をありがたがるもんかい。冗談じゃないよな。

　天気がいいときには、両親はしょっちゅうアリーのお墓に行って、花束を置いてくる。僕も二度ばかり一緒に行ったことがあるけど、あとは行かなくなった。だいたいさ、アリーがそんなとち狂った墓地に入れられているのを見ることに、僕はなにしろ我慢できないんだ。まわりは死んだ連中と墓石ばかりだ。太陽が出ているときはそんなに悪くもないんだけどさ、僕がそこに行ったときには二回とも――二回ともだぜ――雨が降り出したんだ。それには参ったよ。アリーの嘘くさい墓石にも雨が降っていたし、彼のおなかの上に生えている草にも雨が降っていた。そこいらじゅう全部に雨が降っていた。墓参りに来てた人たちはみんなあわてて自分の車の方に走っていった。そういうのってないだろうと、僕はつくづく思うんだよ。墓参りに来ている連中はみんな車の中におさまって、ラジオかなんかつけて、それからどっか洒落た店に行って夕食を食べるわけさ。アリー以外のみんなはってことだよ。僕にはそういうのがとことん納得できないんだ。もちろん墓地にあるのは彼の身体だけで、その魂は天国だかどっかに行っちまっているというような御託《ごたく》は、頭ではわかっているさ。でもさ、それでもやっぱり僕には耐えられないんだな。アリーはそんなところにいるべきじゃないと思うんだ。君はアリーのことを知らないわけだけど、もし知っていたら、僕の言いたいことはきっとわかってくれるはずだ。たしかに太陽が出ているときはそんなに悪くないよ。でもさ、太陽なんて自分が出てきたいときにしか出てこないんだ。

しばらくしてから、肺炎についてあれこれ考えるのをもうやめるために、街灯のやくざな光の下で残りの持ち金を勘定してみた。僕が持っているのは一ドル札が三枚、クォーター（二十五セント硬貨）が五枚、それにニッケル（五セント硬貨）が一枚だけだった。やれやれ、僕はペンシーをあとにしてからひと財産を使っちまったんだ。それから何をやったかっていうとだね、僕は池のそばまで行って、そのクォーターとニッケルを水面に向かって跳ね石みたいに投げたわけだ。池のの氷結してないところめがけて。どうしてそんなことをしたのか自分でもよくわかんないんだけど、とにかくそんなことをしちゃったわけだ。たぶんそうすることで、肺炎とか死とかについてくよくよ考えるのをやめられるんじゃないかと思ったんだろうね。でもどうにもやめられなかったよ。

もし僕が肺炎をこじらせて死んじゃったら、フィービーはどんなふうに感じるだろうって想像してみた。そんなこと考えるなんてやたら子どもっぽいんだけどさ、でも考えるのをやめられなくなったんだ。もし実際にそんなことになったら、たぶんフィービーはすごくがっかりしちゃうはずだ。彼女は僕のことがすごく好きだからね。うん、フィービーは僕にべったりなんだ。嘘じゃなくってさ。いずれにせよ、いったん考え出すと頭がそればっかりになってしまった。それで結局、僕がどうしようと思ったかというとだね、こっそり家に帰ってフィービーに会おうと思ったわけだ。ひょっとしてこのまま死んじまうかもしれないし、その前に一回会っておいた方がいいんじゃないかって。うちの入り口の鍵は持っていたし、どうすればいいかもわかっていた。こっそりと忍び足で奥まで行って、フィービーと軽くおしゃべりをするんだ。ただひとつの難関は玄関のドアで、こいつはとてつもない音で軋《きし》むんだよ。かなり古いアパートメント・ハウスだったし、管理人はどうしようもない怠けもので、おかげで何を動かしてもぎいぎいと派手な音がするんだ。だから僕が忍び込んだら、その音で両親が目を覚ましちまうんじゃないかという不安はあったけど、でもまあやるだけやってみようと決心した。

そんなわけで、僕は公園なんかさっさとあとにして家に向かった。そこまでずっと歩いていった。たいした距離じゃなかったし、疲れも感じなかった。酔いだってもうすっかり醒《さ》めていた。ただね、あたりはやたら冷え込んでいて、人影ってものがまったくなかったな。

21

うちに戻ってみると、夜間のエレベーター係はいつものピートじゃなかった。これはこの何年かのうちで僕が手にした最高の幸運だった。かわりに見たこともない新入りの男がエレベーターを運転していた。だからもし両親にばったり鉢《はち》合わせするようなことさえなければ、こっそりフィービーに会って、ちょっと話だけして、ここに来たことを誰にも知られずそのまま引き上げるってことができるわけだ。そんな幸運ってなかなかめぐりあえるもんじゃない。さらに具合のいいことには、この新しいエレベーター係の男は、どちらかというと血のめぐりのわるいやつだった。僕はすごくさりげない声で、ディックスタインさんのうちに行きたいんだけどと言った。ディックスタインというのはうちとフロアを分け合っている一家なんだ。怪しいやつだと思われないように、前もってハンティング帽を脱いでいた。すごく急いでいるようなふりをして僕はエレベーターに乗り込んだ。

男はエレベーターのドアをしっかりと閉めて、もうすっかり運転できるという態勢をとってから、僕の方を向いて言った。「ディックスタインさんのおうちは留守だよ。みんな十四階のパーティーに行ってるから」

「かまわないよ」と僕は言った。「中で待たせてもらうことになっているんだ。僕は甥《おい》だから」

彼は間の抜けた、疑わしそうな目で僕を見た。そして「ロビーで待ってもらうことになってるんだけどね、ふつうは」と言った。

「もちろん、できればそうしたいところなんだけどね」と僕は言った。「でも僕は脚の具合が悪いんだよ。ずっと決まった角度に脚を置いていなくちゃならなくてね、それで、玄関ドアの外に置いてある椅子に座っていた方がらくなんだ」

僕が何を言っているのか彼にはよく理解できなかった。だから「ああ」と言っただけで、僕を上の階まであげてくれた。上出来だよね、まったく。しかしおかしな話だよ。君はただ意味不明なことを口にすればいいいんだ。そうすればみんな君が望んでいることを、ほとんどなんだってやってくれるわけさ。

僕はうちの階で、おおげさに脚を引きずりながらエレベーターを降りた。そしてディックスタイン家の方に歩いていった。でもエレベーターのドアが閉まる音が聞こえると、くるりと向きを変えて、うちの方に行った。すべては順調に進んでいる。もう酔いは残っていない。僕はドア・

キーを出して玄関を開けた。ものすごく静かに。それからとびっきり慎重に注意深く、中に入ってドアを閉めた。僕はまったく泥棒にでもなるべきだったよ。

当然のこととはいえ、玄関室《フォイヤー》は真っ暗だった。そしてこれもまた当然のことながら、明かりをつけるわけにはいかない。何かにつまずいて大きな音を立てたりしないように、ずいぶん神経を使わなくちゃならなかった。でもとにかくうちに帰ってきたんだということだけはわかった。というのはうちの玄関はちょっと変な匂いがするんだよ。うちの玄関にしかない匂い。それが何の匂いなのか僕にもわからない。カリフラワーの匂いでもないし、香水の匂いでもない。なんかもう正体不明の匂いなんだ。でもさ、その匂いをかぐと、ああうちに帰ったんだと実感できるわけさ。僕はコートを脱いで、玄関クローゼットのハンガーにかけようとした。でもクローゼットの中はハンガーだらけで、ドアを開けたらそれが気がふれたみたいにじゃらじゃらと鳴り出すんで、コートは脱がないでおくことにした。それから忍び足で奥にあるフィービーの部屋の方に向かった。メイドに足音を聞きつけられる心配はなかった。というのは彼女には片方の鼓膜《こまく》しかなかったからだ。小さい頃にお兄さんに、耳に麦藁を突っ込まれたんだということだ。だから耳がかなり遠いわけだよ。でもうちの両親はそうじゃない。とくに母親の方はブラッドハウンドなみに耳が鋭いんだ。だから両親の寝室の前を通り過ぎるときには、とことんこっそりと歩いた。呼吸もしなかったくらいだよ、ほんとの話。父親の方は一度寝ちゃうと、椅子でぶん殴ったって起きやしない。でも母親は違う。たとえばシベリアのどっかで君がこそっと咳《せき》をするだけで、彼女はばっと目を覚ましちゃうわけだ。もうまっしぐらに神経質なんだよ。一晩中まんじりともせず煙草を吸ってるなんてこともぜんぜん珍しくないんだから。

でもなんとかやっと、ほとんど一時間くらいかかったけど、フィービーの部屋にたどり着いた。でも部屋はからっぽだった。そうなんだ、すっかり忘れちまっていた。フィービーは、DBがハリウッドとかに行っちゃってうちにいないときには、いつも彼の部屋で寝ているんだ。フィービーがその部屋を好きなのは、うちではいちばん大きな部屋だからだ。そしてもうひとつ、そこにはDBがフィラデルフィアでアル中の女の人から買い取った、気がふれたみたいにでかい机があった。やたら巨大なベッドもあった。なにしろ縦十マイル、横十マイルくらいあるんだよ。DBがどこでそんなベッドを見つけてきたのか、見当もつかない。とにかくフィービーは、DBが留守のときには彼の部屋で眠りたがったし、DBもそれを認めていた。フィービーがそのクレイジーな机に向かって宿題とかをやっている姿を、君にも見せてやりたいよ。机はなにしろベッド並みに大きくて、彼女が宿題をやっている姿がろくすっぽ見えないんだ。でもフィービーはそういう感じのものが大好きなんだ。自分の部屋は小さすぎて好きになれない、と彼女は言う。ゆっくりものを広げられないといやなんだって。そういうのって参っちゃうよね。だってフィービーがゆっくり広げて置くような何を持ってるだろう？　まったくの話。

とにかく僕はこっそりとDBの部屋に入って、机の上の明かりをつけた。フィービーは目を覚ましもしなかった。明かりをつけたまま、僕はしばらく彼女の寝顔を見ていた。彼女は枕の隅っこに頭を置いて眠っていた。口は大きく開かれていた。不思議だよね。大人がぽかんと口を開けて寝ていたら、そんなの馬鹿みたいじゃないか。ところが子どもはそうじゃない。子どもの場合はいいんだ。たとえ枕を唾でべとべとにしちゃっていても、ぜんぜん変には見えないんだな。

僕は足音を忍ばせて部屋の中を歩きまわり、しばらくのあいだ、そこにあるものをあれこれ眺めた。気分はわりあいよくなっていた。肺炎になりそうだとか、そういういやな感じもなくなっていた。なんか調子が戻ってきたわけさ。フィービーはその歳の子どもにしてはとてもきちんとしているんだ。つまりね、そのへんの子どもたちみたいに、服をぱっと脱ぎ散らかしたりはしないということだよ。だらしないところってないんだ。母親がカナダで買ってきたタン色のスーツの上着が、椅子の背中にかけてある。ブラウスとかそういうものがシートの上に載っている。靴と靴下は椅子の真下、床の上に右左ちゃんと揃えて置いてある。その靴には見覚えがなかった。新品の靴だ。ダーク・ブラウンのローファー、ほら、僕が持ってるのに似たやつで、母親がフィービーのためにカナダで買ってきたスーツにぴったり合っていた。母親はフィービーのためにとても素敵な服を選ぶ。文句のつけようがないくらい。うちの母親は、分野によってはすごく洗練された趣味を持っている。アイススケート靴を買うとか、そういうことについてはお話にならないけど、こと洋服に関するかぎり、非のうちどころがない。だからフィービーはいつだって、目が覚めちまうようなばりっとした身なりをしている。たいていの子どもたちって、たとえ親が裕福であっても、だいたいにおいてひどい服を着せられてるんだよね。うちの母親がカナダで買ってきたスーツを着ているフィービーの姿を、君に見せてやりたいもんだよ。ほんとに、冗談抜きでさ。

僕はDBの机の上に腰を下ろして、その上にあるいろんなものを見ていた。その多くはフィービーの持ち物だった。学用品。ほとんどは本だ。一冊の表紙には「算数は楽しい！」と書いてあった。僕は最初のページをちょっと開けて見てみた。そこにはフィービーの字でこう書いてあった。

フィービー・ウェザフィールド・コールフィールド
4B-1

これには参ったね。彼女のミドルネームはジョゼフィンで、ウェザフィールドなんかじゃないんだもの。でもフィービーはジョゼフィンという名前が好きじゃない。だから彼女は会うたびに、いつもいつも違うミドルネームを持っている。

算数の本の下には地理の本があり、地理の本の下にはスペリングの本があった。フィービーはスペリングがすごく得意なんだ。彼女はどんな教科もすごく成績がいいんだけど、とくにスペリングに関してはずば抜けている。スペリングの本の下にはノートブックがどさっとあった。全部で五千冊くらいノートブックを持っているんじゃないかな。そんなにたくさんのノートブックを持った子どもって、まずいないだろうね。僕はいちばん上にあったノートブックを手に取り、最初のページを開けてみた。こんなことが書かれていた。

バーニス休み時間にわたしに会ってあなたに言いたいとてもとてもだいじなことがあるのよ。

最初のページにはそれしか書いてなかった。次のページはこうだった。

どうしてアラスカ南東部にはそんなにたくさんの缶詰工場があるのでしょう?
たくさんの鮭がいるから
どうしてそこには立派な森林があるのでしょう?
そういう気候があるから。
アラスカ・エスキモーの生活をらくにするために
わたしたちの政府は何をしたでしょう?
あしたまでに調べること!!!
フィービー・ウェザフィールド・コールフィールド

フィービー・ウェザフィールド・コールフィールド
フィービー・ウェザフィールド・コールフィールド
フィービー・W・コールフィールド
フィービー・ウェザフィールド・コールフィールド殿
これをシャーリーにまわしてね!!!!
シャーリー、あなたはいて座だって言ったけど
でもあなたはただのおうし座*じゃないわたしのうちにくるとき
スケートぐつをもってくるのよ。

僕はDBの机に座って、そこにあるノートブックを全部読んでしまった。そんなに時間はかからなかった。僕はそういうものなら一日中だって一晩中だって読んでいられるんだ。フィービーのものであれ、ほかの子が書いたものであれ、子どものノートブックみたいなものならね。子どものノートブックってさ、ほんとにたいしたものなんだよ。僕はまた煙草に火をつけた。それが最後の一本だった。その日だけでもう三カートンくらい煙草を吸っちまったと思う。それからやっとフィービーを起こした。僕としても残りの人生をその机に腰掛けたまま送るわけにはいかないし、それに両親がいつなんどき部屋に飛び込んでくるかもしれないしね。そんなことになっちまう前に、少なくともフィービーと挨拶くらいはすませておきたかった。だから起こしたんだよ。

フィービーはすごく寝起きがいい。つまりさ、起こすためにいちいち大声を出したりするような必要はないんだ。君はベッドに腰をおろして「起きなよ、フィーブ」と言うだけでいいんだ。それだけ。次の瞬間にはもうばっちり目を覚ましている。

「ホールデン！」とフィービーは即座に言った。そして僕の首に抱きついた。この子はやたら感情表現が豊かなんだよ。つまりね、子どもにしちゃそういうのがすごく豊かだってこと。ときどき豊かすぎることもあるんだけどさ。僕がキスをすると、フィービーは言った。「ねえ、いつ帰ってきたの？」。僕が戻ってきたのを見て心底嬉しそうだった。ほんとに、冗談抜きで。

「大きな声を出さないで。たった今帰ってきたばかりさ。元気かい？」

「元気よ。わたしの手紙は届いたかしら？　全部で五ページも――」

「ああ――でも大きな声を出さないで。ありがとう」

手紙はちゃんと受け取っていた。でも僕には返事を書いている暇がなかったんだよ。その手紙にはフィービーが出ることになっている学校のお芝居のことが書いてあった。だから金曜日にはデートの約束とかそういうのは入れないで、お芝居を見に来てねと書いてあった。

「お芝居のほうはどうだい？」と僕は尋ねた。「えーと、なんていう題のお芝居だっけね」

「『アメリカ人のためのクリスマス・ページェント』。ひどい題でしょう。でもなにしろわたしはベネディクト・アーノルド（一七四一‐一八〇一。独立戦争当時のアメリカの軍人。祖国を裏切って、ウェストポイントを敵に譲り渡そうとした）なのよ。お芝居の中ではいちばん大きな役といってもいいくらい」と彼女は言った。やれやれ、フィービーはもうすっかり目を覚ましてしまっていた。こういう話になると、この子は一途に興奮しちゃうんだよ。「わたしが死にかけているところからお芝居が始まるの。クリスマスに幽霊がやってきて、わたしに尋ねるわけ。自分のやったことを恥じているかって。だからさ、国を裏切ったことなんかをね。見に来てくれる?」、フィービーはベッドのずっと上の方に起きあがっていた。「そのことは手紙に書いたわよね。見に来てくれる?」

「もちろん行くよ。ちゃんと行くよ」

「お父さんは来れないんだ。飛行機でカリフォルニアに行かなくちゃならないから」とフィービーは言った。いやいや、もうすっかり目は覚めていた。なにしろ完全に目が覚めるまでに二秒もかからないんだものな。ベッドのずっと上の方に座って——どっちかっていうとひざまずくみたいな格好で——僕のろくでもない両手をしっかり握りしめていた。「でも、お母さんはあなたは水曜日に帰ってくるって言ってたのよ」とフィービーは言った。「水曜日って言ってた」

「早いめに出てきたんだよ。あのさ、大きな声を出さないで。みんな目を覚ましちまうからさ」

「今は何時? お母さんたちは帰りが遅くなるって言ってたわ。コネティカットのノーウォークでパーティーがあって、そこに出かけているの」とフィービーは言った。「今日のお昼にわたしが何をしたかあててみて! わたしがどんな映画を見たか、あててみて!」

「わかんないな——ねえ、お父さんたちはどう言ってた? 何時くらいにうちに戻るとか——」

「『ザ・ドクター』っていう映画。リスター・ファウンデーションでとくべつ上映したの。上映は一日だけで、今日しか見られなかったのよ。ケンタッキーのお医者さんが主人公で、この人、脚が悪くて歩けない子どもの顔に毛布なんかばっとかぶせちゃうんだ。それで刑務所なんかに送られちゃうわけ。すごくよかったんだから」

「ちょっと待って。お父さんとお母さんは何時ごろに帰ってくるって――」

「そのお医者さんはかわいそうに思ったわけ。だからその女の子の顔に毛布をかぶせて、窒息《ちっそく》させちゃおうとしたの。それで終身刑を宣告されて刑務所にやられるんだけど、毛布をかぶせられた女の子はしょっちゅう面会に来て、彼のおこないに対して感謝するわけ。その子のためを思ってやったことだからね。ただその人には、自分が刑務所に入らなくちゃならないってことはちゃんとわかっているのよ。自分はお医者であって、神から授《さず》かったものを勝手に奪ったりしちゃいけないんだってことがね。同級生の女の子のお母さんが映画に連れて行ってくれたの。アリス・ホームボーグ。わたしのいちばんのお友だち。この世界じゅうでこの子くらい――」

「ちょっと待って。頼むからさ」と僕は言った。「僕は君に質問しているんだぜ。お父さんとお母さんは何時ごろにうちに帰るって言ってた？　それとも何も言ってなかった？」

「何時とは言ってなかった。ただすごく遅くなるって言っただけ。お父さんは車を運転していったから、電車の時間とかそういうのは関係ないみたいよ。ねえねえ、車にラジオをつけたんだよ！　ただお母さんは、街中《なか》を走っているときには誰もラジオを聴いちゃいけないって言うんだけど」

僕はなんとなくリラックスしてきた。つまり、うちにいるところをみつかりやしないかとやきもきすることをもうやめちまったんだよ。なんだってかまうもんかと開きなおったわけだ。もしそうなったら、そうなったときのことだ。

君にフィービーの姿を見せたかったね。襟のところに赤い象がついたブルーのパジャマを着ていた。なにせフィービーは象に目がないんだ。

「じゃあそれはいい映画だったんだね？」と僕は言った。

「最高だったよ。ただアリスは風邪をひいていたもんだから、彼女のお母さんはしょっちゅう『ぞくぞくしたりしない』とか尋ねるわけ。それも映画の最中に。映画が大事なところにさしかかると、決まってわたしにかぶさるみたいな感じで身を乗り出してきて、アリスに『ぞくぞくしたりしない』ってきくんだ。けっこういらいらしちゃったな、それは」

それから僕はレコードの話をした。「あのさ、君のためにレコードを一枚買ってきたんだ。でも途中で落っことして粉々になっちまった」。そしてコートのポケットからレコードのかけらを出して見せた。「わりに酔っぱらってたもんだからさ」

「そのかけらをちょうだい」とフィービーは言った。「しまっておくから」。彼女は僕の手の中にあるかけらをとって、ナイトテーブルの引き出しに入れた。そういうのって参っちゃうよね。

「ＤＢはクリスマスに帰ってくるのかな？」と僕はきいた。

「帰ってくるかもしれないし、こないかもしれないってお母さんは言ってた。成り行き次第なんですって。ハリウッドに残って、アナポリス（メリーランド州の州都。海軍兵学校があることで有名）を舞台にした映画のために脚本を書かなくちゃならないかもしれないんだって」

「アナポリスだって！　勘弁してくれよ」

「それはラブストーリーなの。誰がその映画に出ると思う？　その映画スターは誰でしょう？　さあ当ててみて」

「興味ないね。アナポリスだってさ、まったく勘弁してほしいよ。だいたいDBがアナポリスについていったい何を知ってるっていうんだ？　そんなの、DBが書いている小説とはまったく無縁の世界じゃないか」と僕は言った。やれやれ、そういう話を聞くと頭が崩れそうになるんだよ。ハリウッドってほんと最悪だよな。「その腕はどうしたんだい？」と僕は尋ねた。フィービーが肘《ひじ》のところに大きな絆創膏《ばんそうこう》を貼っているのが目についたからだ。どうしてそれが目についたかっていうと、フィービーのパジャマには袖というものがついてなかったからだよ。

「カーティス・ワイントラウブっていう同じクラスの男の子がね、わたしを突いたの。公園の階段を下りているときに」とフィービーは言った。「傷を見たい？」、そう言って特大の絆創膏を腕からはがし始めた。

「べつにはがさなくていいよ。でもさ、どうしてその子は階段で君を押したりしたわけ？」

「知らない。わたしのことが嫌いだったからでしょう」とフィービーは言った。「わたしと、セルマ・アッタベリーっていう子と二人で、その子のウィンドブレーカーにたっぷりインクをかけてやったから」

「それはよくないよ。そういうのってさ、いくらなんでも子どもっぽいんじゃないか」

「うん、でもね、わたしが公園に行くと、いつもその子はわたしのあとをついてくるんだよ。いつだってあとをつけてくるの。そういうのって、すごく神経にさわるんだよね」

「その子はたぶん君のことが好きなんだ。だからってウィンドブレーカーにインクをつけたりするのは――」

「わたしはその子に好きになってもらいたくなんかないの」。それから僕のことを妙な目つきで見た。「ホールデン」とフィービーは言った。「どうして水曜日に帰ってこなかったの？」

「なんだって？」

やれやれ、この子相手だと油断も隙《すき》もならないんだ。もし君がフィービーなんか適当にあしらえると思っているとしたら、一度病院で頭を診《み》てもらった方がいいね。

「どうして水曜日に戻ってこなかったわけ？ 学校を追い出されたとか、そういうんじゃないわよね？」

「だから言ったじゃないか。休みが早まったんだよ。生徒はみんな――」

「学校を追い出されたんだわ！ そうなんだわ！」とフィービーは言った。それからこぶしで僕の脚を叩いた。この子は興奮するとやたらぽかぽか人を殴るんだよ。「ひどいわ！ ああ、ホールデンったら！」。そして手で口を押さえたりした。だからさ、やたら感情の起伏が激しいんだ。

「学校を追い出されたなんて誰も言ってないだろう。僕は何も——」

「追い出されたのよ！　追い出されたんだわ！」とフィービーは言った。そしてまたこぶしでばんと僕を叩いた。もしそんなの痛くないだろうと君が考えるとしたら、一度病院に行って頭を診てもらった方がいいね。「お父さんに殺されちゃうわよ！」と彼女は言った。それからベッドの上にばたっとうつぶせになり、枕をすっぽり頭からかぶった。この子はそういうのをかなりちょくちょくやるわけだ。ときどき真剣に頭のたががはずれたみたいになっちまうんだよ。

「もうよせったら」と僕は言った。「誰にも殺されたりするもんか。誰も僕のことを——さあ、フィーブ、そんなものを頭からかぶるのはよしなよ。僕はそんなに簡単に殺されたりしないからさ」

でもフィービーはずっと枕をかぶりつづけていた。こうすると決めたら、誰かにやめろって言われてあっさり引き下がるような子じゃないんだよ。ただただ「お父さんに殺されちゃうんだから」を繰り返していた。頭に枕をかぶったような状態だと、何を言ってるのかよくわからないんだけどさ。

「誰も僕を殺したりするもんか。頭を使って考えてみなよ。だいたいその前に僕はどっかに行っちまうもの。どうするかっていうとさ、僕はどっか牧場みたいなところでとりあえず仕事をみつけるかもしれないよ。おじいさんがコロラドに牧場を持っているっていうやつが知り合いにいてね、そこで仕事をもらえるんじゃないかな」と僕は言った。「もしそうなっても、君には手紙とかちゃんと書くよ。さあ、いい子だから、そんなものかぶるのはよしなって。さあ、フィービー、もういい加減にするんだ。頼むよ、な、フィービー」

でもまだ枕を頭からかぶったままだ。はぎとろうとしたんだけど、彼女の力はびっくりするくらい強かった。この子と喧嘩をすると、いつもこっちが根負けしちゃうんだよ。まったくもう、頭から枕をかぶるといったん決めたら、雨が降ろうが槍《やり》が降ろうがどこまでもそれを死守するんだもの。「フィービー、頼むよ。お願いだ。顔を出してくれ」、僕はそう言い続けた。「ほら、頼むよ……ねえ、ウェザフィールドさん。お顔を出してくれませんかね」

でもフィービーは枕を離さなかった。この子には何をどう言っても通じないときがあるんだ。しょうがないから僕は立ち上がって居間に行き、テーブルの上の箱に入っていた煙草を何本か取って、ポケットに入れた。煙草をすっかり切らしちまっていたからさ。

＊　スペリングの得意なフィービーなのだが、この文章にはたくさんの綴りの間違いがある。缶詰 (canning)は (caning) になっているし、射手《いて》座 (Sagittarius) は (sagitarius) になっているし、「コールフィールド殿」の殿 (Esquire) は男性にしか用いない敬称だ。there's は theres になっているし、you're は your になっている。彼女に対するホールデンの評価が高すぎるということなのだろうか、そのあたりはちょっとした謎だ。

22

部屋に戻ったとき、フィービーはもう枕を顔からどかしていた。そうなることはわかってたんだけどね。でも仰向けになっていたものの、相変わらず僕の方を見ようとはしなかった。ベッドのわきに行ってまた腰を下ろすと、「知るもんですか」というふうにぷいと横を向いた。僕のことをまるっきり無視していたわけだ。地下鉄でフェンシングの用具を全部なくしてしまったときに、部のみんなが僕に対してやったみたいにさ。

「ヘイゼル・ウェザフィールドさんは元気かい？」と僕は言った。「彼女の話は最近書いてるの？　君がこのあいだ送ってくれたぶんは鞄の中に入っているよ。鞄は駅に預けてあるんだけど、あの話はなかなかよかったぜ」

「お父さんに殺されちゃうんだから」

まったくいったん心に何かを思ったら、とどまるところを知らないんだよ。

「殺されたりなんかしないよ。もし父さんが僕に何かひどいことをできるとしても、またさんざん雷を落としてからどっかのミリタリー・スクールにでも放り込むくらいさ。せいぜいその程度のことしかできやしないんだ。それにだいいち、僕はこんなところにいつまでもうろうろしているもんか。さっさと消えちまうよ。だからさ——たぶんそのコロラドの牧場とかに行っちゃうわけさ」

「ふん、笑わせないでよ。馬にだって乗れないくせに」

「違うね。馬くらい乗れるよ。ちょろいもんさ。馬なんて二分もあれば乗り方は覚えられるんだ」と僕は言った。「それをひっぱるのはよしなって」。フィービーは腕に貼ってある絆創膏をひっぱっていたんだ。「誰が髪を切ったんだい?」と僕は尋ねた。フィービーの髪がずいぶん変な感じにカットされていることにふと気がついたからだ。なにしろやたら短いんだよ。

「余計なお世話なんだから」とフィービーは言った。この子はときどきすごく生意気になるんだよ。ほんとにおそろしいくらい。「また全科目落としちゃったんでしょう」と彼女は言った。すごく偉そうなしゃべり方で。でもさ、そういうのって、なんか笑っちゃうんだよな。まるで先生みたいなしゃべり方をするんだけど、実際にはちっちゃな子どもなわけだからね。

「そんなことないよ。英語はちゃんとパスしたもの」。それから僕は、冗談半分でフィービーのお尻をちょっとつねった。お尻を突き出すみたいなかっこうで横向きになっていたんだよ。フィービーにはお尻なんてないも同然だし、ぜんぜんきつくつねったわけじゃないんだけど、それでも彼女は僕の手をぶとうとした。そして外した。

そして出し抜けにフィービーは言った。「ねえ、どうしてそんなことになったのよ、まったく?」。つまり、どうしてまた学校を追い出されちまったのかっていうこと。そんな言い方をされると、僕はなんとなくうらぶれた気持ちになった。

「ああフィービー、頼むからそんなこと訊かないでくれよ。みんなに同じことを訊かれて、ただでさえうんざりしてるんだからさ」と僕は言った。「そこには百万くらいの理由があるんだ。あれは僕が行った中でもどん底の学校のひとつだった。なにしろインチキな連中がうようよしてるんだ。それから根性の悪い連中。あんなに根性のねじ曲がったやつらが勢揃いしているところってまずないね。たとえば君が誰かの部屋でおしゃべりしていたりするね。それで誰かが中に入りたがっているとする。でもその誰かが、にきびだらけの鈍くさいやつだったりするとさ、ぜんぜん入れてやらないんだ。中に入れてくれっていうやつがいると、みんなしっかり自分のドアに鍵をかけちまうんだよ。それから秘密のクラブみたいなのもあった。僕は軟弱だから、入会の誘いを断ることができなかったんだけどさ。で、ロバート・アックリーっていうにきびだらけの、まっしぐらに退屈なやつがいて、こいつがそのクラブに入りたがっていたわけさ。なんとか入れてもらおうとやっきになってたけど、みんなはとうとう入れてやらなかった。退屈でにきびだらけのやつだから、というだけの理由でね。気分がささくれるからその話はあまりしたくないんだけど、あれやこれや、とにかく悪質な学校だったんだよ。誇張抜きで」

フィービーは何も言わなかった。でも僕の言うことはちゃんと聞いていた。首の後ろのところを見ていると、話を聞いているというのはわかった。君が何かを話しかけているとき、彼女はいつだってまともに耳を澄ませているわけだよ。そして不思議っていうか、たいていの場合、君が何を言いたいのか彼女にはすっとわかるんだ。本当の話。

僕はペンシー校についての話を続けた。話したいような気分になってきたんだ。

「悪くない先生も二人くらいはいるんだけどさ、でもそういう人たちだってやっぱりどっかインチキくさいんだな」と僕は言った。「ミスタ・スペンサーっていう年寄りの先生がいてね、奥さんはいつもココアなんかを出してくれるんだ。二人ともなかなかいい人なんだよ。でもさ、校長をやっているサーマーってやつが、歴史の授業中に教室に入ってきて後ろに座ったときのスペンサー先生の顔を、君にもちょっと見せてやりたかったよ。とにかくこの校長はしょっちゅう教室に入ってきて、半時間くらい授業を聞いていくんだ。こいつはどこだって出入り自由みたいなことになっているわけだよ。最初のうちは黙って授業を聞いているんだけど、そのうちにスペンサー先生の言っていることにくだらない茶々を入れて、混ぜっ返し始めるわけさ。それに対してスペンサー先生は、もうそのままあの世行きになるんじゃないかと思うくらい必死で、お追従《ついしょう》笑いみたいなのをへいこらやりまくるんだ。まるでサーマーのやつが、クソたれの王子様か何かみたいな感じでさ」

「悪い言葉はあまり使わないでね」

「そういうのを見てるとさ、君だって吐きたくなるぜ。まったくの話」と僕は言った。「それからあそこにはベテランズ・デイってのがあるんだ。この日には、一七七六年くらいにペンシーを卒業したんじゃないかみたいな脳たりんどもが学舎《まなびや》に戻ってきて、奥さんやら子どもたちやらをつれて、その辺をうろうろと歩きまわるわけさ。で、ひとり五十歳くらいのおっさんがいてさ、その男が僕らの部屋のドアをこんこんとノックするんだよ。そして洗面所を使ってもかまわないかなって尋ねるんだ。洗面所は廊下の先にあるわけで、なんでわざわざ僕らにそんなことを訊かなくちゃならないのか、まったくわけがわからない。で、このおっさんがなんて言ったと思う？　自分が昔、便所のドアに残していったイニシャルがまだそこにあるかどうか確かめてみたいんだって。まったくもう、こいつは九十年くらい前に便所のドアに自分のみっともない、うらぶれたイニシャルを彫り込んで、それがまだ残っているかどうか、確かめたかったわけさ。それで僕とルームメイトは一緒に便所までついていって、そいつが便所のドアをひとつひとつ調べて、自分のイニシャルを探し求めているあいだ、そこにただぽかんと突っ立っていたんだよ。そのあいだずっとこの男は僕らに向かって話しかけていた。私にとって、ペンシー校にいた日々は人生最良の日々だったよ、みたいなことをさ。そして僕らに、将来なんかについてさんざん忠告とか与えてくれたわけさ。やれやれ、こいつにはほんとに落ち込まされたよ。べつに悪いやつじゃないんだよ。それはよくわかるんだ。でもさ、なにも悪いやつだけが人を落ち込ませるってものでもないんだな。いいやつにだって、そういうことがじゅうぶんできるわけだよ。もし君が誰かを落ち込ませたいと思ったらだね、便所のドアに刻んだ自分のイニシャルを探しながら、みっちりとインチキくさい忠告をすればいいわけだ。それでオーケー。でもどうなんだろうな。つまりさ、もしそいつがそれほど派手に息を切らせていなかったりしたら、僕だってそこまでめげなかったかもしれない。なにしろその男は階段を上ってきただけで、ぜえぜえ息を切らせてるんだよ。それで自分のイニシャルを探しながら、すごい苦しそうに呼吸をしているわけさ。鼻の穴をみっともなくぴゅうぴゅう膨《ふく》らませたりしてさ。そしてそのそばから、ストラドレイターと僕に向かって『ペンシーからいろんなことをしっかり学んでいくんだよ』なんて言いまくっているんだ。ああフィービー、うまく説明できないよ。僕はただ、ペンシーでおこなわれていることが何ひとつとして好きになれなかったんだ。ちゃんと説明できないけど」

それからフィービーが何か言ったんだけど、よく聞こえなかった。なにしろ口の片方の端を枕にしっかり押しつけているもんだから、言ってることが聞き取れないんだよ。

「何だって?」と僕は言った。「枕を離しなよ。枕に口をつけてしゃべったら、よく聞こえないんだからさ」

「けっきょく、世の中のすべてが気に入らないのよ」

それを聞いて、僕はさらにぐんぐん落ち込んでしまった。

「そうじゃない。そういうんじゃないんだ。絶対にちがう。まったくもう、なんでそんなことを言うんだよ?」

「まさにそのとおりだからよ。あなたは学校と名のつくものが何もかも気に入らないじゃない。気に入らないことがごっそり百万個くらいあるじゃない。そのとおりでしょう?」

「そんなことあるもんか! それは言いがかりだ。君の大きな考え違いってもんだ。なんでそんなひどいことを言うんだ?」、やれやれ、僕はこてんぱんに落ち込んだよ。

「なんでもかんでもが気に入らないのよ」とフィービーは言った。「気に入っているものをひとつでもあげてみなさいよ」

「ひとつでいいんだな。僕が気に入っているものをひとつでもあげれば？」と僕は言った。「いいとも」

問題は、うまく集中してものを考えられないってことだった。ときどき僕は頭を集中することができなくなっちまうんだね。

「僕がすごく好きなものをひとつあげろっていうことだよね？」

でもフィービーは返事をしなかった。身体をちょっと傾けるような格好で、ベッドのずっと向こう端にいた。僕らのあいだには千マイルくらい距離があった。「返事してくれよ」と僕は言った。「僕がすごく好きなもののこと？ それとも普通くらいに好きなもののこと？」

「すごく好きなもののこと」

「よしきた」と僕は言った。でも問題は、頭を集中してものを考えられないことだった。頭に浮かんでくるのは、うらぶれた麦藁のバスケットを持って寄付を集めている例の二人の尼さんくらいだった。とりわけ鉄縁の眼鏡をかけた尼さんの方がね。それからエルクトン・ヒルズ校にいたジェームズ・キャッスルという生徒のこと。彼はフィル・ステイバイルというひどくうぬぼれの強いやつについて何かを言って、それを撤回しなかった。ジェームズ・キャッスルはそいつのことを「うぬぼれの塊《かたまり》」って言ったんだ。ステイバイルのカスみたいな友だちが、そのことをステイバイルに御注進《ごちゅうしん》に及んだ。そこでステイバイルは根性の曲がったやつらを六人ばかり引き連れてジェームズ・キャッスルの部屋に押しかけ、内側から鍵を閉め、お前が言ったことを取り消せとせまったわけだ。でもジェームズはそれを拒否した。そこで連中はジェームズをいびり始めた。やつらがどんなことをやったか、いちいち言わない。口にするだけでむかついてくるからさ。それでもこのジェームズ・キャッスルってやつは、頑として言うことをきかなかった。彼の姿を君にも見せたかったね。もうがりがりの、見るからにひ弱そうなやつなんだ。手首なんてほんとに鉛筆くらいの太さしかないんだよ。それで結局彼がどうしたかっていうとさ、自分が言ったことを撤回するよりは、窓から飛び降りることを選んだわけだ。僕はそのときシャワーに入っていたんだけどね、その僕の耳にさえ彼が地面にぶつかった音は聞こえた。でもたぶん何かが窓から落ちたんだろうというくらいにしか考えなかった。ラジオとか机とか、そういうものが落ちたんだろうってね。まさかひとが落ちたなんて思いもしなかったよ。それに続いてみんなが廊下を走っていく音が聞こえた。階段を駆け下りていく音も。そこで僕もバスローブを羽織って、急いで下に行ってみた。するとジェームズ・キャッスルが石の階段の上にぺしゃっと横たわっていた。もう死んでいて、血やら歯やらがあたりに飛び散っていた。みんな遠巻きにしているだけだった。彼は僕が貸したタートルネックのセーターを着ていた。そのときジェームズの部屋にいた連中は、放校処分にされただけだった。監獄にも入らなかった。

ともあれ、頭にはそういうことしか浮かんでこなかった。朝ご飯を食べているときに会った二人の尼さんと、エルクトン・ヒルズで一緒だったジェームズ・キャッスルっていうやつと。変な話だけどさ、実をいうと、僕はジェームズ・キャッスルっていうやつのことをそんなによく知らないんだ。やたらおとなしいタイプのやつだったよ。僕らは数学のクラスで一緒だったんだけど、教室ではお互いずいぶん離れた席に座っていたし、彼は進んで立ち上がって先生の質問に答えたり、黒板の前に出ていったりというタイプじゃなかった。立ち上がって先生の質問に答えたり、黒板の前に出ていったり、そういうことはまずやらない生徒が学校にはいるんだよ。僕らが話らしい話をしたのは、彼に「君の持っているタートルネックのセーターをちょっと貸してもらえないかな」と言われたとき、ただ一度きりだったと思う。そんなことを出し抜けに言われて、僕はあやうく息を引き取ってしまうところだったよ。なにしろびっくりしちゃったんだよ。彼が話しかけてきたのは、たしか僕が洗面所で歯を磨いているときだったと思うな。従兄弟が来て、ドライブに連れて行ってくれることになってるんだよ、とジェームズ・キャッスルは言った。だいたい僕がタートルネックのセーターを持っていることを、彼が知っていたこと自体、僕としちゃ驚きだったんだ。僕が彼について知っていることといえば、点呼《てんこ》のときにいつも僕の前に彼の名前が呼ばれるというくらいだった。R・キャベル（Cabel）、W・キャベル、キャッスル（Castle）、コールフィールド（Caulfield）——今でもよく覚えているよ。正直に言えば、最初セーターを貸すのを断ろうかと思ったくらいなんだ。彼のことをよく知らないからという、ただそれだけの理由でね。

「なんだって?」と僕はフィービーに聞き返した。彼女は僕に何かを言ったんだけど、うまく聞き取れなかったんだよ。

「好きなこと、ひとつだって思いつけないんじゃない」

「思いつけるよ。もちろん思いつけるさ」

「じゃああげてみてよ」

「僕はアリーが好きだ」と僕は言った。「それから今やっているようなことをやるのが好きだ。君と一緒に腰を下ろして、おしゃべりするんだ。いろんなことについて考えて、それで——」

「アリーは死んでるんだよ。自分でもいつもそう言ってるじゃない!　もし誰かが死んでしまって、天国にいるとしたら、それはもうじっさいには——」

「死んでるってことはわかってるよ!　僕がそのことを知らないとでも思っているのか?　それでもまだ僕はあいつのことが好きなんだ。それがいけないかい?　誰かが死んじまったからって、それだけでそいつのことが好きであることをやめなくちゃいけないのかい?　とくに、その死んじゃった誰かが、今生きているほかの連中より千倍くらいいいやつだったというような場合にはさ」

フィービーは何も言わなかった。言うべきことを思いつけなかったとき、彼女はまったく何も言わないんだ。

「とにかく、今こうしていることは好きだよ」と僕は言った。「つまりたった今のことだよ。君と一緒にいて、おしゃべりをして、ちょっとふざけて――」

「そんなのぜんぜん意味ないことじゃない！」

「すごく意味あることだよ！　意味なんてちゃんと大ありだよ！　どうして意味がないなんて言えるんだ？　どんなことにでもしっかり意味があるってことを、みんなぜんぜんよくわかってないんだ。僕はそういうことにクソうんざりしちまっているんだ」

「悪い言葉を使うのをやめてったら。それはもういいから、ほかのことをあげてみて。将来何になりたいかみたいなこと。科学者になるとか、弁護士になるとか、そういうこと」

「科学者にはなれないね。科学にはからきし弱いからさ」

「じゃあ、弁護士は？　お父さんみたいに」

「弁護士も悪くはないと思う。でもさ、あんまりぴんとこないんだ」と僕は言った。「弁護士がいつもいつも無実の人間の生命を救ってまわって、しかもやりたくて、そういうことをやってるっていうのなら、それも悪くないんだよ。でもさ、現実に弁護士になったらさ、そんなことをしてる暇なんてないんだ。しこたまお金を稼いで、ゴルフをして、ブリッジをして、車を買って、マティーニを飲んで、大物づらをすることで手一杯なんだ。それだけじゃないよ。もしたとえ無実の人間の生命をじっさいに救ってまわっているとしてもさ、それがほんとにその人の命を救いたいからやっていることなのか、それともすげえ弁護士だとみんなに思われたくてやっていることなのか、自分でもだんだんわからなくなっちまうんじゃないかな。裁判が終わったあとで新聞記者やら誰やら彼やらがやってきて、『すごいじゃないか』って感じで背中をどんと叩かれたりするのが好きでやっているのかもしれないよね。ほら、悪質な映画でよくやってるみたいにさ。自分がインチキ人間かどうかなんて、自分じゃなかなかわからないものなんだ。困ったことには、そいつはとことんわかりにくいんだよ」

僕が言ったことをフィービーが理解してくれたのかどうか、それはわからなかった。なにしろまだ小さな子どもなんだものね。でも少なくとも黙って僕の言うことを聞いていてくれていた。何はともあれ君の話にちゃんと耳を傾けてくれる相手がいるっていうのは、嬉しいことだよね。

「お父さんに殺される。お父さんに殺されちゃうんだから」とフィービーは言った。

でもそんなことは耳に入らなかった。僕はずっとほかのことを考えていた。すごいへんてこなことを。「僕が何になりたいかってことだけどさ」と僕は言った。「いったいどんなものになりたがっていると思う？　もちろん僕にクソかミソかみたいな選択ができればってことだけどさ」

「なあに？　汚い言葉は使わないでって言ったよね」

「あの唄は知ってるだろう。『誰かさんが誰かさんをライ麦畑でつかまえたら』っていうやつ。僕はつまりね――」

「『誰かさんが誰かさんとライ麦畑で出会ったら』＊っていうのよ！」とフィービーは言った。「それは詩よ。ロバート・バーンズ（一七五九－九六。スコットランドの国民詩人）の」

「それくらい知っているさ。ロバート・バーンズの詩だ」

たしかにフィービーの言ったことが正しい。本当は「誰かさんが誰かさんとライ麦畑で出会ったら」なんだ。でもそのときは知らなかった。

「てっきり『誰かさんが誰かさんをライ麦畑でつかまえたら』だと思ってたよ」と僕は言った。「でもとにかくさ、だだっぴろいライ麦畑みたいなところで、小さな子どもたちがいっぱい集まって何かのゲームをしているところを、僕はいつも思い浮かべちまうんだ。何千人もの子どもたちがいるんだけど、ほかには誰もいない。つまりちゃんとした大人みたいなのは一人もいないんだよ。僕のほかにはね。それで僕はそのへんのクレイジーな崖《がけ》っぷちに立っているわけさ。で、僕がそこで何をするかっていうとさ、誰かその崖から落ちそうになる子どもがいると、かたっぱしからつかまえるんだよ。つまりさ、よく前を見ないで崖の方に走っていく子どもなんかがいたら、どっからともなく現れて、その子をさっとキャッチするんだ。そういうのを朝から晩までずっとやっている。ライ麦畑のキャッチャー、僕はただそういうものになりたいんだ。** たしかにかなりへんてこだとは思うけど、僕が心からなりたいと思うのはそれくらいだよ。かなりへんてこだとはわかっているんだけどね」

フィービーは長いあいだ何も言わなかった。そのあとで口をきいたけど、彼女の言うことといえば、「お父さんに殺されるんだから」、そればかりだった。

「殺したきゃ殺せばいい」と僕は言った。それからベッドから立ち上がった。ベッドから立ち上がりたい気分になったんだね。何をしようと思ったかっていうと、エルクトン・ヒルズ時代に僕の英語の先生だったミスタ・アントリーニに電話をかけようと思ったわけさ。彼はニューヨークに住んでいる。エルクトン・ヒルズをやめて、今ではニューヨーク大学で英語を教えているんだよ。「電話をかけなくちゃ」と僕はフィービーに言った。「すぐ戻ってくるから、寝ないでね」。僕が居間に行っているあいだにフィービーに眠りこんでほしくなかった。眠りこんだりするわけないとはわかっていたけど、念のために言ったんだ。

ドアの方に行きかけると、フィービーは「ホールデン！」と言った。僕は振り向いた。

フィービーはベッドのずっと上の方で身を起こしていた。とてもかわいらしく見えた。「フィリス・マーガリーズって子から、げっぷのやり方を教わってるんだ」と彼女は言った。「聞いてくれる？」

僕は聞いた。いちおう音はしたけど、とりたてて感心するほどのものでもなかった。「悪くないね」と僕は言った。それから居間に行って、かつての先生のところに電話をかけた。ミスタ・アントリーニに。

* "If a body meet a body coming through the rye" が正式。ホールデンは meet を catch に覚え違えている。

** I'd just be the catcher in the rye and all. この部分がもちろんこの本のタイトルになっている。

23

僕は電話の話をすごく手短に切り上げた。電話をしている最中に両親が帰宅しちゃったりしたらおしまいだものね。でもそんなことにはならずにすんだ。ミスタ・アントリーニはとても親切だった。もしそうしたいのなら、これからでも家に来ればいいと言ってくれた。僕は彼と奥さんを起こしちゃったんだと思う。というのは、受話器がとられるまでにとんでもなく時間がかかったからだ。何かまずいことでも起こったのか、とまず最初に先生は尋ねた。いや、そういうんじゃなくて、ただペンシー校を追い出されたんです、と僕は言った。彼になら正直に打ち明けてもいいだろうと思ったんだ。僕がそう言うと、「おや、まあ」と彼は言った。この人にはユーモアのセンスがあるんだよ。よかったら、これからうちにおいで、と彼は言った。

このミスタ・アントリーニは、僕がこれまでに教わった教師の中では、おそらくいちばんまっとうな人だった。まだ若く、兄のDBより少し年上というくらい。だから敬意を抱きつつも、適当にふざけた口をきくことだってできるわけだ。さっき僕が話をしたジェームズ・キャッスルっていう窓から飛び降りた子を、みんなが遠巻きにする中、ひとり進み出て抱き上げてくれたのがこの人だった。ミスタ・アントリーニは脈を調べたりなんかしてから、上着を脱いでジェームズ・キャッスルの身体にかけてやり、抱え上げて医務室まで運んだ。上着が血だらけになっても、そんなことは気にもとめなかった。

DBの部屋に戻ったとき、フィービーはラジオをつけていた。ダンス音楽が流れていた。メイドに聞こえないように、わりに小さな音でかけていたんだけどね。君にフィービーの姿を見せたかったね。彼女はベッドの真ん中にちょこんと座っていた。掛け布団から出て、まるでヨガの行者みたいにあぐらを組んで。そういうかっこうで音楽を聴いていたんだ。いや、参っちまうよね。

「さあ、おいでよ」と僕は言った。「踊ろうじゃないか」。フィービーがまだほんの小さいとき、僕は踊り方なんかを教えてやったんだ。すごくダンスの才能がある子なんだ。つまりさ、教えたといってもほんの初歩のところをいくつか教えただけで、あとはほとんど自分ひとりで身につけちまったわけさ。ほんとの踊り方ってのは教えられるものじゃないんだよね。

「だって靴を履いてるじゃない」とフィービーは言った。

「脱ぐからさ。さあ、おいで」

フィービーは文字どおりベッドからぴょんと飛び降りて、僕が靴を脱ぐのを待っていた。そして僕らはひとしきり踊った。ほんとにダンスがうまい子なんだ。僕は小さな子ども相手にダンスをするような人たちがあまり好きじゃない。というのはおおかたの場合、そういうのってそばで見ていてみっともないからだ。僕が言ってるのは、レストランとかそういうところで、大人が自分の小さな子どもなんかをダンスフロアに連れだして、一緒に踊ったりすることだよ。そういうの、君も見たことがあるだろう。普通そういうことをすると、女の子のドレスの後ろを間違えてひっぱりあげちゃったり、子どもの方はとにかく踊り方がぜんぜんわからなくてもじもじしてたり、けっこう見苦しいことになっちまうわけさ。僕は人前でフィービーと踊ったりはしないよ。うちの中で遊びでやるだけだ。でもとにかく、フィービーと踊るのって、ちょっと普通とは違うんだ。彼女は文句なしに踊れるんだよ。君がどんなことをやっても、それにすっとついてこられる。つまりさ、君の脚の方がはるかに長いことが問題にならないように彼女をぐっと引き寄せればいいんだ。そうするとフィービーはこっちにぴったりあわせてくれる。君はクロスオーバーをする、何かちゃちなフリをつける、ジルバまでやっちゃう。何をやってもちゃんとそれについてくる。タンゴまでできちゃうんだぜ、なんともはや。

僕らは四曲ばかり踊った。ひとつの曲が終わって次の曲が始まるまでのあいだ、彼女はとんでもなくおかしいんだよ。なにしろきちんとした姿勢のままぴくりとも動かないんだ。口だってきかないんだよ。で、君もそれにあわせてその場にぴたっと静止して、姿勢を崩さずオーケストラが次の曲を始めるのを待っていなくちゃならない。いやはや、これには参っちゃうよ。なにしろくすっと笑ってもいけないんだぜ。

とにかく僕らは四曲踊った。それから僕はラジオを消した。フィービーはぴょんとベッドに戻って、布団の中に入った。「どう、わたし上達してるでしょ?」と彼女は僕に尋ねた。

「ほんとに」と僕は言った。そしてまたベッドの彼女のとなりに腰を下ろした。僕はちょっと息を切らせていた。煙草の吸いすぎで、呼吸がすぐに苦しくなっちゃうんだよ。フィービーにはまったく息の乱れはなかった。

「わたしのおでこに触ってみて」と出し抜けにフィービーは言った。

「なんでまた？」

「いいから、ちょっと触ってみてよ」

触ってみたけど、とくにかわったところはなかった。

「すごく熱くなってると思わない？」と彼女は言った。

「いいや。熱があるみたいなの？」

「うん。熱を作ってるの。もう一回触ってみて」

僕はもう一回触ってみた。相変わらず何も感じなかったけれど、「そういえばちょっと熱くなってきたかな」と言った。僕としては彼女にコンプレックスみたいなのを持ってほしくなかったからさ。

フィービーはうなずいた。「体温計《サーモニター》の目盛りの届かないところまで上げることもできるんだよ」

「サーモニターじゃなくて、サーモミター。そんなこと、誰に教わったんだい？」

「アリス・ホームボーグが教えてくれたの。あぐらを組んで、息を止めて、何かすごくすごく熱いもののことを考えるの。ラジエーターとかそういうもののことをね。そうするとおでこがどんどん熱くなっていって、誰かの手をやけどさせちゃうことだってできるんだ」

これには参ったね。僕はあわてて手を引っ込めた。まるでとんでもない危機に直面したみたいに。「教えてもらってよかったよ」と僕は言った。

「あら、あなたの手をやけどさせたりはしないわ。そこまで行く前にちゃんと——しいいい！」、そして彼女はベッドのずっと上の方でぱっと身を起こした。

それを見て僕は怯《おび》えまくってしまった。「どうしたんだよ？」と僕は言った。

「玄関のドア！」とフィービーは緊張した声で囁いた。「お母さんたちが帰ってきたわ！」

僕は飛び上がって、机のところに走っていって、明かりを消した。靴にこすりつけて煙草を消し、吸い殻をポケットに入れた。それから煙草の煙を一生懸命ぱたぱたと扇《あお》いで散らした。そうなんだ、煙草を吸ったりするべきじゃなかったんだよ。僕は靴をひっつかんでクローゼットの中に入り、扉を閉めた。いやはや、僕の心臓ときたら上を下への大騒ぎだったよ。

母親が部屋に入ってくる音が聞こえた。

「フィービー」と彼女は言った。「寝たふりをしても無駄よ。ちゃんと明かりが見えましたからね」

「おかえりなさい！」とフィービーが言うのが聞こえた。「わたし眠れなかったの。パーティーは楽しかった？」

「すごく」と母親は言った。でもそれが本心じゃないことは声の調子でわかった。母は外に出ると、何によらず気楽に楽しむってことができないたちなんだ。「どうしてこんな遅い時間にまだ起きているのかしら？　寒かったの？」

「寒くはないよ。ただ眠れなかっただけ」

「フィービー、あなた、この部屋で煙草を吸った？　正直に言いなさいね」

「え？」とフィービーは言った。

「聞こえないふりはよして」

「一本ちょっとつけてみただけ。一回だけ吹かしたの。それから窓の外に捨てちゃったわ」

「ど、う、し、てそんなことをしたのかしら？」

「眠れなかったから」

「よくないわね、フィービー。そういうのはすごくよくないわ」と母親は言った。「もう一枚毛布をほしい？」

「いいえ、いらない。おやすみ！」とフィービーは言った。彼女が母親に一刻も早く部屋から出ていってもらいたがっていることは明らかだった。

「映画はどうだったの？」と母親は言った。

「素晴らしかったよ。アリスのお母さんをべつにすればね。映画のあいだじゅう、私の身体の上にのしかかるみたいに身を乗り出して、アリスに尋ねるんだから。どう、ぞくぞくしたりしない、とかね。うちまでタクシーで帰ったの」

「おでこを触らせて」

「大丈夫、風邪なんかうつされてない。アリスは風邪をひいていたわけじゃないの。お母さんが騒いでいただけ」

「いいわ。もうお休みなさい。夕ご飯はどうだった？」

「さいてー」とフィービーは言った。

「そういう言葉は使わないようにってお父さんに言われたはずよ。いったい何が最低だったのかしら？　おいしいラムチョップだったはずよ。なにしろレキシントン・アベニューじゅう歩きまわって――」

「ラムチョップはよかったの。ただシャーリーンったら、何かをお給仕するたびにわたしに息を吐きかけるんだよ。お料理すべてに息を吐きかけるの。なにしろもう、何もかもに息を吐きかけちゃうわけ」

「わかったわ。もうお休みなさい。お母さんにキスをして。お祈りはちゃんとすませた？」

「洗面所に行ったときにすませちゃった。おやすみなさい！」

「おやすみなさい。ちゃんと寝るのよ。私はひどい頭痛がするの」と母親は言った。なにしろひっきりなしに頭痛をやっている人なんだよ。まったくの話。

「アスピリンを飲めば」とフィービーは言った。「ホールデンは水曜日に帰ってくるんだよね？」

「そういうことになっているみたいね。さあちゃんと布団の中に入りなさい。しっかりと首まで」

母親が部屋を出ていって、ドアが閉まる音が聞こえた。僕はしばらくそのまま待っていた。そのあとでクローゼットから出たんだけど、フィービーとどすんと衝突してしまった。あたりはなにしろ真っ暗だったし、フィービーは僕にもう大丈夫だと教えるためにベッドを出てこちらにやってきたところだった。「痛くなかった?」と僕はきいた。なにしろ両親が帰宅したわけだから、いちいち小さな声でこそこそと話をしなくちゃならないわけだ。「もう行かなくちゃ」と僕は言った。そして暗がりの中でベッドの端っこをみつけ、そこに腰を下ろして靴を履いた。僕はずいぶんナーバスになっていた。そいつは進んで認める。

「今はまずいよ」とフィービーは小声で言った。「二人が寝ちゃってからの方がいいんじゃないかな」

「いや。今だよ。出ていくなら今がいちばんいいんだ」と僕は言った。「母さんは洗面所に入っているし、父さんはラジオをつけてニュースかなんかを聴くだろうから。行くんなら今しかない」。でもうまく靴の紐を結ぶことができなかった。それくらいナーバスになっていたわけだよ。うちの中にいるところを両親にみつかったからといって、まさか殺されるってこともないだろうし、なにもそれでびびってたってわけじゃないんだ。たださ、すごくばつの悪い感じになっちまうだろうなと思ったんだよ。「いったいどこにいるんだい?」と僕はフィービーに言った。なにしろ暗くて彼女の姿が見えなかったんだよ。

「ここよ」。フィービーは僕のすぐそばに立っていた。それなのにまったくなんにも見えやしないんだ。

「鞄を駅に預けてきた」と僕は言った。「ねえ、お金をいくらか持ってないか、フィーブ。僕はほとんどおけらなんだ」

「クリスマス用のお金くらいならあるけど。プレゼントを買ったりするためのお金。お買い物なんてまだぜんぜんしてないの」

「そうか」。いくらなんでも妹のクリスマス用のお金を使うわけにはいかないよね。

「少し持っていく?」

「君のクリスマス用のお金を持っていくわけにはいかないよ」

「少しなら貸してあげられるよ」。それから彼女がDBの机のところに行って、百万個くらいの引き出しを開けて、中をごそごそと探る音が聞こえた。なにしろ部屋の中は一寸先も見えないくらい真っ暗なわけだよ。「でもさ、どっかに行っちゃったら、わたしの出るお芝居が見れないじゃない」とフィービーは言った。そう言ったときの彼女の声は変な感じだった。

「ちゃんと見に行くよ。どっかに行くのはそのあとにするからさ。君の出るお芝居を見逃すわけにはいかないもの」と僕は言った。「僕はたぶん火曜日の夜まで、ミスタ・アントリーニのところにいさせてもらうことになる。それからうちに帰ってくる。それまでにも、なんとかチャンスをみつけて君に電話をかけるよ」

「はい、これ」とフィービーは言った。彼女は僕にそのお金を渡そうとしていた。でも僕の手がみつからなかった。

「ねえ、どこにあるの？」

彼女は僕の手にお金を渡した。

「なあ、そんなにいらないんだよ」と僕は言った。「二ドルもあればじゅうぶんなんだ。ほんとに、嘘じゃなくってさ。ほら、これ」、そう言ってお金を返そうとした。でもフィービーは受け取らなかった。

「全部持っていきなさいよ。余ったら返してくれればいいんだから。お芝居のときに持ってきてね」

「いくらあるんだい、ところで」

「八ドルと八十五セント。いや、ちょっと待って、六十五セントね。ちょっと使っちゃったから」

それから出し抜けに僕は泣き出してしまった。それを押しとどめることができなかった。誰にも聞こえないように声を殺して泣いたんだけど、でも泣いたことに違いはない。僕が泣き出すと、フィービーはすっかり怯えてしまった。彼女は僕のそばに来て、泣くのをやめさせようとした。でも一度泣き出しちゃうと、そんなにぱっと泣きやめないものなんだよ。僕はベッドの端っこに腰掛けたまま泣いていた。フィービーは僕の首に腕をまわし、僕も彼女に腕をまわした。それでもまだ長いあいだ泣きやむことができなかった。そのまま息が詰まって死んじゃうんじゃないかという気がした。まったくの話、僕はフィービーをずいぶん怯えさせてしまったよ。窓は開けっぱなしになっていて、彼女ががたがた震えているのがわかった。なにしろ着ているのはパジャマだけだったからさ。布団の中に戻りなよと言ったんだけど、彼女は言うことをきかなかった。最後にはなんとかやっと僕も泣きやむことができた。でもそれまでにはずいぶん長い時間がかかった。それから僕はコートのボタンをなんとか全部とめた。また連絡をするからね、と僕は言った。もしよかったら、ここでわたしと一緒に寝てもいいんだよとフィービーは言った。いや、ここにいるわけにはいかない、と僕は言った。それにミスタ・アントリーニが待っているからさ。それから僕はコートのポケットからハンティング帽を出して彼女に渡した。フィービーはそういう感じのおどけた帽子が大好きなんだよ。彼女は最初それを受け取ろうとはしなかった。でも無理に受け取らせた。賭けてもいいけど、フィービーはその帽子をかぶったまま寝ちゃったはずだ。なにしろそういう帽子に目がないんだよ。最後にもう一度、機会をみつけて電話をかけるからねと僕は言った。そして出ていった。

家を出ていくのは、なぜか家に入ってくるよりぜんぜん簡単だった。比較にならないくらい。まずだいいちに、もしここでみつかったとしても、べつにかまうもんかと思うようになっていたからだ。ほんとにそう思っていたんだよ。みつかったらみつかったときのことじゃないか。むしろみつけてくれればいいのにと望んでしまいそうなくらいだった。

エレベーターは使わずに階段を歩いて降りた。裏の階段を使ったんだ。そこには一千万個くらいのゴミ缶が置いてあって、おかげで僕はもうちょっとでつまずいて首の骨を折っちまうところだった。でもやっとこさ外に出ることができた。エレベーター係に顔を見られることもなかった。あいつは僕がディックスタインの家に入ったきりだと、今でもまだ思っているんじゃないかな。

24

アントリーニ夫妻は、サットン・プレースのすごくしゃれた高層アパートメントに住んでいた。入り口から二歩階段を下りたところにある居間に入ると、バーなんかもついている。僕は何度もここに遊びに来ていた。というのは僕がエルクトン・ヒルズを追い出されたあと、先生は僕がどうしているか気にして、ずいぶん頻繁にうちを訪問してくれたからだ。そして夕食を食べていった。そのころはまだ先生は独身だった。結婚してからは、僕は彼や奥さんと一緒によくテニスをした。ロング・アイランドのフォレスト・ヒルズにある、ウェストサイド・テニスクラブでね。奥さんがそこのメンバーだったんだ。奥さんはなにしろお金持ちなんだ。そしてミスタ・アントリーニより六十歳くらい年上なんだよ。でも二人は仲むつまじくやっているみたいだ。ひとつには、二人ともすごく知的だからということがあるんだろうな。とくにミスタ・アントリーニの方がね。ただ彼の場合、しばらく一緒にいると、知性というよりはむしろ機知が勝っているみたいな感じが見えてきて、そのへんはDBにいくぶん似ているかもしれない。それに比べると奥さんの方は、だいたいにおいてきまじめなんだ。奥さんはまた喘息《ぜんそく》がひどいんだよ。二人は——つまり奥さんも含めてってことだけど——DBの短編小説を全部読んでいて、DBがハリウッドに行くってことになったときには、わざわざ電話をかけて、思いなおしたらどうかって説得した。でもDBは行ってしまった。DBくらいものが書ける作家は、ハリウッドに行く必要なんかないのにとミスタ・アントリーニは言った。それこそまさに僕の言ってたことなんだけどね。

彼のアパートまでずっと歩いていくつもりだった。せっかくのフィーディーのクリスマス資金なのだし、なるべくなら使いたくはなかったからだ。でも外に出ると、気持ちが悪くなってきた。頭がくらくらするんだ。だからタクシーを拾った。乗りたくなかったんだけど、乗らないわけにはいかなかった。タクシーをみつけるのにもおそろしく時間がかかったんだけどさ。

たちの悪いエレベーター係がすったもんだの末に僕を上にあげてくれたあと、玄関のベルを鳴らすと、ミスタ・アントリーニが出てきた。バスローブに室内履きという格好で、片手にハイボールのグラスを持っていた。先生はずいぶん洗練された人で、それに加えてかなりのヘビー・ドリンカーでもある。「やあ、ホールデン！」と彼は言った。「なんとなんと、また二十インチは背が伸びたみたいだな。会えてなにより」

「こんちは、ミスタ・アントリーニ。奥さんはお元気ですか？」

「二人とも元気でやっているよ。コートを預かろう」、彼は僕のコートをとって、ハンガーにかけてくれた。「君の腕には生まれたばかりの赤ん坊が抱きかかえられているんじゃないかと、実は予想していたんだ。どこに行くというあてもなく、まつげには雪のひとひらが光っていたりしてね」。この人はときどきすごく機知に富んだことを言うわけさ。それから振り向いてキッチンに大きな声をかけた。「リリアン！　コーヒーはもうできたかい？」。リリアンというのは奥さんの名前なんだよ。

「もうできてるわよ」と彼女は怒鳴り返した。「ホールデンなの？　まあ、こんばんは、ホールデン」

「こんばんは、ミセス・アントリーニ！」

ここにいると、しょっちゅう怒鳴ってなくちゃならないんだ。というのは二人が同じ部屋に同時にいたためしがないからだ。変なうちなんだよ。

「座れよ、ホールデン」とミスタ・アントリーニは言った。見たところ、けっこう酒が入っているみたいだった。部屋はパーティーが終わったばかりに見えた。グラスがあちこちに散らばり、ピーナッツを盛った皿がいくつもあった。「散らかっていてすまないね」と彼は言った。「バッファローから来たうちの奥さんの友だち連中をもてなしていたんだ。いやはや……、まったくバッファロー顔負けの連中だったね」

僕は笑った。奥さんがキッチンから僕に向けてなにごとかを怒鳴った。でもよく聞き取れなかった。「なんて言ったんですか?」と僕はミスタ・アントリーニに尋ねてみた。

「そっちに行くけど、顔を見ないようにしてくれってことだ。なにしろ今しがた布団から出てきたばかりでね。煙草をどうぞ。煙草は吸うんだっけ?」

「ありがとう」と僕は言った。そして差し出してくれた箱の中から、煙草を一本とった。「ときたま吸うくらいです。ちょっとたしなむ程度に」

「うむうむ」と彼は言って、大きな卓上ライターで火をつけてくれた。「かくして、君とペンシーとは違う道を歩むことにあいなったという次第か」と彼は言った。この人はいつもそういう気取った言い方をするんだ。ときにはすごくおかしいけど、ときにはそんなにおかしくもない。なんていうか、そういうのを連発しすぎる傾向があるんだね。機知に富んでないとか、そういうことを言っているわけじゃないよ。たしかに機知に富んだ人ではあるんだ。でも年がら年中そういうしゃべり方をされると、やっぱりときには神経にさわることだってあるじゃないか。とくに「かくして、君とペンシーとは違う道を歩むことにあいなったという次第か」てなことを言われちゃうとね。DBにもときとしてやりすぎる傾向はあるんだけどさ。

「いったい何が問題だったんだね?」とミスタ・アントリーニは僕にきいた。「英語の成績はどうだった? もし君が英語を落としたというのなら、すぐさまこの場を退出していただくことになる。なにしろ君は作文に関しては文句なしのエースだったもんな」

「英語はちゃんとパスしましたよ。ほとんどは文学だったけど。学期のあいだに二つくらいしか作文は書かなかったんです」と僕は言った。「でも口述表現にしくじっちゃって。口述表現ってのが必修科目であるんです。で、僕はそいつを落としちゃったんだ」

「どうして？」

「どうしてかな、わからない」。僕はその話をしたいっていう気分じゃなかった。なんだかまだふらふらしていて、頭が急に割れるみたいに痛くなってきた。ほんとにそうなっちまったんだよ。でも彼は話を聞きたくてたまらないという感じだったので、いちおうざっと説明することにした。「このコースのクラスでは、生徒が教室で一人ひとり立って、スピーチをしなくちゃならないんです。なんていうか、即興みたいな感じで。それで話がちょっとでもわき道にそれちゃうと、みんな先を争うように『わき道！』って怒鳴らなくちゃならないわけ。そういうのって僕には我慢できなかったんです。で、僕はそいつでFをもらっちまったわけです」

「なんで？」

「なんていうのかな。そのわき道騒ぎみたいなのが、神経にぴりぴりこたえたんです。なんて言えばいいのかな。問題はですね、僕はなにしろ誰かの話がわき道にそれるのが好きだってことにあるんです。だってその方が話がずっと面白いんだから」

「つまり何かの話をするとき、その話のポイントからはずれない人のことが、君はあまり好きじゃないのかな？」

「そんなことありません！　話のポイントからはずれない人は好きです。でもね、そのポイントにしがみつく人はそんなに好きじゃないんだな。えーと、どうだろう。いつもいつもポイントにぎゅっとしがみついているような人は、好きになれないのかもしれない。口述表現でいちばんいい点数をもらったのは、最初から最後まで話のポイントにがちがちにしがみついていた連中なんです。そいつは確かだな。でもリチャード・キンセラっていう子がいて、彼は話のポイントからちょくちょく離れていったんです。そしてそのたびにみんなは『わき道！』って叫びまくっていた。あれは最悪だったな。というのはもともと、彼はすごいナーバスなやつだったんです。ほんとに冗談抜きでナーバスなやつだった。スピーチをする番になると、唇なんていつもわなわな震えちゃってるわけです。教室の後ろの方に座ってたりすると、何を言っているのかよく聞こえないくらい。でもその唇のわなわながいちおう収まっちまうと、それはなかなかいいスピーチだったんです。ほかの連中のどのスピーチよりも、僕としちゃ気に入ったんですよ。でも彼もやはりもう少しでその科目を落としちゃうところだった。ずっと『わき道！』って怒鳴られていたせいで、Dプラスしかもらえなかったわけです。たとえばですね、お父さんがバーモントに買った農場についての話を、彼はあるときしたわけです。それで彼がそのスピーチをやっているあいだ、みんなは『わき道！』って怒鳴りまくっていて、先生のミスタ・ヴィンソンはそのスピーチにFをつけたわけです。というのは、彼はその農場でどんな動物が飼われていて、どんな作物が栽培されているかっていうようなことにはぜんぜん触れなかったからです。そのリチャード・キンセラっていう子が何をやったかっていうと、彼は最初のうちたしかにそういう話を持ち出すわけです。でもね、突然出し抜けに、お母さんが、彼の叔父さんからもらった手紙の話を始めちゃうんです。彼の叔父さんは四十二歳のときにポリオにかかっちまって、それで病院に入っているんだけど、誰にも面会に来てほしくないって言ってるわけ。補助器具みたいなのをつけている今の自分の惨めな姿を見られたくないから。たしかにね、農場とは関係のない話なんだ。実にそのとおりです。でもそれはそれとして、いい話なんですよ。誰かが自分の叔父さんの話をするのっていいものです。とくにその誰かが父親の農場の話を始めておいて、いつの間にか叔父さんの話にするっと興味が移っちまったりしたような場合にはね。彼がそんなふうに調子に乗ってきて、せっかく面白い話をしようとしているのに、みんなで『わき道！』とか怒鳴りまくるのって、薄汚いことだと僕は思うんです……。どうかな、よくわからないな。うまく説明できない」。とにかく僕としては、説明しようっていう気持ちになれないんだ。なにしろ頭ががんがん痛み始めていたからさ。ミセス・アントリーニがコーヒーを持って来てくれないものかって神様に祈ったよ。僕はそういうことがあると、ものすごくいらつくんだよ。コーヒーがもうできてますよとか言っておきながら、実際にはまだできてないみたいなことがあるとさ。

「ホールデン……ひとつだけ短い質問があるんだ。ちょっとばかり堅苦しい、教師くさい質問だ。つまり、君はこうは思わないか。どんなことにも時と場合というものがあるというふうには？ もし誰かが父親の農場について話を始めたら、まずそれを追求するべきだとは？ そのあとで話を転換して、叔父さんの補助器具の話に移ればいいじゃないか。あるいはもしその叔父さんの補助器具の話がそれほど刺激的なものなら、そもそも最初からその話をテーマとして選ぶべきだったんじゃないのかな。農場の話をするかわりに」

僕は何かを考えたり、質問に答えたりするような気分じゃなかった。なにしろ頭が割れんばかりだし、調子はよれよれだった。ついでに言っておくけど、胃まできりきり痛んできたんだよ。

「ええ――どうでしょうね。たしかにそうするべきだったのかもしれない。もしその話をしたかったんなら、農場の話じゃなくて、最初から叔父さんの話をテーマに選べばよかったのかもしれない。でも僕が言いたいのはですね、なんていうか、いったん話を始めてみるまでは、自分にとって何がいちばん興味があるかなんて、わからないことが多いんだってことなんです。それほど興味のないものごとについて話しているうちに、ああそうか、ほんとはこれが話したかったんだって見えてきたりするわけです。そういうことってあるじゃないですか。つまり僕は思うんだけど、少なくとも誰かが何か面白そうなことをやっていて、それに夢中になりかけてるみたいだったら、しばらくそいつの好きにさせておいてやるのがいちばんじゃないのかな。そういう具合に夢中になりかけてるやつを見てるのって、なかなかいいものなんです。ほんとに。先生はミスタ・ヴィンソンって教師のことを知らないだろうけど、こいつにはほんとにうんざりさせられちゃうわけです。こいつにも、そのクラスにも。なにしろ口を開けば、単一化しろ、簡略化しろ、それればかりなんだ。でもね、中にはそんなことができないものだってあるんですよ。つまりですね、誰かにそうしろと言われたからといって、はいそうですかって、ほいほいと単一化したり簡略化したりできないものもあるってことです。先生はミスタ・ヴィンソンのことは知らないだろうけど、つまりね、この人はたしかにすごく知的ではあるんだけど、どう考えても脳味噌ってものが不足しているんだな」

「コーヒーができましたよ。やっとね」とミセス・アントリーニが言った。コーヒーとケーキみたいなものを載っけたトレイを持って彼女はやってきた。「ホールデン、私の顔を見ないでね。ちらっとも。ひどいありさまだから」

「こんばんは、ミセス・アントリーニ」と僕は言って、立ち上がろうとしたんだけど、ミスタ・アントリーニが僕の上着をつかんで止めた。奥さんの髪は金属カーラーだらけで、口紅なんかもまったくつけていなかった。たしかにそんなにゴージャスには見えなかったよ。けっこう歳くって見えたね。

「ここに置いていきますから。あとは二人で適当に召し上がって」と奥さんは言った。彼女はシガレット・テーブルの上にあったグラスなんかをわきにどけて、そこにトレイを置いた。「お母さんはお元気、ホールデン？」

「元気です。最近はちょっと会ってないんだけど、この前――」

「ねえダーリン、もしホールデンに何か必要なものがあったら、みんなリネン・クローゼットの中にありますからね。いちばん上の棚。私はベッドに戻るわ。疲れちゃったから」とミセス・アントリーニは言った。たしかにくたびれた顔をしていた。「あなたがた二人でカウチに寝支度をととのえてちょうだいね」

「あとは全部やるから、君はもう寝なさい」とミスタ・アントリーニは言った。彼は奥さんにおやすみのキスをし、彼女は僕におやすみなさいと言って寝室に消えた。この二人はしょっちゅう人前でキスするんだ。

僕はコーヒーをちょっと飲んで、何かのケーキを半分ばかり食べたんだけど、これがまた石みたいに固いんだよ。でもミスタ・アントリーニが口にしたのはハイボールのおかわりだけだった。この人はまた、ハイボールをとびっきり濃くつくるんだよ。見るからに。気をつけないと、そのうちにアルコール中毒になっちまうんじゃないかな。

「二週間くらい前、君のお父さんとランチをご一緒したよ」と出し抜けに彼は言った。「そのことは聞いた？」

「いいえ、聞いてません」

「お父さんが君のことをずいぶん気にしておられたっていうことは、もちろんわかるよな？」

「ええ、そうなんです。よくわかっています」と僕は言った。

「お父さんは私に電話をかけてくる前に、どうやらもっとも最近において君の校長先生であった人から、長文の、どちらかといえば心痛む手紙を受け取っておられたようだった。君はまったく勉学をおろそかにしている、という趣旨の手紙だったらしい。授業をさぼる。予習をまったくしないで授業に出る。おおむねのところ、すべての科目に関して――」

「僕は授業をさぼったわけじゃありません。授業をさぼることとなんてできないんですよ。ときどき出席しそこねた授業は二つばかりあります。たとえばさっき話した口述表現のクラスとか。でも授業をさぼったことってありません」

僕はそういう話をする気分じゃなかったんだ。ぜんぜん。コーヒーのおかげで胃の具合は少しはましになった。でも頭痛は相変わらずひどいものだった。

ミスタ・アントリーニは新しい煙草に火をつけた。彼は矢継ぎ早に煙草を吸っていった。それから言った、「率直に言って、君に何をどう話せばいいのか、私にもわからないんだよ、ホールデン」

「わかります。僕に何かを話すのってすごくむずかしいから。それは自分でも承知しています」

「私が見るに、君はある種の、きわめておぞましい落下傾向にはまりこんじゃっているみたいだ。でも正直なところそれがどういう種類のものなのか私にも……なあ、ちゃんと聴いているのかい？」

「はい」

彼はすごく意識を集中しようとしているみたいに見えた。

「それはたとえばなんていうか、三十歳になって、君がどっかのバーに座っていて、カレッジでフットボールをやっていたって感じのやつが店に入ってきたら、かたっぱしから嫌ってやるみたいなことかもしれないね。それともまた君は、たとえば『これはやつと俺とのあいだだけの秘密なんだぜ*』みたいな言い方をするやつがいたら、それを鼻で笑う程度の教養はかろうじて身につけるかもしれない。それとも君はあれやこれやの末にどこかの会社で働いていて、いちばん近くにいる速記係にペーパークリップを投げつけたりしている、みたいなことなのかもしれない。うん、どう言えばいいのかな。でも私が言わんとすることはなんとなくわかるかい？」

「はい。わかります」と僕は言った。ほんとにちゃんとわかっていたんだよ。「でもそういう『誰も彼も嫌いだ』みたいなことじゃないんです。つまりフットボール選手を見たらとにかく頭にくる、みたいなことじゃないんだ。ほんとに違うんです。僕はそんなにいろんな人を頭から嫌いになるわけじゃないんです。要するにですね、つまりちょっとのあいだ誰かを嫌いになることもあるかもしれない。たとえばペンシーで一緒だったストラドレイターっていうやつとか、それからもう一人ロバート・アックリーっていうやつとかをね。ときにはそういうやつらが嫌いになっちまうこともあります。それは認めます。でも嫌いなのもそんなに長くは続かないんです。ほんとに。しばらくのあいだ連中の姿を見かけなかったりすると、なんか淋しくなってくるんです。たとえば二、三日部屋に来ないとか、食事の時に二、三度顔を見かけなかったりすると、意外に淋しいなあとか思っちまうんです」

ミスタ・アントリーニはしばらくのあいだ沈黙していた。立ち上がってグラスに氷の塊を入れ、それからまた腰を下ろした。何かについてじっと考えこんでいるみたいだった。この話の続きは明日の朝にしてくれないかな、と僕はずっと願っていた。今日のところはもうこれくらいで切り上げてほしいなあと。でも先生の方は、話にいっそう熱が入ってきたみたいだった。人っていうのはだいたいにおいてさ、君が今は話なんかをしたくないなと思うときにかぎって、議論に熱が入ってくるものなんだよね。

「うん、こういうことかな。ちょっとだけ聴いてくれ……あるいはこのことを、君の印象に残るような言葉にうまくまとめることが、心ならずもできないかもしれない。明日、あさってのうちに、手紙にして君にあてて書いてみようとは思う。そうすれば話の筋みたいなのはいくぶんわかりやすくなるはずだ。でもとりあえずのところを今ここで説明するから聴いてくれ」、彼はまた意識を集中させた。それから言った。「君が今はまりこんでいる落下は、ちょっと普通ではない種類の落下だと僕は思うんだ。恐ろしい種類の落下だと。落ちていく人は、自分が底を打つのを感じることも、その音を聞くことも許されない。ただただ落ち続けるだけなんだ。そういう一連の状況は、人がその人生のある時期において何かを探し求めているにもかかわらず、まわりの環境が彼にそれを提供することができないという場合にもたらされる。あるいは、まわりの環境は自分にそれを提供することができないと本人が考えたような場合にね。それで人は探し求めることをやめてしまう。つまり、実際に探索を始める前に、あきらめて放り出しちゃうんだ。私の言っていることはわかるかい?」

「イエス・サー」

「ほんとに?」

「はい」

彼は立ち上がってグラスに酒を注いだ。それからまた腰を下ろした。ずいぶん長いあいだ何も言わなかった。

「君を怖がらせるつもりはない」と彼は言った。「でもね、私の目にはありありと見えるんだよ。君が無価値な大義のために、なんらかのかたちで高貴なる死を迎えようとしているところがね」、彼はちょっとおかしな目で僕を見た。「もし私がここで君のためにちょっとした一文を書いたら、君はそれを注意深く読んでくれるだろうか？　そして手許《てもと》にとっておいてくれるかな？」

「はい。もちろん」と僕は言った。そして実際に言われたとおりにしたんだよ。先生がそのときにくれた書き付けは今でも持っている。

彼は部屋の向こう側にある机のところに行って、立ったまま紙に何かを書きつけた。それから紙を手に戻ってきて、腰を下ろした。「不思議と言うべきかどうか、これは本職の詩人の書いたものじゃない。ヴィルヘルム・シュテーケルという精神分析学者によって書かれた。彼はこう記して——聴いてるかい？」

「はい。聴いてます」

「彼はこう記している。『未成熟なるもののしるしとは、大義のために高貴なる死を求めることだ。その一方で、成熟したもののしるしとは、大義のために卑《いや》しく生きることを求めることだ』」

先生は身を乗り出すようにして僕にそれを渡した。僕は渡された紙を一読し、お礼を言ってポケットにしまった。わざわざそんなことをしてくれるなんて、なんて親切なんだろうと思った。いや、本心そう思ったんだよ。ただ問題はさ、僕が意識をうまく集中できないってことだった。やれやれ、なんか急にどどっと疲れが出て来ちゃったみたいだった。

でも先生の方はぜんぜん疲れてないみたいだった。おまけにかなり酒が入っていた。「私は思うんだがね、君は近いうちに、自分が行きたいと思う場所をみつけ出さなくてはならないだろう」と彼は言った。「そして君はそこに向けて、第一歩を踏み出さなくちゃならない。それも即座にだ。ぐずぐずしているような暇はないんだよ。まったくのところ」

僕はうなずいた。というのは先生はまっすぐ正面から僕の目を見ていたからだ。でも彼が何を言っているのか、もうひとつよくわからなかった。言いたいことはかなりちゃんとわかっていたと思うんだ。でもそのときは確信というものが持てなかった。なにしろもうくたくただったからさ。

「こんなことを言うのは心苦しいんだが」と彼は言った。「もし自分がどういう方面に進みたいか、おおまかなところがつかめたら、まず最初に君がやるべきは、身を入れて勉強することだ。それはどうしても必要なことだ。いいかい、君は学生なんだよ。それが君の意に染《そ》むか染まないかはべつにしてね。君は知というものに対する愛を抱いている。だからだね、すべてのミスタ・ヴァインズなるものやら、すべての口述表現みたいなものを一度乗り越えてしまえば、君は必ずや――」

「ミスタ・ヴィンソンなるもの」と僕は言った。彼が言わんとしたのはすべてのミスタ・ヴァインズなるものじゃなくて、すべてのミスタ・ヴィンソンなるもののことなんだ。でもきっとそんなことでいちいち口をはさむべきじゃなかったんだろうな。

「わかった——ミスタ・ヴィンソンなるものだ。いったんそういうミスタ・ヴィンソンなるものを乗り越えてしまえば、君は君にとってきわめてきわめて切実な意味を持つ情報に、どんどん接近していけるはずだ。もちろん君がそうしたいと望み、それを探し求めて、そして待つことができれば、ということだけどね。なかんずく君は発見することになるだろう。人間のなす様々な行為を目にして混乱し、怯え、あるいは吐き気さえもよおしたのは、君一人ではないんだということをね。そういう思いを味わったのは、なにも君だけじゃないんだ。その事実を知ることによって、君は興奮し、心をかきたてられるはずだ。とても、とても多くの人々が、今君が経験しているのとちょうど同じように、道義的にまた精神的に思い悩んできた。ありがたいことに、彼らのうちのあるものはそういう悩みについての記録をしっかりと残しているんだ。君はそういう人々から学ぶことができる——もし君が望めばということだけどね。同じように、もし君に提供すべき何かができたなら、誰かがいつの日か君からその何かを学ぶことになるだろう。それは美しくも互恵《ごけい》的な仕組みなんだよ。それは教育みたいなことにとどまらない。それは歴史であり、詩なんだ」

先生はそこで話しやめて、ハイボールをたっぷりと飲んだ。それから再び話し始めた。やれやれ、どんどん話に熱が入ってきたわけだよ。話に途中で水を差したりしないでよかったなと僕は思った。

「私はなにも高等教育を受けた学究の徒だけが価値あるものを社会に与えることができる、と言っているわけじゃないよ」と彼は言った。「そういう考えは間違っている。しかしね、傾向的に言って、もしその高等教育を受けた学究の徒が、もともと頭脳明晰にして創造性に富んだ人であるなら――不幸なことにそういうのは稀《まれ》な例ではあるんだが――彼らは、ただ単に頭脳明晰にして創造性に富んだ人たちよりも、はるかに価値のある記録を後世に残すことができるわけだ。彼らはだいたいにおいてより明晰に自己を表現することができる。そして通常の場合、自らの思考をそのつきあたりまでとことん探っていこうという情熱を有している。そして――こいつが何にも増して大事なことなんだけど――彼らは十中八、九まで、学究的でない思想家よりもはるかに謙虚なんだ。私の言っていることはわかるかい？」

「イエス・サー」

先生はまたしばらくのあいだ沈思黙考《ちんしもつこう》していた。君にそういう経験があるかどうかは知らないけど、誰かが一生懸命に頭をひねっているときに、これからこの人は何を言うんだろうと、じっと息をひそめて待っているっていうのは、わりかし疲れちゃうものなんだよ。ほんとの話。僕は必死にあくびを噛み殺しつづけていた。退屈だったとかそういうんじゃないんだよ。決して退屈していたわけじゃないんだ。ただ僕としちゃなんだか急にものすごく眠くなってきたわけだよ。

「ほかにも学校教育が君に寄与するところはある。ある程度長い期間にわたって学校教育を受けているとだね、自分の知力のおおよそのサイズというものが、だんだんわかるようになってくるんだ。それがどういうものにフィットして、更に言うならばおそらく、どういうものにフィットしないのかということがね。そしてしかるのちに、それだけのサイズを持った知力がどのような思考を身にまとえばいいのかが、君にも見えてくるわけだ。そうすることによって君は、サイズに合わない理念やら、似合わない理念やらを試着してみる手間を省くことができる。いちいちそんな試行錯誤みたいなことをしていたら、膨大な時間が無駄になってしまうものね。そして君は自分という人間の正しい寸法を知り、君の知力にふさわしい衣《ころも》をまとうことができるようになる」

それから出し抜けに僕はあくびをしてしまった。まったくもう、なんて失礼なやつなんだ！でもどうやってもあくびを押さえられなかったんだよ。

ミスタ・アントリーニは笑っただけだった。「よしよし」と彼は言った。「カウチに寝支度をととのえよう」

僕は彼のあとをついてクローゼットに行った。彼はいちばん上の棚にあるシーツやら毛布やらを下ろそうとした。でも片手にハイボールのグラスを持ってちゃそんなことはできっこない。だからそれをぐいと飲み、グラスを床に置いて、しかるのちにいろんなものを下ろした。僕はそれを一緒にカウチまで運び、二人で寝支度をととのえた。彼はそういう作業に関してはあんまり熱心とはいえなかったね。きっちりとシーツをはさみこんだりはしなかった。でもそんなことけ僕としてもべつにどうでもよかった。とことん疲れていたから、立ったままでもしっかり寝ちゃえそうな感じだったんだ。

「女の子の方はどうなんだい?」

「悪くないです」。もうちょっとまともな返事のしようもあるだろうとはわかっていたんだけど、そのときばかりは口をきく気も起きなかったんだよ。

「サリーはどうしてる?」。彼はサリー・ヘイズのことを知っているんだよ。一度紹介したことがあるから。

「元気ですよ。実は今日の午後はサリーとデートしてたんです」。やれやれ、そんなのもう二十年くらい前の出来事みたいに思えちゃったね!「ただここのところ、今ひとつ話があわなくって」

「あの子はまったくの美人だよね。もう一人の子はどうなった? いつか話してくれた、メインで知り合ったっていう女の子は?」

「ああ――ジェーン・ギャラガーのこと。彼女も元気です。明日にでも電話をかけようと思っていたんだけど」

そのうちにカウチに寝支度ができあがった。「さあこれでよし」と先生は言った。「君の脚はこのカウチにはいささか長すぎるみたいだけどね」

「いいんです。短いベッドには慣れっこだから」と僕は言った。「ほんとにありがとうございました。今夜は先生と奥さんに命を救ってもらったみたいなものです」

「洗面所の場所はわかっているね。もし何かあったら大声で呼んでくれ。私はもうしばらくキッチンにいるけど――明るいのは気になるかな？」

「いいえ――そんなのぜんぜん。どうもありがとう」

「いいんだ。おやすみ。ハンサムな坊や」

「おやすみなさい。どうもありがとう」

彼はキッチンに行き、僕は洗面所に行って、服を脱いだりした。歯ブラシを持っていなかったんで、歯を磨くことはできなかった。パジャマだってなかった。先生は僕にそういうものを貸してくれるのを忘れちまったんだね。それで僕はそのまま居間に戻って、カウチのわきにある小さなライトを消し、パンツ一枚というかっこうで布団にもぐりこんだ。そのカウチは僕にはかなり短かったけど、なにしろ立ったままでもしっかり寝ちまえそうな状態だったからさ。眠りにつく前の数秒のあいだ、ミスタ・アントリーニが言ったことについてちょっと考えてみた。自分の知力のサイズを知るとか、そういうことについてね。ほんとになかなか頭の切れる人なんだよ。でも長く目を開けていることができなくて、僕は眠りについた。

そのあとでちょっとしたことが持ち上がったんだ。できることならこんな話はしたくもないんだけどさ。

僕は目を覚ました。何時だったかとか、そういうことはわからないけど、とにかくぱっと目を覚ましたんだ。僕の頭の上に何かが置かれていた。男の手だった。やれやれ、ほんとに肝《きも》が縮んだよ。それが何かっていうとさ、実にミスタ・アントリーニの手なんだ。で、彼が何をしてたかっていうとさ、カウチのすぐとなりの床に腰を下ろしているんだよ。真っ暗闇の中でね。そして僕の頭に触るっていうか、軽く撫でたりしてるんだ。まったくもう、僕は間違いなく千フィートはとび上がったと思うな。

「何してるんですか、いったい？」と僕は言った。

「なんにもしてない！　私はただここに座って、君のことを――」

「でもさ、何をしてるんですか、いったい？」と僕はもう一度言った。言葉がぜんぜんうまく出てこなかった。つまりさ、どうしようもなくばつの悪い感じになっていたんだ。

「そんなに大きな声を出さないでくれないか。私はただここに座って――」

「でも、もう行かなくちゃ」と僕は言った――やれやれ、なにしろ神経がよれていたんだ！暗がりの中でズボンをはこうとしたんだけど、すごく取り乱していたから、ぜんぜんうまくはけなかった。僕はこれまで、学校とかそんなところでずいぶんたくさん変質的な連中に会ってきた。僕くらいたくさんの変質的なやつらに会ったことのある人間はまずいないだろうな。そしてその手の連中は僕の近くにいると、申し合わせたみたいにしっかり変質的になっちゃうんだよ。

「君はいったいどこに行かなくちゃならないんだね？」とミスタ・アントリーニは言った。彼はものすごくさりげなくクールに振る舞おうとしていた。でも実際にはクールどころじゃなかったね。ほんとにほんとの話さ。

「駅に鞄を置いてきちゃったんです。行ってとってきます。いろんなものが入れっぱなしになっているから」

「そんなもの朝まで放っておいても大丈夫だよ。ベッドに戻りなさい。私ももう寝るから。いったいどうしたっていうんだい？」

「どうもしやしません。ただ、ひとつの鞄の中に、お金とか大事なものとかが全部入れてあるんです。すぐ戻ってきます。タクシーに乗って、すぐにここに戻ってきますから」と僕は言った。やれやれ、僕は暗闇の中でやたらあたふたしていたよ。「問題は、そのお金が実は僕のものじゃないってことなんだ。母のお金なんです。それで僕は――」

「馬鹿なことを言うんじゃない、ホールデン。布団の中に戻りなさい。私ももう寝るから。朝になってもお金はちゃんとそこにあるから、安心して――」

「いや、マジで言ってるんです。行かなくちゃ。ほんとに」。僕はもうほとんどきちんと服を着ていた。ネクタイがみつからないだけだった。さて、ネクタイはいったいどこに置いたんだっけな？　でもネクタイはつけないまま、上着もなにもぜんぶ着込んだ。ミスタ・アントリーニは今では、少し離れたところにある大きな椅子に座って、こちらを見ていた。真っ暗だったから先生の姿はよく見えなかったんだけど、僕をじっと見ているっていうことはわかった。まだ酒を飲んでいた。その手の内に忠実なるハイボールのグラスがあるのが見えた。

「君はほんとに、どこまでも変わった子どもだね」

「そうなんです」と僕は言った。ネクタイをみつけることはもうほとんどあきらめていた。そんなわけで、ネクタイなしで出ていくことになった。「さよなら、先生」と僕は言った。「どうもありがとうございました。ほんとに」

玄関のドアまで歩いていくあいだ、彼は僕のすぐあとをついてきた。そして僕がエレベーターのボタンを押すのを、戸口のところからじっと見ていた。彼が口にするのは「とても、とても変わった子どもだ」というその一言だけだった。変わったも何もないだろうよ、まったく。そして戸口に立ったまま、エレベーターのやつがやってくるまでずっと待っていた。僕のろくでもない人生の中で、これくらい長い時間エレベーターを待ったことはなかったね。嘘じゃなくってさ。

そこでエレベーターを待っていて、先生が戸口に立っているそのあいだ、いったい何を話せばいいのか、さっぱり見当もつかなかった。「これからはちゃんとした本を読もうと思うんです。まじめな話」と僕は言った。つまりさ、何かは言わなくちゃならないじゃないか。なにしろとんでもなくばつが悪かったね。

「鞄を受け取ったら、その足でここに戻ってくればいい。ドアは鍵をかけずにおくからね」

「ありがとうございました」と僕は言った。「さよなら」。エレベーターがやっとこさやってきたんだ。僕はそれに乗り込み、下に降りた。やれやれ、なんだかもう、たががはずれたみたいに震えまくっていたよ。汗もかいていた。変態っぽいことをされるとさ、僕はなにしろ汗をだらだら流しまくるんだよ。そういうことって、まだ小さな子どもの頃から数えて、二十回くらいはあったと思うな。めげちまうしかないじゃないか。

＊ "It's a secret between he and I" 厳密に言えば、"It's a secret between him and me" が文法的に正しい。ただしそういう間違いに目くじらを立てるのはあまり好ましいことではないと、アントリーニ先生は言っているわけだ。

25

外に出たとき、空はもう明るくなり始めていた。あたりは冷え込んでいたんだけど、ずいぶん汗をかいていたから、けっこう気持ちよかった。

これからどこに行けばいいのか、まったくわからない。またどっかのホテルに泊まってフィービーのお小遣いを使いきってしまうのもいやだった。しょうがないから結局レキシントンまで歩き、地下鉄でグランド・セントラル駅に行くことにした。どのみちそこに鞄が預けてあるわけだし、ベンチがいっぱい並んでいるあのクレイジーな待合室で眠ることもできるだろうって考えたわけだ。で、実際にそうしたんだよ。しばらくのあいだは、それはそれでなかなか悪くなかった。

まわりに人はほとんどいなかったし、両脚をベンチの上にのっけて横になることもできた。でも詳しい話はしたくないな。とくに心愉しいっていうものじゃないんだよ。だから君も試してみたりしない方がいいぜ、冗談抜きでさ。けっこう惨めなものなんだ、これが。

九時くらいまでしか眠ることはできなかった。なぜかっていうと百万人くらいの人がどっと待合室の中に入ってきて、脚をベンチから下ろさなくちゃならなかったからだ。それでさ、脚を床に下ろしたままだとぐっすり寝るってことはできないんだよ。だから僕は身体を起こしてベンチに腰掛けた。頭はまだ痛んでいた。というか前よりさらにきつくなっていた。そして僕は生まれてこのかたこんなに落ち込んだことはないというくらい、真剣に落ち込んでいた。

そんなこと考えたくはなかったんだけど、僕はミスタ・アントリーニについて考え始めた。僕がもういなくなったことを奥さんが知ったとき、いったいどんな説明をするんだろうと考えてみた。でも本気で心配したわけじゃないんだ。ミスタ・アントリーニはあのとおりすごく頭の切れる人だから、その程度の説明はなんとでもつけちゃうだろうからね。僕はもう家に帰ったとか、適当なことを言うだろう。そういう部分はべつにどうでもいいことだった。本当に気になったのは、目を覚ましたときに先生が僕の頭を撫でたりしていたってことなんだよ。そのとき僕はゲイっぽいちょっかいを出されたと思ったわけだけど、本当にそうだったのかな？　そういうことってなかなか真相が見きわめにくいんだよね。眠っている男の頭をちょいちょいと撫でるのが好きなんだっていうだけのことかもしれないじゃないか。その手のことって、実のところはどうだったのかなんて誰にも断言はできないんだよ。そうだよね。だから僕は、鞄を受け取って、先生の家にまっすぐ引き返した方がよかったんじゃないかとまで考えちまったわけだ。そうするって、先生に言ったとおりにさ。つまりさ、こう思い始めたんだ。もし先生がたとえ本当にゲイだったとしても、彼は僕にずいぶん親切にしてくれたじゃないかって。あんな真夜中に電話をかけてもいやな顔ひとつしなかった。よかったらすぐにうちにおいでとまで言ってくれた。そして僕の抱えている問題について真剣にあれこれ考えて、自分の知力のサイズを知るためのアドバイスなんかを与えてくれた。そして彼は、前にも話したジェームズ・キャッスルの死体に少しなりとも近寄ってくれたたった一人の人間だったんだ。そういうことについていろいろ考えてみた。そして考えれば考えるほど、気持ちはますます深く落ち込んでいった。だからさ、もう一度先生の家に戻るべきなのかなって考え始めたんだよ。たぶん先生はただなんかの気晴らしみたいな感じで、僕の頭をちょいちょいと撫でていただけなんじゃないかって。でもさ、それについて考えれば考えるほど僕はますます落ち込んで、わけがわからなくなっていった。さらに悪いことに、目がやたらちくちくと痛んできた。睡眠が足りないせいでぴりぴりして、なんだか焼けつくような感じなんだ。おまけに風邪までひきかけていた。僕はハンカチ一枚持ち合わせていなかったんだよ。スーツケースの中には何枚か入っていたけど、スーツケースをロッカーから出して、公衆の面前でぱかっと蓋を開けるというわけにもいかないじゃないか。

となりのベンチに誰かが置いていった雑誌があったんで、それを手に取って読み始めた。そういうのを読んでいれば、ミスタ・アントリーニのこととか、ほかの百万くらいのものごとについて、少なくともしばらくは考えずにすむんじゃないかと思ったんだよ。でも読み始めた記事のおかげで、僕の気分は逆に落ち込んでしまった。それはホルモンについての記事だった。ホルモンが正常に機能している人はどんな外観になるかというようなことが書かれていた。顔とか目とかがどんな感じになるかってことがさ。で、僕はといえば、その「ホルモン正常」的外観からはとことんかけ離れていたわけだよ。僕の外見ときたら、やれやれ、そこに例として引かれているホルモンに異常のある人間そっくりなんだから。そんなわけで僕は、自分のホルモンについてくよくよと悩み始めた。だからべつの記事を読むことにした。自分に癌《がん》ができているかどうかを知る方法について書かれた記事だった。もし君の口の中になかなか治らない痛みがあったら、それはたぶん癌ができているしるしだと書いてあった。ところが僕の唇の内側にはまさに、もう二週間くらい痛みがあったんだよ。それで僕は自分は癌に冒されているんだと考え始めた。やれやれ、ひたすら気分を盛り上げてくれる雑誌じゃないか。僕はようやくその雑誌を読むのをあきらめて、外に散歩に出ることにした。癌を抱えているからには、余命せいぜいあと二カ月というところだろう。僕は真剣にそう思った。疑いの余地はないとさえ思ったんだよ。そんなことを考えると、決してゴージャスな気分にはなれなかったね。

一雨きそうな雲行きだったけど、それでも外に出て歩いてみることにした。まずひとつには、朝食を食べなくちゃと思った。食欲なんてまるっきりなかったんだけど、とりあえず何かはお腹に入れた方がいいような気がしたんだ。少なくとも何かビタミンを含んだものをとろうとね。それでずっと東の方に歩いていった。そっちには大衆向きのレストランが並んでいるんだ。僕としちゃできるだけ無駄なお金は使いたくなかったからね。

歩いているときに、トラックの荷台から大きなクリスマス・ツリーを下ろしている二人の男たちとすれ違った。一人の男はもう一人に向かってこんなふうに言い続けていた。「このクソったれ《サノバビッチ》を、まっすぐ持ち上げてくれよ！　まっすぐ持ち上げるんだよ、もう、ちくしょうめ！」*。クリスマス・ツリーについての会話としては、まったくもってゴージャスなものじゃないか。でもそれはいたましいなりにも滑稽なことではあったから、僕はつい笑ってしまった。でもどう考えてもそんなことやっちゃいけなかったんだね。というのは笑い出した瞬間、僕は吐き気みたいなものを感じてしまったんだよ。真剣に戻しそうになったわけさ。ほとんど喉元まで出かかったんだけど、次の瞬間には吐き気は消えていた。どうしてそんなことになったのか、わけがわからない。だって不衛生なものなんて何ひとつ口にしていなかったし、僕の胃はもともとかなり丈夫な方なんだから。いずれにせよ僕はその吐き気をやりすごしたし、何か口にすれば気分はもっとよくなるだろうと思った。だから目についたいかにも安そうな食堂に入り、ドーナッツとコーヒーを注文した。でもドーナッツには手をつけなかった。とても喉を通りそうになかったからだ。つまりね、何かで気持ちがくよくよしているときには、ものをうまく呑みこんだりできないものなんだよ。でもウェイターは優しい人だった。ドーナッツをひっこめて、勘定にはつけないでおいてくれた。僕はコーヒーだけを飲み、それから店を出てフィフス・アベニューに向かって歩き始めた。

月曜日で、クリスマスも間近に迫っていたし、店という店が開いていた。だからフィフス・アベニューを歩くのはなかなかいい気分だった。あたりはけっこうクリスマスっぽい雰囲気になっていたんだよ。やせこけたサンタクロースたちがあちこちの街角に立ってベルをじゃらじゃらと鳴らし、救世軍の女の子たちもまたベルを鳴らしていた。口紅なんてぜんぜんつけてない女の子たちだよ。きのうの朝食のときに会った二人の尼さんがどっかにいないものかと、ずっとなんとなく探していたんだけど、みつからなかった。たぶんみつからないだろうということはわかっていたんだ。彼女たちは先生としてニューヨークに来たんだって言ってたからさ。でもそれはそれとして僕はずっと彼女たちの姿を探し求めた。いずれにせよ街は突然かなりのクリスマス気分に溢れてきたんだ。百万人くらいの子どもたちがお母さんと一緒に街に繰り出していて、バスに乗ったり降りたり、お店に入ったり出たりしていた。となりにフィービーがいればいいのになと僕は思った。フィービーはもうおもちゃ売り場で目をらんらんと輝かせるようなおちびじゃないけど、でも街に出てふざけまわったり、通りを行く人々の姿を眺めたりするのは大好きなんだ。おととしのクリスマスに僕らは一緒に街に買い物に出た。これはすごく楽しかったな。たしかブルーミングデール百貨店だったと思うけど、二人で靴売り場に行って、フィービーがすごく丈の高いストーム・シューズを探しているというふりをしたんだ。紐を通す穴が百万くらいついている、例のヘビーデューティーな靴だよ。そして気の毒な店員をてんてこまいさせた。フィービーはなにしろ二十足くらいためし履きして、店員は気の毒にそのたびに片方の靴に上から下までしっかりと紐を通さなくちゃならなかった。たちの悪いいたずらだったんだけど、フィービーにはそれがすごく受けた。結局モカシン靴を一足買って、つけにしてもらったんだけど、店員はすごく親切だったね。僕らがふざけてやってるんだってことはわかっていたと思うんだ。というのはそのたびにフィービーはくっくっくっと笑っていたからさ。

いずれにせよ僕はフィフス・アベニューをどこまでも歩き続けた。ネクタイなしの格好でね。それから出し抜けにうす気味の悪いことが起こり始めたんだ。四つ角まで行って、縁石から車道に足を踏み出すたびに、僕にはもうこの通りを向こう側まで渡りきることができないんじゃないかっていう気がしたんだよ。ただどんどん沈んでいって、僕の姿はそのまま誰の目にも見えなくなっちまうんだってね。やれやれ、それはやたらぞっとする感じだったね。それがどんなにおっかないものだったか、君にはきっとわからないだろうな。僕はもう正気じゃないみたいに汗をかき始めた。シャツとか下着とか、なにしろぐしょぐしょだった。それから僕はあることをやり始めた。四つ角に行くたびに、自分が弟のアリーと話をしているって思いこむことにしたんだ。僕は言った、「アリー、僕を消したりしないでくれよな。アリー、僕を消したりしないでくれ。アリー、僕を消したりしないでくれ。頼むぜ、アリー」。そして消えずに道路を渡り切れたときには、ありがとうとちゃんとお礼を言った。それからまた次の四つ角が来ると、同じことが一から始まった。でもとにかく僕はそいつを果てしなくやり続けた。途中でやめちまうのがきっと怖かったんだろうね――正直言ってそのへんのことはうまく思い出せないんだけどさ。どのみち六十丁目台の上の方に行くまで、僕はそれをやめなかった。動物園を越えちゃうあたりまでね。それからベンチに腰を下ろした。ずいぶん息を切らしていたし、汗も正気じゃないくらいかきまくっていた。

そうだな、一時間くらいそこに座っていたかな。それからやっとこさ僕は決心したんだ。このままどっか遠くに行ってしまおうって。うちになんか戻らないし、ほかの学校に行くのもお断りだ。ただフィービーにだけは会わなくては。彼女に会ってさよならみたいなのを言って、クリスマスのお小遣いを返して、そのあとでヒッチハイクで西部に向かうんだ。どうするかっていうと、ホランド・トンネルの方まで歩いていって、そこで車に乗っけてもらう。それから次の車、また次の車、また次の車という具合に乗り継いで、数日後には西部のどっかにいるっていうわけだ。すごく感じよくて、太陽がさんさんと照っていて、僕のことを知っている人間なんて誰ひとりいない場所に行って、そこで仕事をみつけるんだ。ガソリン・スタンドの仕事ならできるんじゃないかと思った。みんなの車にガソリンやらオイルやらを入れたりするわけだよ。でもべつにどんな仕事だってかまわないんだ。そこが誰ひとり僕のことを知らず、僕の方も誰のことも知らない場所であるならね。

そこで何をするつもりだったかっていうとさ、聾唖《ろうあ》者のふりをしようと思ったんだ。そうすれば誰とも、意味のない愚かしい会話をかわす必要がなくなるじゃないか。誰かが僕に何か言いたいと思ったら、いちいちそれを紙に書いて手渡さなくちゃならないわけだ。しばらくそんなことを続けたら、みんなけっこううんざりしちゃうだろうし、あとはもう一生誰ともしゃべらなくていいってことになっちゃうはずだ。みんなは僕のことを気の毒な聾唖者だと思って相手にもせず、放っておいてくれるだろう。僕はみんなの間抜けな車にガソリンやらオイルを黙々と入れ続ける。僕は給料をもらい、その給料を貯めてどっかに小さな自分の小屋を建て、そこで一生を終えるんだ。森のすぐわきに小屋を建てよう。森の中に建てるんじゃないよ。なぜかっていうとその家はいつもぎんぎんに日が当たってなくちゃならないからだ。食事はぜんぶ自分で作る。それからいつか、もし結婚しようというような気になったらっていうことだけど、美しい聾唖者の娘とめぐりあって結婚するんだ。彼女はその小屋で僕と一緒に暮らすわけ。そしてもし僕に何かを言いたいと思ったら、彼女もやはりろくでもない紙にいちいち書かなくちゃならない。ほかのみんなと同じようにね。もし子どもたちが生まれたら、僕らは子どもたちを世間から隠しちゃうんだ。そして山ほど本を買い与えて、自分たちで読み書きを教える。

　そんなことを考えていると胸がすごくわくわくしてきた。ほんとにわくわくしたんだよ。聾唖者のふりをするっていう部分はたしかに突飛《とっぴ》だと自分でも思うよ。でもそういうことをあれこれ考えてるとさ、とにかく考えるだけで楽しかった。まあ何はともあれ西部に行こうと心を決めたわけだ。でもその前にまずやらなくちゃならないのは、フィービーにさよならを言うことだ。そこで僕はとつぜん気がふれたみたいに駆け出して、通りを渡った。まったくの話、おかげであやうくひき殺されるところだったよ。そして文房具屋に入り、便箋と鉛筆を買った。さよならを言って、クリスマスのお小遣いを返すために、どこかでフィービーに会わなくちゃならなかったし、その待ち合わせの場所を手紙に書いて知らせようと思ったんだよ。その手紙を持って学校に行って、校長室にいる誰かに、これをフィービーに渡してくださいってことづければいいんだってね。でも僕は便箋と鉛筆をそのままポケットにつっこんで、彼女の学校まですごい急ぎ足で歩いた。文房具屋の中で手紙を書いちゃえばよかったんだけど、そうするには気分が高ぶりすぎていた。僕としてはフィービーに、昼ご飯を食べにうちに帰る前にその手紙を受け取ってもらいたかったわけだ。

　フィービーの学校がどこにあるかはもちろんわかっていた。だって僕も小さいときには同じ学校に通っていたんだから。学校に着いてみると、不思議な感じだった。学校の中の様子なんてそんなに覚えてないんじゃないかと思っていたんだけど、実際にはけっこう覚えていた。なにしろ僕が通っていたときと、ほとんどそっくり同じだったんだよ。昔と同じ大きな校庭《ヤード》が中にあった。いつもうす暗くて、電球は網みたいなもので囲まれているんだ。ボールがぶつかっても割れないようにね。床にはやはり、ゲームなんかするときに使うための白い円があちこちに描かれていた。そしてネットのついてないバスケットボール・リング——バックボードとリングだけ。これも昔どおりだ。

あたりに人影はなかった。今はたぶん休憩時間じゃないっていうことだ。そしてまだ昼休みにはなっていない。僕が見かけたのはひとりの小さな子どもだけだった。黒人の男の子なんだけど、その子は歩いて洗面所に向かっていた。彼のヒップ・ポケットからは木製の許可証《パス》がのぞいていた。そういえば僕らも同じことをやっていたな。つまりそのパスは、洗面所に行ってもいいという許可を先生からもらったってことを示しているわけだよ。

まだ汗をかいてはいたけど、もうそんなにひどい感じじゃなかった。僕は階段のところまで行って、一段めに腰を下ろし、買ってきた便箋と鉛筆を取り出した。階段は僕がここに通っていたころと同じ匂いがした。まるでついさっき誰かがそこに小便をかけたみたいな匂いなんだ。学校の階段ってどこでも同じ匂いがするんだよね。でもまあとにかく、僕はそこに座って手紙を書いたわけだ。

ディア・フィービー、

僕は水曜日まではもう待てそうにない。だからたぶん今日の午後にもヒッチハイクをして西部に向かおうと思うんだ。できたら十二時十五分に美術館の入り口のところに来てくれないかな。そのときに君のクリスマスのお小遣いを返すよ。そんなに使ってないからね。

ラブ、

ホールデン

彼女の学校は美術館のほとんどとなりにあるんだ。それにフィービーはいずれにせよ、うちにお昼ご飯を食べに帰るときその前を通らなくちゃならない。だから問題なく僕に会えるはずなんだ。

それから階段を上って校長室まで行った。そこで誰かに手紙をことづけて、フィービーの教室まで持っていってもらえばいい。手紙を開けて読まれないように、十回くらいしっかりと折り畳《たた》んだ。学校にいるやつらなんて、誰一人として信用できないんだからさ。でも兄だって言えば、手紙を渡すくらいのことはしてくれるはずだ。

ところが階段を上がっているときまったく出し抜けに、僕はまた吐きたくなってしまった。でもなんとか踏みとどまった。しばらくそこに座っていたら、やがて吐き気は収まってきたんだ。でもそこに座っているときに、僕はあるものを目にして頭が変になりかけた。誰かが壁に「ファック・ユー」って書いていたんだ。それを見て僕はほんとに頭が変になるところだったね。僕はフィービーとか、小さな子どもたちがそれを見て、「これはどういう意味なんだろう?」と首をひねるところを想像した。それからどっかのいやらしい子どもがそれが何を意味するのか教えちゃうんだよ。もちろんとことん歪《ゆが》めてということだけどね。おかげでみんなは二日くらいそれについて考えて、あれこれと気に病んだりもしちゃうわけだ。そんな落書きをしたやつを殺してやりたい、と僕はひとしきり考えた。きっとどっかの変態の浮浪者が、夜中に小便でもするために校内に入ってきて、ついでに壁に落書きをしていったんだろう。そいつが落書きをしている現場を捕まえて、石の階段にその頭をがんがんと叩きつけて血だらけにして、とことん殺してしまうところを、僕は想像した。でも自分にそんなガッツがないことはよくわかっていた。ほんとにわかっていたんだよ。おかげで僕はますますうらぶれた気分になってしまった。正直に言っちまうとね、その落書きを手でこすって消すだけのガッツさえ僕にはろくすっぽなかったんだよ。それを消しているところをどっかの先生に見られたら、僕が書いたみたいに思われるんじゃないかって、それが心配だったからだ。でも最後にはやっぱりこすって消した。それから校長室に向かった。

　校長の姿は見えなかったけど、だいたい百歳くらいとおぼしき女性がタイプライターの前に座っていた。4B－1のフィービー・コールフィールドの兄なのですが、手紙を妹に届けていただけませんでしょうか、と僕はその人に頼んだ。大事な用件なんです、と僕は言った。母の具合が悪く、今日のお昼ご飯を用意できなくなり、フィービーと待ち合わせてドラッグストアで一緒に何かを食べるようにと言われました。その歳とった女性はとても親切だった。僕の手紙を受け取り、となりのオフィスにいた女性を呼び、それをフィービーのところに持っていかせた。そしてその百歳くらいの女の人と僕は、少しおしゃべりをした。けっこう感じのいい人だったので、僕は彼女に、僕も兄も弟もこの小学校に通っていたんですと言った。今はどこの学校に行っているのかと訊かれたから、ペンシーだと答えると、ペンシーはとても立派な学校ねと彼女は言った。

それを訂正しようという元気は――たとえそうしたいと望んだとしても、ということだけど――僕にはなかった。それにもし彼女がペンシーをすごく立派な学校だと思っているのなら、そう思わせておけばいいんだ。百歳にもなっているような人に、何か新しいことを吹き込んだってどうにもなりゃしないんだ。相手だってそんなことをとくに聞きたくないんだよ。それから僕は引き上げた。いや、しかし参っちゃったな。彼女はなにしろ僕に向かって「グッド・ラック！」って大声で怒鳴ったんだ。ペンシーをあとにするときにスペンサー先生がやったのと同じようにね。どっかをあとにするときに、誰かに「グッド・ラック」って背後から怒鳴られるくらい気が滅入ることはないんだ。そんなことされたら、とことんうらぶれた気分になっちゃうじゃないか。

　僕はべつの階段を下りたんだけど、そこの壁にもまた「ファック・ユー」っていう落書きがあった。また手でこすって消そうとしたんだけど、それは刻み込んであった。ナイフとかそういうものを使ってね。だから消せなかった。どのみちきりがないんだ。たとえ百万年かけたところで、君には世界中にある「ファック・ユー」の落書きを半分だって消すことはできないんだからさ。要するにさ、そんなことできっこないんだよ。

　校庭の時計を見ると、時刻はまだ十二時二十分前だった。フィービーに会うまでにずいぶん時間をつぶさなくちゃならない。でもとりあえず美術館の方に歩いていってみることにした。ほかにどこといって行くところもなかったからね。途中で電話ボックスに入って、ジェーン・ギャラガーに電話をかけてみてもいいなと思った。ヒッチハイクで西部に向かう前にさ。でもその手の気分にはなれなかった。だって、彼女が休暇で帰省しているかどうかさえわからないんだもの。だからそのまままっすぐ美術館まで歩いて、そこで時間をつぶした。

美術館の入り口のすぐ中のところでフィービーが来るのを待っていると、二人の小さな男の子がやってきて、ミイラの展示室はどこだか知ってるかと僕に尋ねた。一方の、僕にそれを尋ねた方の小さな男の子はズボンの前を開けっぱなしにしていた。そのことを教えてやると、その子は僕と立ち話をしたままそのボタンをかけた。わざわざ柱の陰に隠れてそれを直すというような面倒なことはしなかった。それには参ったね。あやうく笑っちまうところだったよ。でもまた吐きたくなったりすると困るから、なんとか笑うのは我慢した。「ミイラはどこなんだい？」とその子はまた訊いた。「あんた、場所知ってるかい？」

僕はその子どもたちを相手にちょっと冗談をやってみた。「ミイラ？　ミイラってどういうものなの」と僕は一人の子どもに尋ねた。

「ほら、ミイラだよ。死んじまったやつだよ。トゥーンに埋められたやつ」

トゥーンだってさ。参っちゃうよね。墓所《トゥーム》のことなんだよ。

「なんで君たち学校に行ってないんだ？」と僕は言った。

「きょうは学校はねえの」としゃべりを一手に引き受けている子どもが言った。それが嘘っぱちであることは、僕が生きているってことと同じくらい明らかだった。しょうがないやつだ。でもフィービーがやってくるまで僕にはとくにやることもなかったから、彼らがミイラの展示室を探すのを手伝ってやった。やれやれ、僕は昔はそれがどこにあるかちゃんと知っていたんだ。でもここのところもう何年も美術館には来ていなかった。

「君たちはミイラに興味があるんだ?」と僕は言った。

「ああ」

「君の友だちは口がきけないのか?」

「こいつは友だちじゃねえよ。俺のオトウトだよ」

「この子は口がきけないのかい?」、僕はまったく口をきかない方の子どもを見た。「君はぜんぜん口がきけないの?」

「きけるさ」とその子は言った。「ただしゃべりたくねえの」

やっとミイラの展示室が見つかって、僕らは中に入った。

「エジプト人はどうやって死んだ人を埋葬したか知ってるかい?」と僕は一人の子どもに尋ねた。

「いいや」

「知っておくといい。とても面白いからさ。秘密の薬品をしみこませた布で顔をぐるぐる巻きにしちゃうんだ。そうして埋葬しておくと、何千年たっても顔が腐ったりしないんだよ。でもその秘法はエジプト人しか知らない。これぱかりは現代科学でも解き明かせない謎なんだ」

ミイラの展示室に行くには、狭い廊下みたいなところを通っていかなくちゃならない。廊下のわきにはファラオの墓所から持ち出された石なんかが並べてある。それはかなり気味の悪い代物で、僕の連れの威勢のいい二人組もいささかびくついているみたいだった。二人とも僕にぴったりとくっついた。これまでほとんどだんまりを決め込んでいた子どもなんて、僕の上着の袖にすがっている。「もう行こうぜ」とその子は兄貴に言った。「俺はもう見ちまったよ。なあ、もう帰ろうよ」、それからその子はぱっと身を翻して逃げていった。

「まったく、とことん肝っ玉の小せえやつだな」ともう一人は言った。「じゃあな！」と彼は言うと、あとを追って行ってしまった。

墓所には僕ひとりが残されたわけだけど、それはそれでなかなか悪くなかった。ひっそりとして平和だった。でもそれから突然、いったい何が僕の目に入ったと思う？　なんとまた「ファック・ユー」だ。壁のガラス部分のすぐ下のところに赤いクレヨンみたいなものでそれは書かれていた。石の下に。

こういうのがさ、すべてにおける問題なんだよ。君にはひっそりとした平和な場所をみつけることができない。だってそんなものはどこにもありゃしないんだからさ。きっとどこかにあるはずだと君は考えているかもしれない。でもそこに着いてみると、君がちょっと目を離したすきに誰かがこっそりとやってきて、君のすぐ鼻先に「ファック・ユー」なんて落書きしちゃうわけだよ。いちど試してみるといいよ。僕が死んじゃって、墓場なんかに詰め込まれちまったとするね。墓石に「ホールデン・コールフィールド。何年に生まれて、何年に死にました」なんて刻まれてさ。でもそうなっても、そのすぐ下にはきっと「ファック・ユー」って書いてあるはずだ。賭けてもいいね。

　ミイラが展示してある部屋を出たあとで、洗面所に行きたくなった。実を言うと、ちょっとばかり下痢気味だったんだ。まあ下痢のことはたいした問題じゃないんだけど、そこでちょっと変なことになってしまった。便所から出て、入り口のすぐ近くまで来たところで、僕は気を失ってしまったんだ。でもラッキーだったね。というのは床にごつんと頭をぶっつけて、そのまま死んじまってもおかしくなかったからさ。しかし僕は横向けによろよろっと倒れ込んだだけだった。そいつは不思議な感じだったな。いちど気を失っちゃうとさ、なんかすっと気分が良くなったんだよ。ほんとの話。倒れたときにぶっつけた片方の腕は痛んだ。でも前みたいなくらくらする感じはなくなっていた。

　時刻は既に十二時十分くらいになっていたので、僕は入り口のところに戻り、そこに立ってフィービーを待った。これっきりもうフィービーに会えないかもしれないんだな、と思った。彼女だけじゃなく、家族の誰ともということだけどね。まあやがていつかはみんなと再会するだろうけど、それはずいぶん先のことになるはずだ。僕は、そうだな、三十五歳くらいになって家に帰るかもしれない。誰かが病気になって、死ぬ前にいちど僕に会いたいなんて言い出したりしてね。でもそれ以外の理由で、小屋を離れてうちに帰ることはないだろう。僕がうちに帰ったときいったいどんなことになるだろうと想像してみた。母親はきっとやたら取り乱して、おいおい泣いたりして、僕に「ずっとこのままここにいてちょうだい。小屋になんか戻らないで」とか言ってすがりまくるはずだ。でも僕は行っちまうんだよね。すごくさらっという感じでさ。僕は彼女をなだめ、それから居間の端っこに行って、シガレット・ケースを取り出し、煙草に火をつける。とびっきりクールにね。もしよかったらうちを訪ねてきてくれよと僕はみんなに言う。でもべつに無理に誘うわけじゃないんだ。で、何をするかっていうとさ、僕はフィービーを誘うんだ。夏休みとか、クリスマス休暇とか、イースター休暇にうちに遊びにおいでよってね。それからDBも誘おう。執筆のためにひっそりと静かな場所を求めているのなら、しばらくのあいだうちにくればいいよってね。でも僕の小屋でハリウッドの脚本を書かれるのはごめんだな。短編小説とか、まっとうな本だけを書いてもらう。うちに来た人には、たとえそれが誰であれ、まやかしっぽいことだけはしてもらいたくないんだ。もしまやかしっぽいことを始めようとするものがいたら、即刻出ていってもらう。

一時預かり所の時計にふと目をやると、一時二十五分前になっていた。ひょっとしてあの校長室にいた歳とった女の人が、もう一人の女性に「このメッセージはフィービーに渡さないようにね」とか指示したんじゃないかと思うと、胸がどきどきしてきた。こんなものは焼き捨ててしまいなさいとか指示したんじゃないだろうかって、けっこう心配になってきた。ほんとにどきどきしちゃったんだよ。旅に出る前に僕はなんとしてでもフィービーに会わなくちゃならなかった。だからさ、彼女のクリスマスのお小遣いだって返さなくちゃならないしさ。

やっとフィービーの姿が見えた。ドアのガラス部分を通して見えたんだ。どうしてわかったかというと、彼女は僕のあのクレイジーなハンティング帽をかぶっていたからだ。その帽子はなにしろ十マイル先からだって見分けがつくんだよ。

僕はドアを出て、石の階段を下りて、彼女を迎えに行った。でもフィービーが大きなスーツケースを持っているのを見て、わけがわからなくなってしまった。彼女はフィフス・アベニューを横断しているところだったんだけど、その大きなスーツケースをずるずると引きずっていたんだ。でも引きずるのだって一苦労なんだよ。近づいてみると、それが僕の古いスーツケースだってことがわかった。ウートン・スクールにいたころに使っていたやつだ。どうしてフィービーがそんなものを持っているのか、ぜんぜん理解できなかった。「ハイ」、僕のそばまで来ると彼女はそう言った。そのクレイジーなスーツケースのおかげで、フィービーははあはあ息を切らせていた。

「もう来ないんじゃないかって心配してたんだぜ」と僕は言った。「ねえ、その鞄の中には何が詰まってるんだい？　僕には要りようなものなんてないんだ。まったくの着の身着のままで行っちゃうんだからさ。駅に預けた鞄だって置いていっちまうつもりなんだ。その中にいったい何が入っているんだよ？」

フィービーはスーツケースを下に置いた。「わたしの服」と彼女は言った。「わたしも一緒に家を出て行くことにしたんだ。いいでしょう。ね？」

「なんだって」と僕は言った。そう言われたとき、僕は危うくぶっ倒れてしまうところだったよ。神かけてほんとの話さ。頭がくらくらっとして、そのまままた卒倒しちまうんじゃないかと思ったね。

「シャーリーンにみつからないように、裏のエレベーターを使って運んだんだ。そんなに重くないんだよ。中に入っているのはドレスが二着と、モカシン靴と、下着と靴下、それくらいだから。持ってごらんよ。重くないんだから。持ってみればわかるよ……ねえ、一緒に行っていいでしょ？　ねえ、ホールデン、いいでしょ？　お願い」

「だめ。黙れ」

僕はそのときほんとに意識を失ってしまいそうだった。だからさ、フィービーに向かって「黙れ」なんて言うつもりはなかったんだよ。でも僕はほんとにそのまま倒れ込んでしまいそうだったんだ。

「どうしてだめなの？　お願いよ、ホールデン！　邪魔なんかしないからさ――ただ一緒について行くっていうだけだから。もし服を持って行くなっていうんなら、持って行かなくてもいいよ。わたしはただ――」

「ただもなにもあるもんか。君はどこにも行かない。僕は一人で行くんだ。だから黙ってろよ」

「お願い。ホールデン、お願い、わたしを一緒に連れてって。わたしはすごくすごくすごく――迷惑なんてぜったいに――」

「連れて行くわけにはいかない。だから、もう黙れ！　鞄を僕に渡すんだ」と僕は言った。そして鞄をとりあげた。もう少しでぶちそうになったくらいだった。一瞬のことだけど、殴りつけてやろうとさえ思ったんだよ。嘘じゃなくて。

フィービーは泣き出した。

「だいたい君は学校のお芝居に出なくちゃいけないんだろう。そのお芝居の中で君はベネディクト・アーノルドの役をやるんじゃなかったのかい」と僕は言った。すごく意地悪な感じでそう言ったんだ。「どうするつもりなんだよ。え、どうなんだよ、お芝居には出なくていいのか?」。そう言うと、フィービーはもっと激しく泣き始めた。それを見て嬉しかったね。そのとき突然僕はフィービーを、目玉がこぼれ落ちてしまうくらい激しく泣かせてやりたいと思ったんだよ。僕の中にはほとんど憎しみのようなものさえあった。一緒に家出なんかしたりしたら、芝居にも出られないじゃないかと思って、それで彼女に対して真剣に腹が立ったんだと思うね。

「さあ、おいで」と僕は言った。そしてまた美術館の階段を上がり始めた。僕が何をしようと思ったかというとだね、フィービーが引きずってきたそのクレイジーなスーツケースを一時預けに預けちゃおうと思ったんだ。そうすれば三時に学校がひけたあと、帰り道でそれをまた持っていくことができるからさ。そんなものを抱えて学校に行くわけにはいかないじゃないか。「さあ、おいでよ」と僕は言った。

でもフィービーは階段を上がってこなかった。僕のあとにはついてこなかったんだ。でも僕はかまわず上にあがって、一時預けに鞄を預けた。それからまた階段を下りた。フィービーはまだ歩道に立っていた。でも近づいていくとくるっと背中を向けた。この子にはそういうことができるんだよ。背中を向けたいと思ったときに、くるっとうまく背中を向けちゃうことがね。「ねえ、僕はどこにも行きやしないよ。気持ちが変わったんだ。だからもう泣くのはやめて静かにしな」と僕は言った。おかしなのは、僕がそう言ったときには、フィービーはもう泣いてなんかいなかったってことだよ。でも何はともあれというか、僕としてはそう言ったわけだ。「さあ、おいで。学校まで送ってやろう。さあ、来なよ。学校に遅れちまうぞ」

フィービーはぜんぜん返事をしなかった。僕はとりあえず手をつないでみようとしたんだけど、でも彼女はそうさせてくれなかった。相変わらずこちらに背中を向けつづけていた。

「お昼ご飯は食べたのかい？　まだ食べてないんじゃないの？」と僕は尋ねた。

答えはない。そのかわりにフィービーが何をやったかっていうとだね、赤いハンティング帽を脱いで——僕があげたやつだよ——それを文字どおり僕の顔にぴしゃっと投げつけたんだ。それからまたくるっと背中を向けてしまった。これには参っちゃったよ。でも僕は何も言わなかった。黙って帽子を拾い上げて、コートのポケットにしまっただけさ。

「なあ、いいからおいでよ。学校まで送ってやるからさ」と僕は言った。

「学校なんか行かないんだから」

そんなことを言われて、僕はじつに言葉を失ってしまった。二分くらいのあいだ僕はそこに無言で突っ立っていた。

「君は学校に戻らなくちゃいけないよ。お芝居に出ることになっているんだろう。ベネディクト・アーノルドの役をやりたいんだろう?」

「やりたくない」

「そうじゃないはずだよ。ほんとはやりたいはずだよ。さあ、行こう、ほら」と僕は言った。

「まずだいいちに、僕はどこにも行かないんだ。さっきも言ったようにね。ちゃんとうちに帰る。君が学校に行ったら、その足でうちに帰るよ。まず最初に駅に行って、鞄を受け取って、そのあとでまっすぐうちに――」

「学校なんかに行かないって言ったでしょう。あなたはあなたで好きなことをすればいいじゃない。わたしはね、とにかく学校なんかに戻りませんから」と彼女は言った。「だから黙っててよね」。フィービーが僕に黙っていろなんて言ったのはそのときが初めてだった。ぐさっときたね、それは。やれやれ、ほんとにぐさっときたんだよ。汚い罵りの言葉を浴びせられるよりもずっときつかったな。それにさ、フィービーはまだこっちに背中を向けたままなんだ。そして僕が彼女の肩に手を触れるとか、そういうことをしようとするたびに、ぱっと振り払うんだ。

「なあ、散歩みたいなのしないか?」と僕は尋ねた。「動物園の方まで歩いていってみよう。これから学校なんかに戻らずに、二人で一緒に散歩とかするとしたら、そういう馬鹿みたいな真似はやめてくれる?」

返事は返ってこなかった。だから僕はもう一度繰り返した。「もし今日は学校に行かなくてもいい、一緒にどこかに散歩に行こうよって言ったら、馬鹿な真似はもうよしてくれるのかな？ そしてあしたはちゃんと学校に行ってくれるのかな？」

「行くかもしれないし、行かないかもしれない」とフィービーは言った。それからぱっと駆けだして、車が来ているかどうかも確かめずに、通りの向こう側に渡ってしまった。だからさ、この子はときどき気がふれたみたいになるんだよ。

でもあとを追ったりはしなかった。フィービーが僕のあとをついてくることはわかっていたからね。だから僕はかまわず通りの公園側をダウンタウン方向に、動物園の方に向かって歩いていった。フィービーときたら、やれやれ、僕とは反対側の歩道を動物園に向かって歩いていた。ちらっともこちらを見ようとはしなかったけど、おそらくはそのクレイジーな眼の片隅で、僕がどっちに向かっているかをチェックしているはずだ。とにかく僕らはそんな感じで動物園までずっと歩いた。ちらっと気になったのは、二階建てのバスが通りかかったときだけだった。そうなると道路の向かい側が見えなくなり、フィービーの姿が視野から消えてしまうからだ。でも動物園のそばまで来たとき、僕は彼女に向けて怒鳴った。「フィービー、これから動物園に入るよ。こっちに渡っておいで！」。彼女はぜんぜんしらんふりをしていたけど、僕の声は間違いなく耳に届いたはずだ。動物園の入り口に向かって階段を下りていくときに振り返ると、フィービーが通りをこちらに渡ってくるのが見えた。しっかり僕のあとをついてきてるんだ。

動物園はがらがらだった。その日は天気があまりよくなかったからね。でもあしか池のまわりにはけっこう人が集まっていた。僕はその前を通り過ぎようとしたんだけど、フィービーは足を止めて、あしかが餌をもらうところを見るんだという意思表示をした。餌係が魚を放り投げて与えるところを見物するわけさ。だから僕は引き返した。彼女との距離を縮めるいい機会みたいに思えたからね。それでフィービーの後ろに立って、肩にちょっと手を置いたりしてみたんだけど、彼女はさっと膝をかがめて、僕の手からすり抜けた。この子はまったくその気にさえなれば、とてつもなく生意気になれちゃうんだよ。あしかが餌をもらうあいだ、フィービーはそこにずっと立っていて、僕はすぐ後ろにいた。でももう彼女の肩に手を置いたりはしなかった。そんなことをしたら、真剣に僕を置いて逃げてしまうだろうということはわかっていたから。小さな子って、笑っちまうよね。うかうかしたことはできないんだよ。

あしか池を離れてからも、フィービーは僕と並んで歩こうとはしなかった。でも遠く離れて歩くというのでもなくて、僕は通路のこっち側を歩き、彼女はあっち側を歩くという感じだった。ゴージャスとは呼びにくい雰囲気だったけど、さっきみたいに一マイルも離れて歩くよりははるかにましだよね。僕らは少し先の方まで歩いていって、小山の上にいる熊を眺めた。でも見ててとくに面白いっていうものでもなかった。一頭だけが外に出ていた。北極熊だ。もう一頭の茶色いやつは、ろくでもない穴に入り込んだきり外に出てこようとはしなかった。こっちから見えるのはそのお尻だけだった。僕のとなりにカウボーイハットを耳までしっかりとかぶった小さな男の子がいて、父親に向かって「ねえ、父さん、あいつを外に出してよ。外に出してきてったら」

と言っていた。僕はフィービーの方を見たんだけど、彼女はにこりともしなかった。子どもってさ、いったんつむじを曲げちゃうと手がつけられないんだよね。まったくにこりともしないんだからさ。

熊を見てから僕らは動物園を出た。公園の中の小さな道路を横切り、いつも誰かが小便をしたばかりのような匂いのする、例の小さなトンネルのひとつをくぐった。そこをまっすぐ行くと回転木馬がある。フィービーは相変わらず口をきこうとはしなかったけど、今ではいちおうとなりを歩いていた。僕はなんとなくフィービーのコートの後ろについているベルトをつかもうとしたんだけど、彼女はそれを振り払った。「気やすくさわらないでほしいんだけど」と言った。フィービーはまだ僕に腹を立てていたんだ。でもその不機嫌さはさっきに比べればずっと和《やわ》らいでいた。いずれにせよ僕らが回転木馬に近づくにつれて、いつもの能天気な音楽が耳に届いた。音楽は『おおマリー！』だった。五十年くらい前、僕がまだ小さな子どもだったときにも、まったく同じ音楽がかかっていたんだぜ。それが回転木馬の素敵なところなんだよ。いつだって同じ音楽がかかっているってことがさ。

「冬には回転木馬は閉まっているんだと思っていたわ」とフィービーは言った。やっとこさ口らしい口をきいてくれたわけだ。僕に腹を立てているってことをついうっかり忘れちまったんだろうね。

「クリスマスだからじゃないかな」と僕は言った。

それに対してフィービーは何も言わなかった。僕に腹を立てているってことをまた思い出したんだろう。

「乗ってみるかい」と僕は言った。フィービーが乗りたがっているだろうってことはわかっていたからね。アリーとDBと僕は昔、まだほんのちびだったフィービーを連れてよく公園に来たんだけど、彼女はとにかく回転木馬に夢中になった。いったん乗ったら下ろすのに苦労したくらいだ。

「わたしはもう大きすぎるわ」と彼女は言った。無視されるんじゃないかと予想していたんだけど、返事は返ってきた。

「大きいも小さいもあるもんか。乗ればいいじゃないか。待っててやるから乗っておいでよ」と僕は言った。僕らは回転木馬のところに着いた。小さな子どもたちが何人かそれに乗っていた。ほんとに小さい子どもたちばかりだった。子どもたちの両親はそのまわりで、ベンチに座ったりして待っていた。僕はチケット売り場に行って、フィービーのためにチケットを買ってやった。そしてフィービーに渡した。彼女は僕のすぐわきに立っていた。「ほら」と僕は言った。「ああ、ちょっと待って――残ったお金を君に返さなくちゃ」。そして借りたお金の使わなかった分を彼女に返そうとした。

「そのまま持っていてよ。わたしのかわりに持ってて」とフィービーは言った。それからすぐに「お願い」と付け加えた。

誰かに「お願い」なんて言われると、僕はだんぜん落ち込んじゃうんだよね。フィービーとかそういう相手に言われるととくに。ほんとにやるせない気持ちになっちまうんだよ。でもまあ僕はお金をポケットに戻した。

「あなたは乗らないの？」とフィービーは僕に尋ねた。彼女はちょっと不思議な目つきで僕のことを見ていた。もうそんなには僕に対して腹を立ててはいないみたいだった。

「たぶんこの次にね。今は君が乗るのを見ている」と僕は言った。「チケットは持ったかい？」

「うん」

「じゃあ行っておいで。僕はそこのベンチに座っているからさ。君のことを見ているよ」。僕はベンチに行って座った。フィービーは回転木馬のところに行って台にあがり、歩いて一周した。だから歩いて台の上をまるまる一周したわけだよ。それから茶色の大きな、いかにもうらぶれた古い木馬を選んで乗った。やがて木馬が回転を始め、僕は彼女がぐるぐると回っていくのを眺めていた。ほかには五、六人の子どもが乗っているだけだった。伴奏の音楽は『煙が目にしみる』だった。すごくジャズっぽくて、愉しい演奏だった。子どもたちはみんな金色の輪っか（金色の輪を取ると、ただでもう一回乗れることになる）をつかもうとしていた。フィービーも同じようにそれをつかもうとした。それで、彼女がそのろくでもない馬から落ちちゃうんじゃないかと、見ていてちょっとはらはらした。でも僕はべつに何も言わなかったし、何もしなかった。もし子どもたちが金色の輪っかをつかみたいと思うのなら、好きにさせておかなくちゃいけないんだ。余計なことは言わずにね。落ちたら落ちたときのことじゃないか。あれこれそばから口を出しちゃいけない。

その回が終わるとフィービーは降りて僕の方にやってきた。「今度は一緒に乗ろうよ」と彼女は言った。

「いや、僕は見ているよ。ここでただ見ていたいんだ」と僕は言った。そして彼女にもっとお金を渡した。「ほら、またチケットを買っておいで」

フィービーは僕の手からお金を受け取った。「あなたのことをもうべつに怒ってないんだよ」と彼女は言った。

「知ってるよ。だから早く行っておいで。すぐにまた回り出しちゃうからさ」

それから出し抜けに彼女は僕にキスをした。そして手を前に差し出した。「雨が降ってる。雨が降り出したわ」

「知ってるよ」

それからフィービーが何をしたと思う？　ほんとに参っちゃったんだけどさ、僕のコートのポケットに手を突っ込んで、赤いハンティング帽を取り出して、それを僕の頭にかぶせたんだよ。

「君はいらないのかい？」と僕は言った。

「少しのあいだ貸しといてあげる」

「わかった。でもほら、急がなくちゃ。もう回りだすぞ。そうしたらお気に入りの馬に乗れなくなっちまうよ」

それでもフィービーはぐずぐずしていた。

「ねえ、さっき言ったことは本当？　どこにも行っちゃったりしないってこと。このあと本当におうちに帰る？」と彼女は僕に尋ねた。

「うん」と僕は言った。本気でそう言ったんだ。でまかせを言ったわけじゃない。実際そのあとうちに帰ったわけだしさ。「さあ、急がなくちゃ」と僕は言った。「もう動き始めるぞ」

フィービーは走っていってチケットを買い、ぎりぎりのところで台に飛び乗った。それからぐるっと歩いてまわって、お気に入りの馬をみつけ、それに乗った。彼女は手を振り、僕は手を振り返した。

それからもう正気じゃないみたいにどっと雨が降り出したんだ。それこそバケツを思い切りひっくり返したみたいにさ。いや、文字どおりの話だよ。子どもたちの親だとか、そこにいた誰もかもが、ずぶ濡れにならないために回転木馬の屋根の下に駆け込んだ。でも僕はけっこう長いあいだ、そのままベンチに座っていた。おかげでぐしょ濡れになっちまったよ。とくに首とかズボンとかがね。ハンティング帽をかぶっていたおかげで、被害はそれなりに少なくてすんだわけだけど、それにしても濡れ鼠になったことはたしかだったね。でもかまやしない。フィービーがぐるぐる回り続けているのを見ているとさ、なんだかやみくもに幸福な気持ちになってきたんだよ。あやうく大声をあげて泣き出してしまうところだった。僕はもう掛け値なしにハッピーな気分だったんだよ。嘘いつわりなくね。どうしてだろう、そのへんはわからないな。ブルーのコートを着てぐるぐると回り続けているフィービーの姿がやけに心に浸みた、というだけのことかもしれない。いやまったく、君にも一目見せたかったよ。

＊　原文は "Hold it *up*, for Chrissake!" この for Chrissake は for Christ's sake。本来は「イエス様のために」という言葉の短縮形。しかし実際には意味のないののしり言葉（swearing）として使われている。そういう言葉が奇しくもクリスマス・ツリーのために使われたことを、ホールデンは「おかしい」と思ったのだ。

26

僕の話はこれでおしまい。もし話そうと思えば、僕がうちに戻って何をしたか、どんなふうに具合が悪くなったか、ここを出たあと秋からどんな学校に行く予定か、そういう話をすることもできる。でもどうも気が乗らないんだな。ほんとの話。今のところそういう話をしようという気持ちになれないんだ。

たくさんの人が僕に、九月に学校に戻ったら身を入れて勉強するつもりかって質問する。精神分析医が一人ここにいて、とくにその男が熱心に尋ねる。でもそういうのってさ、僕に言わせりゃまったくとんまな質問だよ。そんなこと今からわかるわけないだろう。先になって君が何をしてるかなんて、実際に先になってみなきゃ君にだってわからないんじゃないか？　うん、わかるわけないよね。まあたぶんちゃんと勉強するだろうって思ってるよ。でも先のことは先のことだ。だからさ、そういうのって見事にとんまな質問なわけさ。

　ＤＢはほかのみんなほど悪質じゃない。でも僕にいっぱい質問を浴びせかけるという点では同じようなもんだ。この前の土曜日、彼は今脚本を書いている新作映画に出演するイギリス人の女の子を連れて、車でここに来た。彼女はかなりつんつんしてたけど、なにしろ美人ではあったね。それはともかく、その女優がべつの棟にある女性用洗面所まで遠路はるばる出かけているあいだに、ＤＢは僕に尋ねた。このことについて、つまり今まで君に話してきたこの一連のできごとについて、僕がどう考えているのかってね。どう答えればいいのか、ぜんぜんわからなかった。ぶちまけた話、この一連のできごとについて何をどう考えればいいのか、僕だってつかみきれないんだよ。この話をずいぶんあちこちでしちゃったことを後悔している。僕にとりあえずわかっているのは、ここで話したすべての人のことが今では懐かしく思い出されるってことくらいだね。たとえばストラドレイターやらアックリーやらでさえね。まったくの話、あのやくざなモーリスのやつでさえ懐かしく思えるくらいなんだ。わからないものだよね。だから君も他人にやたら打ち明け話なんかしない方がいいぜ。そんなことをしたらたぶん君だって、誰彼かまわず懐かしく思い出しちゃったりするだろうからさ。

本書には訳者の解説が加えられる予定でしたが、原著者の要請により、また契約の条項に基づき、それが不可能になりました。残念ですが、ご理解いただければ幸甚です。

訳者

ペーパーバック・エディション
キャッチャー・イン・ザ・ライ

訳者© 村上春樹《むらかみはるき》
発行者 及川直志
発行所 株式会社白水社
東京都千代田区神田小川町3-24
振替 00190-5-33228 〒101-0052
電話 (03)3291-7811 (営業部)
(03)3291-7821 (編集部)
http://www.hakusuisha.co.jp

2006年3月31日 第1刷発行
2015年4月30日 第18刷発行

印刷所 共同印刷株式会社
製本所 加瀬製本
Printed in Japan
ISBN978-4-560-09000-8
乱丁・落丁本は、送料小社負担にてお取り替えいたします。